Grec

Thanasis Spilias

guide de conversation

Guide de conversation *Grec 2*
Traduit de l'ouvrage *Greek Phrasebook 3*
© Lonely Planet Publications Pty Ltd

Traduction française : © Place des éditeurs

place
des
éditeurs

© Lonely Planet 2011,

12 avenue d'Italie, 75627 Paris cedex 13
☎ 01 44 16 05 00
🖳 lonelyplanet@placedesediteurs.com
🖳 www.lonelyplanet.fr

Dépôt légal
Juin 2011
ISBN 978-2-81610-946-7

Illustration de couverture
Éric Giriat

texte © Lonely Planet Publications Pty Ltd 2011
illustration de couverture © Lonely Planet Publications Pty Ltd 2011

Imprimé par Chirat
Saint-Just-la-Pendue, France

Tous droits de traduction ou d'adaptation, même partiels, réservés
pour tous pays. Aucune partie de ce livre ne peut être copiée,
enregistrée dans un système de recherches documentaires ou de
base de données, transmise sous quelque forme que ce soit, par
des moyens audiovisuels, électroniques ou mécaniques, achetée,
louée ou prêtée sans l'autorisation écrite de l'éditeur, à l'exception
de brefs extraits utilisés dans le cadre d'une étude.

Lonely Planet et le logo de Lonely Planet sont des marques
déposées de Lonely Planet Publications Pty Ltd.

**Lonely Planet n'a cédé aucun droit d'utilisation commerciale de
son nom ou de son logo à quiconque, ni hôtel ni restaurant ni
boutique ni agence de voyages. En cas d'utilisation frauduleuse,
merci de nous en informer : www.lonelyplanet.fr**

Ce guide de conversation *Grec* a été conçu par Thanasis Spilias et les éditions Lonely Planet.

Responsable éditorial : Didier Férat
Coordination éditoriale : Marie Thureau
Coordination graphique : Jean-Noël Doan
Traduction et adaptation en français : Laure Pécher et Ariane Sagiadinos
Adaptation graphique : Alexandre Marchand
Illustrations : Éric Giriat

Un grand merci à Marjorie Bensaada pour sa précieuse contribution au texte. Nos plus vifs remerciements vont à Cécile Bertolissio et et à Dominique Spaety qui ont apporté une aide précieuse à la réalisation de ce guide.

La maquette de ce guide a été créée par Yukiyoshi Kamimura, David Kemp et Margie Jung. Marie-Thérèse Gomez l'a adaptée pour l'édition française. La couverture, conçue par Yukiyoshi Kamimura, a été adaptée en français par Alexandre Marchand. La carte de répartition de la langue, créée par Wayne Murphy, a été traduite par Nicolas Chauveau. Gayle Welburn a réalisé l'index de cette édition française.

remerciements

3

Sachez tirer parti de votre guide...

Nous pouvons tous parler une langue étrangère ! Tout est question de confiance en soi. Peu importe si vous n'avez rien gardé de vos cours de langue à l'école. Si vous assimilez aujourd'hui ne serait-ce que les expressions de base reproduites sur la couverture de ce guide, votre voyage en sera métamorphosé. N'hésitez pas, profitez de cette porte ouverte sur le monde grec, lancez-vous dans l'aventure de la communication !

comment se repérer

Ce guide est divisé en sections, matérialisées par des couleurs différentes. Le chapitre **basiques** expose les bases de la langue grecque. Il sera votre référence permanente. La partie **pratique** présente les situations de la vie quotidienne. Celle intitulée **en société** vous offre les clés des rapports sociaux : comment engager une conversation, tester son pouvoir de séduction ou exprimer une opinion. Une section entière, **à table**, est consacrée à l'alimentation, avec des rubriques gastronomie, plats végétariens et spécialités locales. La partie **urgences** aborde les problèmes de sécurité en voyage et de santé. Un index détaillé, situé en fin d'ouvrage, répertorie les différentes questions abordées. Il est précédé d'un dictionnaire bilingue.

pour vous exprimer

Chaque phrase et expression de ce guide est présentée en grec, accompagnée de sa transcription phonétique (matérialisée par des phrases de couleur dans la partie droite de chaque page) et de sa traduction en français. Notre système de transcription est expliqué en détail dans le chapitre **prononciation** de la partie **basiques**. Il ne requiert pas d'apprentissage spécifique.

les petits plus

Les encadrés *expressions courantes* vous offrent un aperçu du grec tel qu'il est parlé dans la rue. N'hésitez pas à vous en inspirer. Ceux intitulés *parler local* réunissent des phrases qui reviennent souvent dans une situation spécifique. Pour faciliter votre compréhension, la phonétique est alors employée avant le grec.

sommaire

5

en société 107

SOMMAIRE

à table **157**

urgences **191**

dictionnaires **207**

index **251**

sommaire

7

grec

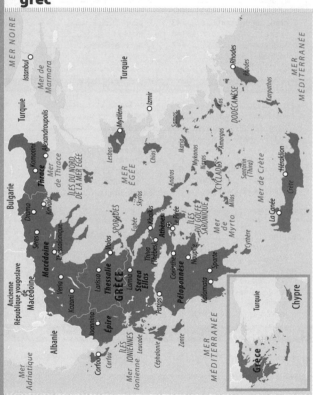

langue officielle

Pour en savoir plus, consultez l'**introduction**.

La langue d'Aristote, d'Homère, de Platon, de Sapho, d'Hérodote et d'Alexandre le Grand participa au développement de concepts complexes comme la démocratie, de disciplines exotiques comme la trigonométrie ou encore d'une névrose non moins célèbre, le complexe d'Œdipe. Tous témoignent de l'immense influence de la langue et de la culture grecques sur le monde occidental.

Le grec est la langue nationale de la Grèce et l'une des deux langues officielles de Chypre. Elle est également parlée par 7 millions de Grecs émigrés un peu partout dans le monde, en particulier en Australie, au Canada, en Allemagne et aux États-Unis.

Issue du Grec ancien, elle constitue une branche distincte dans la famille des langues indo-européennes. Les premières traces de l'écriture grecque furent retrouvées sur des tablettes portant des inscriptions en linéaire B (écriture caractérisée par des contours syllabiques linéaires), datant du XIVe au XIIe siècle av. J.-C. À partir du IXe siècle av. J.-C., les Grecs adaptèrent l'alphabet phénicien en y incluant des voyelles – une première dans l'histoire de l'écriture. Les lettres utilisées aujourd'hui remontent au Ve siècle av. J.-C. Elles servirent à la formation des écritures cyrilliques (langues slaves) et latines (langues européennes telles que le français et l'anglais).

Si l'écriture a traversé les siècles sans connaître de réel changement, la langue parlée a considérablement évolué. Au Ve siècle av. J.-C., la région d'Athènes, l'Attique, connut un immense prestige culturel et politique. Son dialecte devint alors la langue dominante.

---

en bref...

langue : grec

en grec :
Ελληνικά è·li·ni·*ka* (grec)
Νέα Ελληνικά nè·a è·li·ni·*ka* (grec moderne)

famille linguistique :
indo-européen

pays principaux :
Grèce, Chypre

nombre de locuteurs :
10,5 millions en Grèce

origine :
grec ancien

emprunts à la langue grecque :
anarchie, astronomie, cosmos, démocratie, drame, logique, politique…

introduction

9

Elle gagna en influence et s'imposa dans le vaste empire d'Alexandre le Grand, demeurant la langue officielle écrite de l'Empire romain d'Orient et de l'Église orthodoxe. Parallèlement, la langue parlée, appelée koïnè (Κοινή ki·ní), continua d'évoluer au point de supplanter peu à peu la langue classique. C'est dans cette langue, dite "vulgaire", que furent écrites les fameuses chansons populaires (δημοτικά τραγούδια dhi·mo·ti·ka tra·gHou·dhia) caractérisées par de nombreux emprunts à des langues étrangères, notamment au turc et à l'italien.

En 1832, la Grèce accéda à l'indépendance. La question de la langue nationale fut alors soulevée. Les puristes plaidèrent pour la langue savante, héritée de l'époque classique. Appelée Καθαρεύουσα ka·tha·ṙè·vou·ssa (du mot grec "pur"), elle était très éloignée de la langue parlée et dut s'incliner devant la koïnè, ou laïki (λαϊκή la·ï·ki signifiant "populaire"), qui était comprise par l'ensemble de la population.

Interdite sous la dictature des colonels de 1967 à 1974, la koïne/laïki fut ensuite rétablie comme langue officielle de la République grecque.

Vous trouverez dans ce guide les phrases essentielles dont vous aurez besoin pour vous débrouiller dans les situations quotidiennes et pour mieux apprécier la rencontre avec le peuple grec et sa culture. Une fois maîtrisée la prononciation, le reste sera affaire de confiance. Alors ne vous contentez pas de regarder, parlez et échangez !

> abréviations utilisées dans ce guide :

a	adjectif	n	neutre (après le grec)
acc	accusatif	n	nom (après le français)
f	féminin	nom	nominatif
gén	génitif	pl	pluriel
fam	familier	pol	formule de politesse
litt	littéral	sg	singulier
m	masculin	v	verbe

L'alphabet grec est très proche de notre alphabet latin et la prononciation pose peu de problèmes aux francophones. Les rares sons étrangers au français se retrouvent dans d'autres langues (anglais, allemand ou espagnol). La seule difficulté réside dans l'accentuation des mots, aléatoire et pourtant primordiale.

voyelles

L'alphabet grec compte 7 voyelles. Trois d'entre elles (ι, υ, η) se prononcent i. Les sons è (ε) et o (o, ω) sont toujours ouverts.

lettre grecque	symbole	équivalent français	exemple grec	transcription
α	a	lave	αλλά	a·*la*
ε	è	père/aime	πλένομαι	*plè*·no·mè
ι, υ, η	i	jeudi	πίσω, πόλη, ύπνος	*pi*·sso, po·li, *i*·pnoss
o, ω	o	or	πόνος, πίσω	po·noss, *pi*·sso

diphtongues et combinaisons de voyelles

La langue grecque combine les lettres d'une façon originale. Par exemple, le υ se prononcera f ou v après α et ε. D'autre part, certaines voyelles se combinent pour former un son unique.

lettre grecque	symbole	équivalent français	exemple grec	transcription
αι	è	père/aime	είμαι	*i*·mè
ει, οι	i	jeudi	κλείνω, όλοι	*kli*·no, o·li
ου	ou	roue	που	pou
αυ	af /av	affre/navet	αυτός/αύριο	af·*toss*/*av*·rio
ευ	èf/èv	nef/grève	πεύκο/ευρώ	*pèf*·ko/*èv*·ro

consonnes

Seules les consonnes δ, θ, γ et χ peuvent présenter des difficultés pour les francophones. Les deux dernières se prononcent différemment en fonction des voyelles qu'elles précèdent.

lettre grecque	symbole	équivalent français	exemple grec	transcription
β	v	avant	βάζω	*va*·zo
γ	gH	entre g et r devant "a" et "o" (guttural)	γάμος	*gHa*·moss
	y	yoga	γελώ	yè·*lo*
δ	dh	"th" anglais de *the*	δεν	dhèn
ζ	z	zèle	ζέστη	*zès*·ti
θ	th	"th" anglais de *think*	θέλω	*thè*·lo
κ	k	képi	και	kè
λ	l	laver	λίγω	*li*·gHo
μ	m	mère	μαμά	ma·*ma*
ν	n	note	ναι	nè
ξ	ks	klaxon	ξένος	*ksè*·noss
π	p	pain	παπάς	pa·*pass*
ρ	r	"r" (roulé)	ρέστα	*rè*·sta
σ, ς	s/ss/z	souris/zéro	σου, γέρος/ ύφασμα	sou, yè·ross/ *i*·faz·ma
τ	t	ta	τέλος	*tè*·loss
φ	f	faim	φόρος	*fo*·ross
χ	rH	devant "a" ou "o", son r très léger et h expiré comme dans le *Bach* allemand	χωριό	rHo·*rio*
	H	devant "è" ou "i", comme le ch allemand de *ich*	χέρι	*Hè*·ri

combinaisons de consonnes

Certaines consonnes se combinent deux à deux, pour former une nouvelle consonne qui ne présente généralement pas de difficulté de prononciation.

lettre grecque	symbole	équivalent français	exemple grec	transcription
μπ	b	**b**ateau	μπορώ	**b**o·*ro*
ντ	d	**d**os	αντίο	a·*d*i·o
γκ, γγ	g/gu	**g**arage/**gu**euse	γκαράζ/εγγονός	**g**a·*raz*/è·**g**o·*noss*
γχ	H	le "i**ch**" allemand	εγχειρώ	è·**H**i·*ro*
	n·rH	son rH précédé d'un son n très léger	εγχώριος	è**n**·*rH*o·rioss
τσ	ts	**ts**unami	τσέπη	*ts*è·*pi*
τζ	dz	comme **dz** en français	φλιτζάνι	fli·*dza*·ni

élision

L'élision est fréquente lorsqu'un mot se termine ou commence par une voyelle. Sè è·frHa·ri·*sto* (merci) se prononcera : sè·frHa·ri·*sto*.

accentuation et accent tonique

Chaque mot grec porte un accent tonique, marqué par un accent aigu placé sur la voyelle. Il indique que la syllabe doit être prononcée plus fortement que les autres. Les mots d'une syllabe ne sont généralement pas accentués.

Dans ce guide, la syllabe accentuée est indiquée en italique. Soyez vigilant : une mauvaise accentuation pourra modifier radicalement le sens d'un mot. Ainsi, si μισός mi·*ssoss* signifie "moitié", μίσος *mi*·ssoss veut dire "haine". Dans les diphtongues, l'accent se porte sur la seconde voyelle. En l'absence d'accent, chacune des deux voyelles se prononce de façon distincte. Μάιος (mai) se dit ainsi *ma*·ioss. En cas d'ambiguïté, des trémas indiquent lorsque les deux voyelles doivent être prononcées séparément, comme dans λαϊκός la·*i*·koss (populaire).

13

question de transcription

Les voyelles nasales n'existent pas en grec. Le "n" se prononce toujours derrière les voyelles "a", "i", "o", "u" et "è". Dans ce guide, par exemple, l'article τον sera transcrit ton et se prononcera comme "tonne" en français.

système d'écriture

Le grec moderne utilise les 24 lettres de l'alphabet grec ancien. Il s'écrit de gauche à droite. Chaque lettre se prononce, sauf dans les combinaisons de voyelles ou de consonnes (voir **diphtongues et combinaisons de voyelles** et **combinaisons de consonnes**).

lancez-vous

Ne vous laissez pas intimider par l'alphabet grec qui est beaucoup plus proche que vous ne l'imaginez de notre alphabet latin. Habituez-vous à reconnaître les lettres et essayez de comprendre comment les minuscules se sont formées à partir des majuscules. Très vite, ces lettres vous seront familières. Quant aux sons, vous les connaissez. Alors n'hésitez pas, lancez-vous !

alphabet			
A α *al*·pha	B β *vi*·ta	Γ γ *gHa*·ma	Δ δ *dhèl*·ta
E ε *èp*·si·lon	Z ζ *zi*·ta	H η *i*·ta	Θ θ *thi*·ta
I ι *yio*·ta	K κ *ka*·pa	Λ λ *lam*·dha	M μ mi
N ν ni	Ξ ξ ksi	O o *o*·mi·kron	Π π pi
P ρ ro	Σ σ/ς* *sigH*·ma	T τ taf	Υ υ *ip*·si·lon
Φ φ fi	X χ Hi	Ψ ψ psi	Ω ω o·*mè*·gHa

BASIQUES

Ce chapitre présente les rudiments de la grammaire grecque. Les différentes rubriques, classées par ordre alphabétique, sont destinées à vous aider à construire vos propres phrases. Le dictionnaire inclus à la fin de ce guide vous donnera le vocabulaire nécessaire pour vous lancer. En cas de difficulté, pas de panique : quelques gestes vous aideront à vous faire comprendre !

adjectifs et description

déclinaisons

L'adjectif, placé entre l'article et le nom, se décline presque comme le nom. Il s'accorde en genre, en nombre et en cas avec le nom qu'il qualifie.

la robe blanche
το άσπρο φόρεμα   to *as*·pro *fo*·rè·ma
(litt : la blanche robe)

Voici la déclinaison de l'adjectif ψιλός psi·*loss* (grand/élevé) :

adjectif		masculin	féminin	neutre
nominatif	sg	ψιλός psi-*loss*	ψιλή psi-*li*	ψιλό psi-*lo*
	pl	ψιλοί psi-*li*	ψιλές psi-*lèss*	ψιλά psi-*la*
accusatif	sg	ψιλό psi-*lo*	ψιλή psi-*li*	ψιλό psi-*lo*
	pl	ψιλούς psi-*louss*	ψιλές psi-*lèss*	ψιλά psi-*la*
génitif	sg	ψιλού psi-*lou*	ψιλής psi-*liss*	ψιλού psi-*lou*
	pl	ψιλών psi-*lon*	ψιλών psi-*lon*	ψιλών psi-*lon*

L'adverbe se forme à partir du neutre pluriel de l'adjectif au nominatif. Il se termine par -a. L'adverbe Ψιλά psi-*la* (haut) sera ainsi formé à partir de ψιλός psi-*loss*.

aoriste

Issu de la langue ancienne, l'aoriste est l'un des deux "thèmes" du verbe grec. Il possède une valeur temporelle passée (voir la rubrique **verbes**) ou aspectuelle (voir la rubrique **aspect**).

article défini

L'article défini (le, la, les), o/η/το o/i/to **(m/f/n)**, se place devant le nom avec lequel il s'accorde en genre, en nombre et en cas. Reportez-vous également à la rubrique **noms**.

		masculin		féminin		neutre	
nominatif	singulier	o	o	η	i	το	to
	pluriel	οι	i	οι	i	τα	ta
accusatif	singulier	το(ν)	to(n)	τη(ν)	ti(n)	το	to
	pluriel	τους	tous	τις	tis	τα	ta
génitif	singulier	του	tou	της	tis	του	tou
	pluriel	των	ton	των	ton	των	ton

article indéfini

L'article indéfini (un, une, des) se place devant le nom avec lequel il s'accorde en genre et en cas. Il ne s'exprime pas au pluriel.

une rue	ένας δρόμος	è·nass *dro*·moss
des rues	δρόμοι	*dro*·mi

	masculin	féminin	neutre
nominatif	ένας è·nass	μια mla	ένα è·na
accusatif	ένα(ν) è·na(n)	μια mia	ένα è·na
génitif	ενός è·*noss*	μιας *mi*ass	ενός è·*noss*

article partitif

L'article partitif (du, de la, des) ne s'exprime pas en grec.

Je veux de l'eau θέλω νερό. *thè·lo nè·ro*
(litt : je-veux eau)

aspect

aoriste

Le verbe grec se conjugue comme en français. Il possède aussi un aspect, qui constitue un élément déterminant du système verbal. Chaque verbe possède deux thèmes (ou racines) : le présent (valeur aspectuelle continue ou répétée) et l'aoriste (valeur aspectuelle plus momentanée). Voir également la rubrique **aoriste**.

augment

passé

La lettre ε è, appelée augment, sert de préfixe verbal à l'imparfait et à l'aoriste. Habituez-vous à la reconnaître, car elle se contracte parfois avec la première lettre du verbe.

avoir

Le verbe "avoir" exprime la possession. Il sert aussi d'auxiliaire pour la conjugaison du passé composé.

présent		passé	
j'ai	έχω è·rHo	j'avais	είχα *i·rHa*
tu as	έχεις è·Hiss	tu avais	είχες *i·Hèss*
il/elle a	έχει è·Hi	il/elle avait	είχε *i·Hè*
nous avons	έχουμε è·rHou·mè	nous avions	είχαμε *i·rHa·mè*
vous avez	έχετε è·Hè·tè	vous aviez	είχατε *i·rHa·tè*
ils/elles ont	έχουν è·rHoun	ils/elles avaient	είχαν(ε) *i·rHan(è)*

comparaison

Pour exprimer la comparaison, l'adjectif est précédé des adverbes πιο pio (plus) ou λιγότερο li·*gHo*·tè·ro (moins), ou suivi du suffixe -*otèross*/ -*otèri*/-*otèro* (m/f/n). Le complément est introduit par από a·*po*.

Tu es plus riche/moins riche que moi.

Είσαι πιο πλούσιος/λιγότερο   i·ssè pio plou·ssioss/li·*gHo*·tè·ro
πλούσιος από μένα.   plou·ssioss a·*po* mè·na
(litt : tu-es plus riche/moins riche que moi)

Le train est plus cher/moins cher que le bus.

Το τρένο είναι ακριβότερο/   to trè·no i·nè a·kri·*vo*·tè·ro/
φτηνότερο από το λεωφορείο.   fti·*no*·tè·ro a·*po* to lè·o·fo·ri·o
(litt : le train est plus-cher/moins-cher que le bus)

Le superlatif se construit en ajoutant l'article (le/la) devant l'adverbe ou devant l'adjectif augmenté de son suffixe.

C'est le billet le moins cher.

Είναι το φτηνότερο εισιτήριο.   i·nè to fti·*no*·tè·ro i·ssi·*ti*·rio
(litt : est le moins-cher billet)

C'est le plus riche.

Είναι ο πιο πλούσιος.   i·nè o pio plou·ssioss
(litt : est le plus riche)

conjonctions

Voici les conjonctions les plus courantes :

et	και	kè
parce que	γιατί/επιδή	yia·*ti*/è·pi·*dhi*
mais	αλλά/όμως	a·*la*/o·moss
donc	λειπόν/άρα	li·*pon*/a·ra
ou	η	i
alors	τότε	to·tè
bien que	αν και	an kè

déclinaisons

Le cas des articles, des adjectifs, des pronoms et des noms est déterminé par leur fonction dans la phrase (voir également la rubrique **noms**).

fonction	cas
groupe sujet	nominatif
groupe objet direct	accusatif
complément (introduit par une préposition)	accusatif (parfois génitif)
complément du nom ou d'objet indirect	génitif

Mon mari a une maison dans le centre de la ville.

Ο άνδρας μου έχει ένα σπίτη   o *a*·drass mou è·Hi è·na *spi*·ti
στο κέντρο στις πόλης.   sto *kè*·dro tiss *po*·liss
(litt : le mari-**nom** de-moi-**gén** a une maison-**acc** dans-le centre-**acc** de-la ville-**gén**)

À ces trois cas s'ajoute le vocatif, qui n'est utilisé que pour s'adresser à quelqu'un. Consultez également la rubrique **noms**.

devoir

Le verbe "devoir" n'existe pas en grec. L'obligation s'exprime par la forme πρέπει *prè*·pi (il faut que), suivie de la conjonction να na Introduisant le subjonctif (voir la rubrique **subjonctif**).

Je dois me lever tôt demain.

Πρέπει να ξυπνήσω   *prè*·pi na ksi·*pni*·sso
νωρίς αύριο.   no·*riss a*·vrio
(litt : il-faut que je-me-lève tôt demain)

donner un ordre

En grec, l'impératif est plus employé que les formules de politesse et n'a rien d'incorrect, même associé au vouvoiement.

impératif	singulier et informel (*tu*)	pluriel et politesse (*vous*)
viens/venez	έλα *è·la*	ελάτε *è·la·tè*
donne/donnez (-moi)	δώσε (μου) *dho·ssè* (mou)	δώστε (μου) *dho·stè* (mou)
apporte/apportez (-moi)	φέρε (μου) *fè·rè* (mou)	φέρτε (μου) *fèr·tè* (mou)
bois/buvez (-le)	πιές (το) *pi·èss* (to)	πιείτε (το) *pi·i·tè* (to)
dis/dites (-moi)	πες (μου) *pèss* (mou)	πείτε (μου) *pi·tè* (mou)

être

Le verbe "être" s'emploie de la même manière qu'en français. Il n'est toutefois jamais auxiliaire.

présent		passé	
je suis	είμαι *i·*mè	j'étais	ήμουν *i·*moun
tu es	είσαι *i·*ssè	tu étais	ήσουν *i·*ssoun
il/elle est	είναι *i·*nè	il/elle était	ήταν *i·*tan
nous sommes	είμαστε *i·*ma·stè	nous étions	ήμαστε *i·*ma·stè
vous êtes	είστε *i·*stè	vous étiez	ήσαστε *i·*ssa·stè
ils/elles sont	είναι *i·*nè	ils/elles étaient	ήταν *i·*tan

futur

Le grec possède deux futurs simples. Un futur continu, formé avec la particule θα tha suivie du verbe au présent :

Je t'enverrai une carte postale tous les jours.
Θα σου στέλνω μία   tha sou *stèl*·no mia
κάρτα κάθε μέρα.   *kar*·ta *ka*·thè *mè*·ra
(litt : particule-du-futur à-toi j'envoie une carte chaque jour)

Un futur dit momentané également formé avec θα tha, suivie du thème aoriste du verbe (voir **aoriste**, **aspect**, **thèmes** et **verbes**) et des désinences du présent : *-o, -iss, -i, -oumè, -ètè,-oun.*

Je t'enverrai une carte postale demain.
Θα σου στείλω μία   tha sou *sti*·lo mia
κάρτα αύριο.   *kar*·ta *av*·rio
(litt : particule-du-futur à-toi j'envoie une carte demain)

genre

Contrairement au français qui ne possède que deux genres, le grec en possède trois : le masculin, le féminin et le neutre, dont l'attribution ne répond à aucune règle précise.

il y a

La forme έχει è·Hi (il a) signifie également "il y a". On utilise toutefois plus fréquemment υπάρχει i·*par*·Hi (il existe) :

Y a-t-il un camping près d'ici ?
Υπάρχει κάμπινγκ εδώ κοντά;   i·*par*·Hi *ka*·bing è·*dho* ko·*da* ?
(litt : il-existe camping ici près)

négation

Pour construire une phrase négative, il suffit de placer le mot δεν *dhèn* devant le verbe, y compris lorsque la phrase comprend déjà une négation de type "rien" ou "personne".

Je ne parle pas grec.
> Δεν μιλώ Ελληνικά.   dhèn mi·*lo* è·li·ni·*ka*
> (litt : ne-pas je-parle grec)

À l'impératif, *μην* min (ne pas) remplacera δεν :

Ne nage pas ici.
> Μην κολυμπάς εδώ.   min ko·li·*bass* è·*dho*
> (litt : ne-pas nage ici)

noms

Les noms propres, comme les noms communs, se déclinent et sont précédés de l'article. On ne dit pas : "Maria habite ici", mais : "La Maria habite ici".

Je vois Marie.
> Βλέπω την Μαρία.   vlè·po tin Ma·*ri*·a
> (litt : je-vois la Marie)

Voici la déclinaison des noms pour les désinences en -ος, -η et -ο. Ce sont les plus courantes, mais il en existe beaucoup d'autres.

		masculin (le Français)	féminin (la langue)	neutre (le verre)
nominatif	sg	ο Γάλλος o *gHa*·loss	η γλώσσα i *gHlo*·ssa	το ποτό to po·*to*
	pl	οι Γάλλοι i *gHa*·loi	οι γλώσσες i *gHlo*·ssèss	τα ποτά ta po·*ta*
accusatif	sg	τον Γάλλον ton *gHa*·lon	την γλώσσα tin *gHlo*·ssa	το ποτό to po·*to*
	pl	τους Γάλλους touss *gHa*·louss	τις γλώσσες tiss *gHlo*·ssèss	τα ποτά ta po·*ta*
génitif	sg	του Γάλλου tou *gHa*·lou	της γλώσσας tis *gHlo*·ssass	του ποτού tou po·*tou*
	pl	των Γάλλων ton *gHa*·lon	των γλωσσών ton *gHlo*·sson	των ποτών ton po·*ton*

Notez que le vocatif est employé lorsque l'on s'adresse à quelqu'un. Il est marqué par l'omission du "s" final pour le masculin singulier.

oui et non

Attention ! Habituez-vous à les reconnaître et à les utiliser à bon escient, car ils sont aussi trompeurs que les gestes de la tête qui les accompagnent. Une petite inclinaison de la tête sur le côté signifie "oui". Relever la tête en haussant les sourcils veut dire "non".

oui	ναι	nè
non	όχι	o·Hi

ordre des mots

possessifs/possession · subjonctif

Les phrases grecques suivent l'ordre : sujet-verbe-complément. Il existe presque les mêmes subordonnées qu'en français (voir la rubrique **subjonctif**). Vous noterez simplement la place particulière des adjectifs possessifs, placés après le nom.

passé

La langue grecque possède plusieurs formes de passé : l'imparfait, l'aoriste (voir la rubrique **aoriste**) et le passé-composé, beaucoup moins fréquent que le nôtre.

Vous n'aurez aucune difficulté à utiliser l'imparfait. Il se construit de la façon suivante : ε- è· (augment pour les verbes de 1 ou 2 syllabes) + thème du présent + désinences du passé : -a, -èss, -è, -amè, -atè, -an.

L'aoriste, en théorie, n'est pas plus compliqué. Il suit le modèle suivant : ε- è· (augment pour les verbes de 1 ou 2 syllabes) + thème de l'aoriste + s (marque de l'aoriste) + désinences du passé actif : -a, -èss, -è, -amè, -atè, -an ou passif : -ithika, -ithikèss, -ithikè, ithikamè, ithikatè, ithikan. La réalité est toutefois beaucoup plus complexe et le plus simple consiste à apprendre par cœur les formes aoristes les plus courantes :

	verbes actifs (écrire)	verbes passifs (réfléchir)
je	έγραψα *è·gHra·psa*	σκέφτηκα *skèf·ti·ka*
tu	έγραψες *è·gHra·psèss*	σκέφτηκες *skèf·ti·kèss*
il/elle	έγραψε *è·gHra·psè*	σκέφτηκε *skèf·ti·kè*
nous	γράψαμε *gHra·psa·mè*	σκεφτήκαμε *skè·fti·ka·mè*
vous	γράψατε *gHra·psa·tè*	σκεφτήκατε *skèf·ti·ka·tè*
ils/elles	έγραψαν *è·gHra·psan*	σκέφτηκαν *skèf·ti·kan*

possessifs/possession

Le possessif grec ne suit pas les mêmes règles que le possessif français. Il s'emploie après l'article et le nom. Au lieu de dire "mon sac", on dira "le sac de moi". Il ne s'accordera donc pas avec le nom "sac" mais avec le possesseur "moi".

le livre de Maria   Το βιβλίο της Μαρίας   to vi·*vli*·o tiss ma·*ri*·ass
le livre de Nikos   Το βιβλίο του Νίκου   to vi·*vli*·o tou *ni*·kou

son livre (à elle)
Το βιβλίο της   to vi·*vli*·o tiss
(litt : le livre d'elle)

son livre (à lui)
Το βιβλίο του   to vi·*vli*·o tou
(litt : le livre de-lui)

possessifs		
mon, mes	μου	mou
ton, tes	σου	sou
son, sa, ses	του/της/του m/f/n	tou/tiss/tou
notre, nos	μας	mass
votre, vos	σας	sass
leur, leurs	τους	touss

Pour porter l'emphase sur le possesseur, on emploie l'adjectif δικός/δική/δικό dhi·*koss*/dhi·*ki*/dhi·*ko* (m/f/n), suivi du pronom personnel au génitif (voir la rubrique **pronoms**) :

le mien/la mienne/le mien
Ο δικός μου/η δική μου/   o dhi·*koss* mou/i dhi·*ki* mou/
το δικό μου m/f/n   to dhi·*ko* mou

Le pronom possessif se forme en ajoutant le pronom personnel à ce même adjectif.

Ces sacs sont les nôtres.
Εκείνες οι τσάντες   è·*ki*·nèss i *tsa*·dèss
είναι δικές μας.   i·nè dhi·*kèss* mass

La possession s'exprime également avec le verbe "avoir" suivi de l'accusatif (voir la rubrique **avoir**) et à l'aide d'un complément du nom au génitif.

prépositions

Les prépositions sont le plus souvent suivies d'un groupe de mots à l'accusatif. Parmi les prépositions ci-dessous, seule μεταξύ mè·tak·*ssi* (entre) est suivie du génitif.

Je voudrais réserver une place pour Athènes.

| Θα ήθελα να κρατήσω | tha i·thè·la na kra·*ti*·sso |
| μια θέση για την Αθήνα. | mia *thè*·ssi yia tin a·*thi*·na |

(litt : je-voulais (conditionnel) que je-réserve une place pour Athènes-**acc**)

Quelle est la différence entre la première et la deuxième classe ?

| Ποια είναι η διαφορά μεταξύ | pia i·nè i dhia·fo·*ra* mè·tak·*ssi* |
| πρώτης και δεύτερης θέσης; | *pro*·tiss ké *dhèf*·tè·riss *thè*·ssiss |

(litt : quelle est la différence entre première-**gén** et seconde-**gén** classe-**gén**)

prépositions		
à/dans	σε	sè
de	από	a·*po*
avec	με	mè
pour	για	ya
entre	μεταξύ	mè·ta·*ksi*
vers	προς	pross
sous	κάτω από	*ka*·to a·*po*
sur	πάνω σε	*pa*·no sè

La préposition σε sè se contracte avec l'article qui la suit :

| à la gare | στον σταθμό | ston sta·*thmo* |
| dans les villes | στις πόλεις | stiss *po*·liss |

présent

Voici les terminaisons régulières du présent à la voix active et à la voix passive :

	verbe actif (écrire)	verbe passif (réfléchir)
je	γράφω *gHra·fo*	σκέφτομαι *skèf·to·mè*
tu	γράφεις *gHra·fiss*	σκέφτεσαι *skèf·tè·ssè*
il/elle	γράφει *gHra·fi*	σκέφτεται *skèf·tè·tè*
nous	γράφουμε *gHra·fou·mè*	σκεφτόμαστε *skèf·to·ma·stè*
vous	γράφετε *gHra·fè·tè*	σκέφτεστε *skèf·tès·tè*
ils/elles	γράφουν *gHra·foun*	σκέφτονται *skèf·to·dè*

pronoms

Les pronoms personnels grecs se déclinent exactement comme en français. Le pronom sujet ne s'emploie que pour marquer une insistance.

	sujet (nominatif)	
je/moi	εγώ	*è·gHo*
tu	εσύ	*è·ssi*
il/elle	αυτός/αυτή/αυτό **m/f/n**	*af·toss/af·ti/af·to*
nous	εμείς	*è·miss*
vous	εσείς	*è·ssiss*
ils/elles	αυτοί/αυτές/αυτά **m/f/n**	*af·ti/af·tèss/af·ta*

objet direct (accusatif)		
me	με	mè
te	σε	sè
le/la	τον/την/το m/f/n	ton/tin/to
nous	μας	mass
vous	σας	sass
les	τους/τις/τα m/f/n	touss/tiss/ta

objet indirect (génitif)		
me	μου	mou
te	σου	sou
lui	του/της/του m/f/n	tou/tiss/tou
nous	μας	mass
vous	σας	sass
leur	τους	touss

Moi, je suis grand.

Εγώ είμαι ψιλός. è·*gHo* i·mè psi·*loss*

Je mange les raisins.

Τρώω τα σταφύλια. *tro*·o ta sta·*fi*·lia

Je les mange.

Τα τρώω. ta *tro*·o

(litt : les je-mange)

Le pronom objet indirect précède le pronom direct et le verbe.

Je lui ai donné mon passeport.

Του έδωσα το tou è·dho·ssa to

διαβατήριό μου. dhia·va·*ti*·ri·o mou

(litt : à-lui-gén j'ai-donné le-acc passeport-acc de-moi-gén)

Je le lui ai donné.

Του το έδωσα. tou to è·dho·ssa

(litt : lui-gén le-acc ai-donné)

questions

L'intonation permet d'identifier ou de poser une question. La voix monte sur le dernier mot de la phrase. Vous noterez que les Grecs utilisent le point virgule, à la place de notre point d'interrogation.

pronoms et adverbes interrogatifs		
qui/ quel/quelle/ quels/quelles ?	Ποιος/Ποια/Ποιο; (sg) Ποιοι/Ποιες/Ποια; (pl)	pioss/pia/pio pii/pièss/pia
quoi ?	Τι;	ti
où ?	Πού;	pou
quand ?	Πότε;	po·tè
pourquoi ?	Γιατί;	yia·ti
comment ?	Πώς;	poss
combien ?	Πόσος/Πόση/Πόσο; (sg) Πόσοι/Πόσες/Πόσα; (pl)	po·ssoss/po·ssi/po·sso po·ssi/po·ssèss/po·ssa

Comment prononces-tu cela ?
Πώς προφέρεις αυτό;   *poss* pro·fè·riss af·*to*
(litt : comment tu-prononces ça-acc)

Combien ça coûte ?
Πόσο κάνει;   *po*·sso ka·ni
(litt : combien coûte)

Quand part le premier bus ?
Πότε είναι το πρώτο λεωφορείο; *po*·tè *i*·nè to *pro*·to lè·o·fo·*ri*·o
(litt : quand est le premier bus)

Qui est-ce ?
Ποιος είναι εκείνος;   pioss *i*·nè è·*ki*·noss
(litt : qui-nom est lui-nom)

Pourquoi ne puis-je pas monter dans ce train ?
Γιατί δεν μπορώ να   yia·*ti* dhèn bo·*ro* na
ανεβώ σ'αυτό το τρένο;   a·nè·*vo* saf·*to* to *trè*·no
(litt : pourquoi ne-pas je-peux que je-monte dans ce le train)

subjonctif

En grec, le subjonctif est très simple et très employé. Il remplace souvent notre infinitif. Les deux subjonctifs présents (momentané et continu) se construisent exactement comme les deux futurs (voir la rubrique **futur**). Il suffira de remplacer la particule θα tha par la particule να na que l'on peut traduire par "que".

Je veux aller au musée.

Θέλω να πάω στο μουσείον   *thè*·lo na *pa*·o sto mou·*ssi*·on
(litt : je-veux que je-vais au Musée)

Je veux te parler.

Θέλω να σου μιλήσω   *thè*·lo na sou mi·*li*·sso
(litt : je-veux que à-toi je-parlerai)

Peux-tu m'aider ?

Μπορείς να με βοηθήσεις   bo·*riss* na mè vo·ï·*thi*·ssiss ?
(litt : tu-peux que moi tu-aideras ?)

J'aime voyager.

Μου αρέσει να ταξιδεύω   mou a·*rè*·ssi na ta·ksi·*dhè*·vo
(litt : à moi il-plaît que je-voyage)

Voici quelques expressions courantes employées avec le subjonctif :

Il est possible de/que	Είναι δυνατό να	*i*·nè dhi·na·*to* na
Il est interdit de	Είναι απαραίτητο να	*i*·nè a·pa·*rè*·ti·to na
Je dois	Πρέπει να	*prè*·pi na

thèmes

Les verbes grecs possèdent deux thèmes (ou racines), appelés présent et aoriste. Il est nécessaire de savoir les dissocier pour maîtriser la conjugaison (voir les rubriques **aspect** et **aoriste**).

verbes

Il n'existe pas d'infinitif en grec. Les dictionnaires présentent les verbes à la première personne du présent de l'indicatif (terminaison en -ω pour la voix active et en -ομαι pour la voix passive).

La voix passive est beaucoup plus utilisée en grec qu'en français. Elle ne possède pas le même sens passif. Elle désigne plutôt un état, une condition ou une action réflexive (l'équivalent de nos verbes pronominaux).

Voici quelques verbes actifs parmi les plus courants :

aller	πηγαίνω/πάω	pi·yè·no/pa·o
faire	κάνω	ka·no
mettre	βάζω	va·zo
voir	βλέπω	vlè·po

Les verbes passifs les plus courants sont :

dormir	κοιμούμαι	ki·mou·mè
s'asseoir	κάθομαι	ka·tho·mè
se dépêcher	βιάζομαι	via·zo·mè

Voici quelques verbes fréquemment rencontrés :

verbes	présent	imparfait	aoriste	futur momentané
manger	τρώω *tro*·o	έτρωγα *è*·tro·gHa	έφαγα *è*·fa·gHa	θα φάω tha *fa*·o
boire	πίνω *pi*·no	έπινα *è*·pi·na	ήπια *i*·pia	θα πιω tha pio
aller	πηγαίνω pi·*yè*·no	πήγαινα *pi*·yè·na	πήγα *pi*·gHa	θα πάω tha *pa*·o
dire	λέω *lè*·o	έλεγα *è*·lè·gHa	είπα *i*·pa	θα πω tha po
voir	βλέπω *vlè*·po	έβλεπα *è*·vlè·pa	είδα *i*·dha	θα δω tha dho
prendre	παίρνω *pèr*·no	έπαιρνα *è*·pèr·na	πήρα *pi*·ra	θα πάρω tha *pa*·ro
venir	έρχομαι *èr*·rHo·mè	ερχόμουν *èr*·rHo·moun	ήρθα *ir*·tha	θα ρθω tha rtho
donner	δίνω *dhi*·no	έδινα *è*·dhi·na	έδωσα *è*·dho·ssa	θα δώσω tha *dho*·sso

Parlez-vous/parles-tu (français) ?
Μιλάτε/Μιλάς (Γαλλικά);   mi·*la*·tè/mi·*lass* (gHa·li·*ka*)

Quelqu'un parle-t-il (français) ?
Μιλάει κανείς (Γαλλικά);   mi·*la*·ï ka·*niss* (gHa·li·*ka*)

Comprenez-vous ?
Καταλαβαίνετε;   ka·ta·la·*vè*·nè·tè/

Comprends-tu ?
καταλαβαίνεις;   ka·ta·la·*vè*·niss

Oui, je comprends.
Ναι, καταλαβαίνω.   nè ka·ta·la·*vè*·no

Non, je ne comprends pas.
Όχι, δεν καταλαβαίνω.   *o*·Hi dhèn ka·ta·la·*vè*·no

Je (ne) comprends (pas).
(Δεν) καταλαβαίνω.   (dhèn) ka·ta·la·*vè*·no

Pardon ?
Συγνώμη;   sigH·*no*·mi

Je parle (français).
Μιλάω (Γαλλικά).   mi·*la*·o (gHa·li·*ka*)

Je ne parle pas grec.
Δεν μιλάω Ελληνικά.   dhèn mi·*la*·o è·li·ni·*ka*

Je parle un peu.
Μιλάω λίγο.   mi·*la*·o *li*·gHo

Parlons grec.
Ας μιλήσουμε Ελληνικά.   ass mi·*li*·ssou·mè è·li·ni·*ka*

---

exercice de diction

Cet exercice de diction ravira les amateurs de défis.

Ο παπάς ο παχύς έφαγε   o pa·*pass* o pa·*Hiss* è·fa·yè
παχιά φακή. Γιατί, παπά παχύ,   pa·*Hia* fa·*ki* yia·*ti* pa·*pa* pa·*Hi*
έφαγες παχιά φακή;   è·fa·yèss pa·*Hia* fa·*ki*

(Le gros pope a mangé une grosse lentille.
Pourquoi, gros pope, as-tu mangé une grosse lentille ?)

Je voudrais pratiquer mon grec.

Θα ήθελα να εξασκήσω	tha *i*·thè·la na èk·sa·*ski*·sso
τα Ελληνικά μου.	ta è·li·ni·*ka* mou

Que signifie (μώλος) ?

Τι σημαίνει (μώλος);	ti si·*mè*·ni (*mo*·loss)

Comment prononce-t-on ce mot ?

Πώς να προφέρεις	poss na pro·*fè*·riss
αυτή τη λέξη;	af·*ti* ti *lè*·ksi

Pourriez-vous/	Θα μπορούσατε/	tha bo·*rou*·ssa·tè
pourrais-tu… ?	μπορούσες να…;	bo·*rou*·ssèss na…
répéter	το επαναλάβεις	to è·pa·na·*la*·viss
parler plus	μιλάς πιο	mi·*lass* pio
lentement	αργά	ar·*gHa*
l'écrire	το γράψεις	to *gHra*·psiss

---

alphabet - faux amis

Si certaines lettres grecques rappellent les lettres françaises, elles se prononcent très différemment.

majuscules	minuscules	prononciation
Β	β	v
Η	η	i
Ρ	ρ	r
Υ	υ	i
Χ	χ	rH/H
Ν	ν	n
Ξ	ξ	ks
Σ	σ/ς	s/ss/z
Ω	ω	o

Toutes les lettres de l'alphabet sont présentées p. 14.

nombres cardinaux

En grec, les chiffres 1, 3 et 4 et les nombres comprenant ces chiffres (21 et 13 par exemple) s'accordent avec le nom auquel ils sont associés. Ils peuvent donc être masculin (m), féminin (f) ou neutre (n). Le neutre est employé systématiquement pour compter.

1	ένας/μία/ένα m/f/n	è·nass/*mi*·a/è·na
2	δύο	*dhi*·o
3	τρεις/τρία m et f/n	triss/*tri*·a
4	τέσσερις m et f	*tè*·ssè·riss
	τέσσερα n	*tè*·ssè·ra
5	πέντε	*pè*·dè
6	έξι	*èk*·ssi
7	εφτά	èf·*ta*
8	οχτώ	orH·*to*
9	εννέα	è·*nè*·a
10	δέκα	*dhè*·ka
11	έντεκα	è·dè·ka
12	δώδεκα	*dho*·dhè·ka
13	δεκατρείς m et f	dhè·ka·*triss*
	δεκατρία n	dhè·ka·*tri*·a
14	δεκατέσσερις m et f	dhè·ka·*tè*·ssè·riss
	δεκατέσσερα n	dhè·ka·*tè*·ssè·ra
15	δεκαπέντε	dhè·ka·*pè*·dè
16	δεκαέξι	dhè·ka·*èk*·si
17	δεκαεφτά	dhè·ka·èf·*ta*
18	δεκαοχτώ	dhè·ka·orH·*to*
19	δεκαεννέα	dhè·ka·è·*nè*·a
20	είκοσι	*i*·ko·ssi
21	είκοσι ένας/μία m/f	*i*·ko·ssi è·nass/*mi*·a
	είκοσι ένα n	*i*·ko·ssi è·na

22	είκοσι δύο	*i*·ko·ssi *dhi*·o
30	τριάντα	tri·*a*·da
40	σαράντα	sa·*ra*·da
50	πενήντα	pè·*ni*·da
60	εξήντα	èk·*si*·da
70	εβδομήντα	èv·dho·*mi*·da
80	ογδόντα	ogH·*dho*·da
90	ενενήντα	è·nè·*ni*·da
100	εκατό	è·ka·*to*
200	διακόσια	dhia·*ko*·ssia
1 000	χίλια	*Hi*·lia
1 000 000	ένα εκατομμύριο	*è*·na è·ka·to·*mi*·rio

nombres ordinaux

Les nombres ordinaux s'accordent en genre avec le nom auquel ils sont associés.

1er	πρώτος/πρώτη m/f	*pro*·toss/*pro*·ti
	πρώτο n	*pro*·to
2e	δεύτερος/δεύτερη m/f	dhèf·tè·ross/dhèf·tè·ri
	δεύτερο n	dhèf·tè·ro
3e	τρίτος/τρίτη/τρίτο m/f/n	tri·toss/tri·ti/tri·to
4e	τέταρτος/τέταρτη m/f	tè·tar·toss/tè·tar·ti
	τέταρτο n	tè·tar·to
5e	πέμπτος/πέμπτη m/f	pèm·toss/pèm·ti
	πέμπτο n	pèm·to
6e	έκτος/έκτη/έκτο m/f/n	èk·toss/èk·ti/èk·to
7e	έβδομος/έβδομη m/f	èv·dho·moss/èv·dho·mi
	έβδομο n	èv·dho·mo
8e	όγδοος/όγδοη m/f	ogH·dho·oss/ogH·dho·i
	όγδοο n	ogH·dho·o
9e	ένατος/ένατη/ένατο m/f/n	è·na·toss/è·na·ti/è·na·to
10e	δέκατος/δέκατη m/f	dhè·ka·toss/dhè·ka·ti
	δέκατο n	dhè·ka·to

abréviations

Comme les nombres ordinaux, leurs abréviations (1ᵉʳ, 2ᵉ, 3ᵉ etc.) ont un genre. Le masculin se termine en -ος, le féminin en -η et le neutre en -ο. Ainsi, "7ᵉ" s'écrira 7ος, 7η, ou 7ο selon le genre.

fractions

κλάσματα

un quart	ένα τέταρτο n	è·na *tè*·tar·to
un tiers	ένα τρίτο n	è·na *tri*·to
un demi	μισό n	mi·*sso*
trois quarts	τρία τέταρτα n pl	*tri*·a *tè*·tar·ta
tout/toute		
tous/toutes	όλα n pl	*o*·la
rien	τίποτε	*ti*·po·tè

expression de la quantité

χρήσιμα ποσά

En grec, "Combien ?" s'accorde en genre et en nombre avec le nom auquel il se réfère. Il s'emploie au singulier pour les quantités non dénombrables. Quand on dit en français "Quelle quantité d'eau veux-tu ?", on trouvera en grec "Combien d'eau veux-tu ?".

Combien ? sg	Πόσος/Πόση m/f	po·ssoss/po·ssi
	Πόσο; n	po·sso
Combien ? pl	Πόσοι/Πόσες m/f	po·ssi/po·ssèss
	Πόσα; n	po·ssa
Quelle quantité d'eau ?	Πόσο νερό; n	po·sso nè·ro
Quelle quantité de sucre ?	Πόση ζάχαρη; f	po·ssi za·rHa·ri
Combien d'hommes ?	Πόσοι άντρες; m	po·ssi a·drèss
Combien de femmes ?	Πόσες γυναίκες; f	po·ssèss yi·nè·kèss

Je voudrais…	Θα ήθελα…	tha *i*·thè·la…
S'il te/vous plaît,	Παρακαλώ	pa·ra·ka·*lo*
donne/donnez-moi…	δώσε/δώστε μου…	*dho*·ssè/*dho*·stè mou…
(100)	(εκατό)	(è·ka·*to*)
grammes	γραμμάρια	gHra·*ma*·ria
une demi-douzaine	μισή ντουζίνα	mi·*ssi* dou·*zi*·na
une douzaine	μια ντουζίνα	mia dou·*zi*·na
une livre	μισό κιλό	mi·*sso* ki·*lo*
un kilo	ένα κιλό	è·na ki·*lo*
une bouteille	ένα μπουκάλι	è·na bou·*ka*·li
un vase	ένα βάζο	è·na *va*·zo
une boîte	ένα κουτί	è·na kou·*ti*
un paquet	ένα πακέτο	è·na pa·*kè*·to
une tranche	μια φέτα	mia *fè*·ta
un peu	λίγα	*li*·gHa
moins	λιγότερο	li·*gHo*·tè·ro
(juste) un peu	(μόνο) λιγάκι	(*mo*·no) li·*gHa*·ki
beaucoup	πολύ	po·*li*
(dénombrables)		
beaucoup	πολλά	po·*la*
(indénombrables)		
plus/davantage	πιο πολύ	pio po·*li*
quelques…	μερικά…	mè·ri·*ka*…

Des exemples illustrent l'emploi de ces expressions dans la rubrique **cuisiner**, p. 171.

heure

||||||||||||||||||||||||||||||||||||||||||||||||||||||||||||||||||||||||||||||||||||||||||||||||||||

λέγοντας την ώρα

En grec, l'expression de l'heure est simple et proche du français. Pour dire "il est … heure(s)", on emploiera είναι *i*·nè (litt : est), suivi du nombre d'heures, et éventuellement de η ώρα i *o*·ra (litt : l'heure). Pour les minutes, il suffira d'ajouter και kè (litt : et), suivi du nombre de minutes. Pour énoncer les minutes qui restent avant la prochaine heure, le nombre d'heures sera suivi de παρά pa·*ra* (litt : moins), puis du nombre de minutes. On emploiera également μισή mi·*ssi* (demi) et τέταρτο *té*·tar·to (quart).

Quelle heure est-il ?
Τι ώρα είναι;   ti *o*·ra *i*·nè

Il est (10)h.
Είναι (δέκα) η ώρα.   *i*·nè (*dhè*·ka) i *o*·ra

(10)h05.
(Δέκα) και πέντε.   (*dhè*·ka) kè *pè*·dè

(10)h et quart.
(Δέκα) και τέταρτο.   (*dhè*·ka) kè *tè*·tar·to

(10)h et demie.
(Δέκα) και μισή.   (*dhè*·ka) kè mi·*ssi*

(10)h moins le quart.
(Δέκα) παρά τέταρτο.   (*dhè*·ka) pa·*ra tè*·tar·to

(10)h moins vingt.
(Δέκα) παρά είκοσι.   (*dhè*·ka) pa·*ra i*·ko·ssi

À quelle heure… ?
Τι ώρα…;   ti *o*·ra…

À (10)h.
Στις (δέκα).   stiss (*dhè*·ka)

À (19h57).
Στις (7.57μ.μ.).   stiss (èf·*ta* kè pè·*ni*·da èf·*ta* mè·*ta* to mè·ssi·*mè*·ri)

ante/post meridiem

À l'instar de l'anglais, qui emploie les abréviations "am" (*ante meridiem*, du matin) et "pm" (*post meridiem*, de l'après-midi), la langue grecque a recours à "π.μ." et "μ.μ.", qui se prononcent respectivement πριν το μεσημέρι prin to mè·ssi·mè·ri (avant midi) et μετά το μεσημέρι mè·ta to mè·ssi·mè·ri (après midi).

calendrier

το ημερολόγιο

> jours

lundi	Δευτέρα	dhèf·tè·ra
mardi	Τρίτη	tri·ti
mercredi	Τετάρτη	tè·tar·ti
jeudi	Πέμπτη	pèm·ti
vendredi	Παρασκευή	pa·ra·skè·vi
samedi	Σάββατο	sa·va·to
dimanche	Κυριακή	ki·ria·ki

> mois

janvier	Ιανουάριος	i·a·nou·a·ri·oss
février	Φεβρουάριος	fèv·rou·a·ri·oss
mars	Μάρτιος	mar·ti·oss
avril	Απρίλιος	a·pri·li·oss
mai	Μάιος	ma·i·oss
juin	Ιούνιος	i·ou·ni·oss
juillet	Ιούλιος	i·ou·li·oss
août	Αύγουστος	av·gHou·stoss
septembre	Σεπτέμβριος	sèp·tèm·vri·oss
octobre	Οκτώβριος	ok·tov·ri·oss
novembre	Νοέμβριος	no·èm·vri·oss
décembre	Δεκέμβριος	dhè·kèm·vri·oss

> dates

Quel jour sommes-nous ?
Τι ημερομηνία είναι σήμερα;   ti i·mè·ro·mi·ni·a i·nè si·mè·ra

Nous sommes le (18 octobre).
Είναι (18 Οκτωβρίου).   i·nè (dhè·ka·orH·to ok·tov·ri·ou)

> saisons

printemps	άνοιξη f	*a*·nik·si
été	καλοκαίρι n	ka·lo·*kè*·ri
automne	φθινόπωρο n	fthi·*no*·po·ro
hiver	χειμώνας m	Hi·*mo*·nass

présent

παρόν

maintenant	τώρα	*to*·ra
aujourd'hui	σήμερα	*si*·mè·ra
ce soir	το βράδι	to *vra*·dhi
cette semaine	αυτή την εβδομάδα	af·*ti* tin èv·dho·*ma*·dha
ce/cet/cette...	αυτό το...	af·*to* to...
matin	πρωί	pro·*i*
après-midi	απόγευμα	a·*po*·yèv·ma
mois	μήνα	*mi*·na
année	χρόνο	*rHro*·no

passé

παρελθόν

il y a (3 jours)	(τρεις μέρες) πριν	(triss *mè*·rèss) prin
avant-hier	προχτές	prorH·*tèss*
depuis (mai)	από (το Μάιο)	a·*po* (to *ma*·i·o)
hier...	χτες το...	rHtèss to...
matin	πρωί	pro·*i*
après-midi	απόγευμα	a·*po*·yèv·ma
soir	βράδι	*vra*·dhi

la nuit/semaine dernière
την περασμένη/νύχτα   tin pè·raz·*mè*·ni/*nirH*·ta
(εβδομάδα)   (èv·dho·*ma*·dha)

le mois /l'année dernier(ère)
τον περασμένο μήνα/χρόνο   ton pè·raz·*mè*·no *mi*·na/*rHro*·no

heure et date

41

futur

demain...	αύριο το...	*av*·ri·o to...
matin	πρωί	pro·*i*
après-midi	απόγευμα	a·*po*·yèv·ma
soir	βράδι	*vra*·dhi
demain	αύριο	*av*·ri·o
après-demain	μεθαύριο	mè·*thav*·ri·o
la semaine prochaine	την επόμενη εβδομάδα	tin è·*po*·mè·ni èv·dho·*ma*·dha
le mois prochain	τον επόμενο μήνα	ton è·*po*·mè·no *mi*·na
l'année prochaine	τον επόμενο χρόνο	ton è·*po*·mè·no *rHro*·no
dans (6 jours)	σε (έξι μέρες)	sè (*èk*·si *mè*·rèss)
jusqu'en (juin)	μέχρι (τον Ιούνιο)	*mèrH*·ri (ton i·*ou*·ni·o)

dans la journée

après-midi	απόγευμα n	a·*po*·yèv·ma
aube	αυγή f	av·*yi*
coucher du soleil	δύση του ήλιου f	*dhi*·ssi tou *i*·liou
jour	ημέρα f	i·*mè*·ra
lever du soleil	ανατολή του ήλιου f	a·na·to·*li* tou *i*·liou
matin	πρωί n	pro·*i*
midi	μεσημέρι n	mè·ssi·*mè*·ri
minuit	μεσάνυχτα n pl	mè·*ssa*·nirH·ta
nuit	νύχτα f	*nirH*·ta
soir	βράδι n	*vra*·dhi

---

mais le moment le plus important de la journée...

... reste sans doute la sieste de l'après-midi mè·ssi·*mè*·ria·ni
a·*na*·paf·si. Ne la manquez pas !

BASIQUES

Combien ça coûte ?
Πόσο κάνει;   *po·sso ka·ni*

C'est (12) euros.
Κάνει (δώδεκα) ευρώ.   *ka·ni (dho·dhè·ka) èv·ro*

C'est (12) lires chypriotes.
Κάνει (δώδεκα) λίρες   *ka·ni (dho·dhè·ka) li·rèss*
Κύπρου.   *ki·prou*

C'est gratuit.
Είναι δωρεάν.   *i·nè dho·rè·an*

Pourriez-vous m'écrire le prix ?
Μπορείς να γράψεις την τιμή;   *bo·riss na gHrap siss tin ti·mi*

Acceptez-vous… ?	Δέχεστε…;	*dhè·Hè·stè…*
les cartes de crédit	πιστωτικές/	*pi·sto·ti·kèss*
	χρεωτικές	*rHrè·o·ti·kèss*
	κάρτες	*kar·tèss*
les chèques	ταξιδιωτικές	*tak·si·dhio·ti·kèss*
de voyage	επιταγές	*è·pi·ta·yèss*
Où y a-t-il… ?	Πού είναι…;	*pou i·nè…*
un distributeur	μια αυτόματη	*mia af·to·ma·ti*
de billets	μηχανή	*mi·rHa·ni*
	ανάληψης	*a·na·lip·siss*
	χρημάτων	*rHri·ma·ton*
un bureau de	ένα γραφείο	*è·na gHra·fi·o*
change	αλλαγής	*a·la·yiss*
	χρημάτων	*rHri·ma·ton*

La Grèce est entrée dans la zone euro le 1er janvier 2001. Outre l'ευρώ èv·ro (euro), certains commerçants acceptent également les monnaies étrangères.

À combien s'élève… ?	Πόσο είναι…;	po·sso i·nè…
la commission	το κόστος	to kos·toss
le taux	η τιμή	i ti·mi
de change	συναλλάγματος	si·na·lagH·ma·toss
Je voudrais…	Θα ήθελα να…	tha i·thè·la na…
encaisser un chèque	εξαργυρώσω μια επιταγή	èk·sar·yi·ro·sso mia è·pi·ta·yi
changer de l'argent	αλλάξω χρήματα	a·lak·sso rHri·ma·ta
changer un chèque de voyage	αλλάξω μια ταξιδιωτική επιταγή	a·lak·so mia tak·si·dhio·ti·ki è·pi·ta·yi
faire un retrait en espèces	κάμω μια ανάληψη σε μετρητά	ka·mo mia a·na·lip·si sè mè·tri·ta
retirer de l'argent	αποσύρω χρήματα	a·po·ssi·ro rHri·ma·ta
Je voudrais…, s'il vous plaît.	Θα ήθελα …, παρακαλώ.	tha i·thè·la … pa·ra·ka·lo
ma monnaie	τα ρέστα μου	ta rè·sta mou
me faire rembourser	μια επιστροφή χρημάτων	mia è·pi·stro·fi rHri·ma·ton
retourner ceci	να επιστρέψω αυτό	na è·pi·strèp·so af·to

Il y a une erreur dans l'addition.
Υπάρχει κάποιο λάθος στο λογαριασμό.
i·par·Hi ka·pio la·thoss sto lo·gHa·riaz·mo

Dois-je payer d'avance ?
Χρειάζεται να πληρώσω από πριν;
rHri·a·zè·tè na pli·ro·sso a·po prin

Je n'ai pas autant.
Δεν έχω τόσα πολλά χρήματα.
dhèn è·rHo to·ssa po·la rHri·ma·ta

circuler

κυκλοφορώντας

Quel est le ...	Ποιο ... πηγαίνει	pio ... pi·yé·ni
pour (Athènes) ?	στην (Αθήνα);	stin (a·thi·na)
Est-ce le/l' ...	Είναι αυτό το ...	i·nè af·to to ...
pour (Athènes) ?	για την (Αθήνα);	yia tin (a·thi·na)
bateau	πλοίο	pli·o
bus	λεωφορείο	lè·o·fo·ri·o
ferry	φέρυ	fè·ri
avion	αεροπλάνο	a·è ro·pla·no
train	τρένο	trè·no
Quand part le ...	Πότε είναι το ...	po·tè i·nè to ...
(bus) ?	(λεωφορείο);	(lè·o·fo·ri·o)
premier	πρώτο	pro·to
dernier	τελευταίο	tè·lèf·tè·o
prochain	επόμενο	è·po·mè·no

À quelle heure part-il ?
Τι ώρα φεύγει;   ti o·ra fèv·yi

À quelle heure arrive-t-il à (Thessalonique) ?
Τι ώρα φτάνει στη   ti o·ra fta ni sti
(Θεσσαλονίκη);   (thè·ssa·lo·ni·ki)

Combien aura-t-il de retard ?
Πόση ώρα θα καθυστερήσει;   po·ssi o·ra tha ka·thi·stè·ri·ssi

Cette place est-elle libre ?
Είναι αυτή η θέση ελεύθερη;   i·nè af·ti i thè·ssi è·lèf·thè·ri

C'est ma place.
Αυτή η θέση είναι δική μου.   af·ti i thè·ssi i·nè dhi·ki mou

transports

Pourriez-vous m'avertir quand nous arriverons à (Thessalonique).

Παρακαλώ πέστε μου
όταν φτάσουμε στη
(Θεσσαλονίκη).

pa·ra·ka·*lo* pè·stè mou
o·tan *fta*·ssou·mè sti
(thè·ssa·lo·*ni*·ki)

Combien de temps nous arrêtons-nous ici ?

Πόση ώρα θα
σταματήσουμε εδώ;

po·ssi o·ra tha
sta·ma·*ti*·ssou·mè è·*dho*

Attendez-vous d'autres personnes ?

Περιμένετε για
περισσότερο κόσμο;

pè·ri·*mè*·nè·tè yia
pè·ri·*sso*·tè·ro *koz*·mo

Peux-tu nous faire faire un tour dans la ville, s'il te plaît ?

Μπορείς να μας πάρεις
γύρω στην πόλη,
παρακαλώ;

bo·*riss* na mass *pa*·riss
yi·ro stin *po*·li
pa·ra·ka·*lo*

Combien de personnes peuvent monter ?

Πόσοι άνθρωποι μπορούν
να ανεβούν σ'αυτό;

po·ssi an·thro·pi bo·*roun*
na a·nè·*voun* saf·to

Pouvez-vous me prendre aussi ?

Μπορείς να πάρεις
και εμένα;

bo·*riss* na *pa*·riss
kè è·*mè*·na

billets

εισιτήρια

Où puis-je acheter un billet ?

Πού αγοράζω εισιτήριο;

pou a·gHo·*ra*·zo i·ssi·*ti*·ri·o

Faut-il réserver ?

Χρειάζεται να κλείσω θέση;

rHri·*a*·zè·tè na *kli*·sso thè·ssi

Un carnet de (10) tickets, s'il vous plaît.

Μια δέσμη από (δέκα)
εισιτήρια, παρακαλώ.

mia *dhès*·mi a·po (*dhè*·ka)
i·ssi·*ti*·ri·a pa·ra·ka·*lo*

Avez-vous des horaires (en français) ?

Έχετε ένα πρόγραμμα
(στα γαλλικά);

è·*Hè*·tè è·na *pro*·gHra·ma
(sta gHa·li·*ka*)

Puis-je avoir un passe touristique pour le train ?

Μπορώ να έχω ένα
τουριστικό πάσο
για το τρένο;

bo·*ro* na è·rHo é·na
tou·ri·sti·*ko* pa·sso
yia to *trè*·no

Un billet …	Ένα εισιτήριο …	è·na i·ssi·*ti*·ri·o …
pour (Patras).	για την (Πάτρα).	yia tin (*pa*·tra)
aller-simple	απλό	a·*plo*
aller-retour	με επιστροφή	mè è·pi·stro·*fi*
en classe touriste	τουριστική θέση	tou·ri·sti·*ki* thè·ssi
de 1ʳᵉ classe	πρώτη θέση	*pro*·ti thè·ssi
de 2ᵉ classe	δεύτερη θέση	*dhèf*·tè·ri thè·ssi
sur le pont (bateau)	κατάστρωμα	ka·*ta*·stro·ma
enfant	παιδικό	pè·dhi·*ko*
étudiant	μαθητικό	ma·thi·ti·*ko*

Je voudrais	Θα ήθελα μια	tha *i*·thè·la mia
une place…	θέση…	thè·ssi…
côté couloir	στο διάδρομο	sto *dhia*·dhro·mo
(non) fumeur	στους (μη)	stouss (mi)
	καπνίζοντες	. kap·*ni*·zo·dèss
côté fenêtre	στο παράθυρο	sto pa·*ra*·thi·ro

écouter…

Ακυρώστε το εισιτήριο.	a·ki·*ro*·stè to i·ssi·*ti*·rio	**Annulez le billet.**
ακυρώθηκε	a·ki·*ro*·thi·kè	**annulé**
απεργία f	a·pèr·*yi*·a	**grève**
αυτό	af·*to*	**celui-ci**
εκείνο	è·*ki*·no	**celui-là**
γεμάτο	yè·*ma*·to	**plein**
καθυστέρησε	ka·thi·stè·ri·ssè	**en retard**
θυρίδα αγοράς εισιτιρίων	thi·*ri*·dha a·gHo·rass i·ssi·ti·*ri*·on	**guichet**
πλατφόρμα f	plat·*for*·ma	**plate-forme**
πρόγραμμα n	*pro*·gHra·ma	**horaires**
ταξιδιωτικός πράκτορας m	tak·si·dhio·ti·*koss* *prak*·to·rass	**agent touristique**

transports

47

Y a-t-il... ?	Υπάρχει...;	i·*par*·Hi...
l'air conditionné	έρκοντίσιον	èr·kon·*di*·ssi·on
une couverture	κουβέρτα	kou·*vèr*·ta
des toilettes	τουαλέτα	tou·a·*lè*·ta

Puis-je avoir une couchette ?

Μπορώ να έχω μια θέση   bo·*ro* na è·rHo mia *thè*·ssi
με κρεβάτι;   mè krè·*va*·ti

Combien cela coûte-t-il ?

Πόσο κάνει;   *po*·sso *ka*·ni

Combien de temps dure le voyage ?

Πόσο διαρκεί το ταξίδι;   *po*·sso dhi·ar·*ki* to tak·*si*·dhi

Est-ce direct ?

Πηγαίνει κατ'ευθείαν;   pi·*yè*·ni ka·tèf·*thi*·an

Puis-je être sur liste d'attente ?

Μπορώ να μπω στον   bo·*ro* na bo ston
κατάλογο αναμονής   ka·*ta*·lo·gHo a·na·mo·*niss*
για εισιτήριο;   yia i·ssi·*ti*·ri·o

À quelle heure dois-je me présenter pour l'enregistrement ?

Τι ώρα να έρθω στον   ti *o*·ra na *èr*·tho ston
έλεγχο;   è·*lèn*·rHo

Je voudrais ...	Θα ήθελα να ... το	tha *i*·thè·la na ... to
mon billet,	εισιτήριό μου	i·ssi·*ti*·ri·o mou
s'il vous plaît.	παρακαλώ.	pa·ra·ka·*lo*
annuler	ακυρώσω	a·ki·*ro*·sso
changer	αλλάξω	a·*lak*·so
confirmer	επικυρώσω	è·pi·ki·*ro*·sso

jeu de roulette ?

À Athènes, μονά-ζυγά mo·*na*·zi·gHa (pair-impair) et δακτύλιος dhak·*ti*·lioss (anneau) ne font pas référence au jeu de la roulette, mais aux restrictions de circulation mises en place pour lutter contre le fameux νέφος nè·foss (brouillard) athénien. Dans ce système, baptisé "pair-impair", les voitures ne sont autorisées à pénétrer à l'intérieur de l'"anneau" (zone réglementée) que les jours pairs ou impairs, en fonction de leur immatriculation. Les limites du dhak·*ti*·lioss sont indiquées par des hexagones jaunes.

PRATIQUE

48

bagages

Où puis-je trouver… ?	Πού μπορώ να βρω…;	pou bo·ro na vro…
le point de retrait des bagages	το χώρο αποσκευών	to rHo·ro a·pos·kè·von
une consigne	φύλαξη αποσκευών	fi·lak·si a·pos·kè·von
un chariot	ένα καροτσάκι	è·na ka·rot·sa·ki

Mes bagages ont été…	Οι αποσκευές μου έχουν…	i a·pos·kè·vèss mou è·rHoun…
abîmés	πάθει ζημιά	pa·thi zi·mia
perdus	χαθεί	rHa·thi
volés	κλαπεί	kla·pi

C'est/Ce n'est pas le mien.
Αυτό είναι/δεν είναι δικό μου.   af·to i·nè/dhèn i·nè dhi·ko mou

Puis-je avoir un peu de monnaie/des jetons ?
Μπορώ να έχω μερικά κέρματα/κουπόνια;   bo·ro na è·rHo mè·ri·ka kèr·ma·ta/kou·po·nia

αποσκευές χειρός f pl	a·pos·kè·vèss Hi·ross	bagages à main
διαβατήριο n	dhia·va·ti·ri·o	passeport
κάρτα επιβίβασης f	kar·ta è·pi·vi·va·ssiss	carte d'embarquement
κουπόνι n	kou·po·ni	coupon, jeton
μεταβίβαση f	mè·ta·vi·va·ssi	transfert
πτήση τσάρτερ f	pti·ssi tsar·tèr	vol charter
τράνζιτ n	tran·zit	transit
υπέρβαρο n	i·pèr·va·ro	excédent de bagages

avion

Où arrive/d'où part le vol (10) ?
Πού προσγειώνεται/   pou pross·yi·o·nè·tè/
απογειώνεται η πτήση (δέκα);   a·po·yi·o·nè·tè i *pti*·ssi (*dhè*·ka)

Où est… ?   Πού είναι…;   pou *i*·nè…
    le duty free   τα αφορολόγητα   ta a·fo·ro·*lo*·yi·ta
    le hall des   η αίθουσα των   i *è*·thou·ssa ton
    arrivées   αφίξεων   a·*fik*·sè·on
    le hall des   η αίθουσα των   i *è*·thou·ssa ton
    départs   ανα χωρήσεων   *a*·na rHo·*ri*·ssè·on
    la navette   το λεωφορείο   to lè·o·fo·*ri*·o tou
    de l'aéroport   του αεροδρομίου   a·è·ro·dhro·*mi*·ou
    la porte (9)   η θύρα (εννέα)   i *thi*·ra (è·*nè*·a)

bus et tram

Avec quelle fréquence les bus passent-ils ?
Κάθε πότε έρχονται τα   *ka*·thè *po*·tè *èr*·rHo·dè ta
λεωφορεία;   lè·o·fo·*ri*·a

Est-ce qu'il s'arrête à (Héraklion) ?
Σταματάει στο (Ηράκλειο);   sta·ma·*ta*·ï sto (i·*ra*·kli·o)

Quel est le prochain arrêt ?
Ποια είναι η επόμενη στάση;   pia *i*·nè i è·*po*·mè·ni *sta*·ssi

Je voudrais descendre (à Héraklion).
Θα ήθελα να κατεβώ   tha *i*·thè·la na ka·tè·*vo*
(στο Ηράκλειο).   (sto i·*ra*·kli·o)

Où est l'arrêt du tram ?
Πού είναι η στάση του τρόλεϋ;   pou *i*·nè i *sta*·ssi tou *tro*·lè·ï

urbain a   αστικό   a·sti·*ko*
interurbain a   υπεραστικό   i·pè·ra·sti·*ko*
local a   τοπικό   to·pi·*ko*

train et métro

Quelle est la station de métro la plus proche ?
Πού είναι ο πιο κοντινός   pou *i*·nè o pio ko·di·*noss*
σταθμός του μετρό;   stath·*moss* tou mè·*tro*

Quelle ligne va (au port) ?
Ποια γραμμή πηγαίνει   pia gHra·*mi* pi·yè·ni
(στο λιμάνι);   (sto li·*ma*·ni)

À quelle station sommes-nous ?
Ποιος σταθμός είναι αυτός;   pioss stath·*moss i*·nè af·*toss*

Quelle est la prochaine station ?
Ποιος είναι ο επόμενος   pioss *i*·nè o è·*po*·mè·noss
σταθμός;   stath·*moss*

Est-ce qu'il s'arrête à (Kalamata) ?
Σταματάει στην (Καλαμάτα);   sta·ma·*ta*·ï stin (ka·la·*ma*·ta)

Dois-je changer ?
Χρειάζεται να αλλάξω;   rHri·*a*·zè·tè na a·*lak*·so

Est-ce direct/un express ?
Είναι κατ'ευθείαν/εξπρές;   *i*·nè ka·tèf·*thi*·an/èks·*prèss*

Dans quelle voiture se trouve… ?	Ποια άμαξα είναι (για)…;	pia *a*·mak·sa *i*·nè (yia)…
la 1ʳᵉ classe	πρώτη θέση	*pro*·ti *thè*·ssi
le bar	φαγητό	fa·yi·*to*
Quelle est la voiture pour… ?	Ποια άμαξα είναι για…;	pia *a*·mak·sa *i*·nè yia…
(Kalamata)	την (Καλαμάτα)	tin (ka·la·*ma*·ta)

le nord et le sud

Sur les cartes et les panneaux de signalisation, "N" indique Νότια *no*·ti·a (sud) et "B" βόρια *vo*·ri·a (nord).

transports

51

bateau

βάρκα

Où est le port/la capitainerie ?
Πού είναι το λιμάνι/
λιμεναρχείο;
pou i·nè to li·*ma*·ni/
li·mè·nar·*Hi*·o

Puis-je avoir les horaires des ferrys ?
Μπορώ να έχω το
πρόγραμμα του φέρι;
bo·*ro* na è·rHo to
pro·gHra·ma tou fè·ri

D'où part le bateau pour (Chios) ?
Από πού φεύγει το πλοίο
για τη (Χίο);
a·po pou fèv·yi to *pli*·o
yia ti (*Hi*·o)

Quand le prochain bateau pour (Naxos) part-il ?
Πότε είναι το επόμενο
πλοίο για τη (Νάξο);
po·tè i·nè to è·*po*·mè·no
pli·o yia ti (*nak*·so)

Ce ferry va-t-il à (Rhodes) ?
Πηγαίνει αυτό το φέρι
στη (Ρόδο);
pi·*yè*·ni af·*to* to fè·ri
sti (*ro*·dho)

Combien d'heures dure la traversée jusqu'à (Milos) ?
Πόσες ώρες είναι για
τη (Μήλο);
*po·ssèss o·rèss i·nè yia
ti (mi·lo)*

Combien le bateau fait-il d'arrêts ?
Πόσες στάσεις κάνει
το πλοίο;
*po·ssèss sta·ssiss ka·ni
to pli·o*

Où puis-je prendre un bateau-taxi ?
Πού μπορώ να νοικιάσω
μια βάρκα με βαρκάρη;
*pou bo·ro na ni·kia·sso
mia var·ka mè var·ka·ri*

Où puis-je louer un bateau ?
Πού μπορώ να νοικιάσω
μόνο μια βάρκα;
*pou bo·ro na ni·kia·sso
mo·no mia var·ka*

Je voudrais une ...　Θα ήθελα μια...　*tha i·thè·la mia...*
　　cabine pour　καμπίνα　*ka·bi·na*
　　　1/2 personnes　για ένα/δύο　*yia è·na/dhi·o*
　　cabine intérieure/　εσωτερική/　*è·sso·tè·ri·ki/*
　　extérieure　εξωτερική καμπίνα　*èk·so·tè·ri·ki ka·bi·na*

Comment est la mer aujourd'hui ?
Πώς είναι η θάλασσα
σήμερα;
*poss i·nè i tha·la·ssa
si·mè·ra*

Y a-t-il des gilets de sauvetage ?
Υπάρχουν σωσίβια;
i·par·rHoun so·ssi·vi·a

Quelle est cette île ?
Ποιο νησί είναι αυτό;
pio ni·ssi i·nè af·to

Quelle est cette plage ?
Ποια παραλία είναι αυτή;
pia pa·ra·lli·a i·nè af·ti

J'ai le mal de mer.
Αισθάνομαι ναυτία.
ès·tha·no·mè naf·ti·a

bateau à voile	ιστιοφόρο n	i·sti·o·fo·ro
bateau de	πλοίο	pli·o
liaison entre	συγκοινωνίας	si·gui·no·ni·ass
les îles	μεταξύ νησιών n	mè·tak·si ni·ssion
bateau	εκδρομική βάρκα f	èk·dhro·mi·ki var·ka
d'excursion		

cabine	καμπίνα f	ka·bi·na
caïque	καΐκι n	ka·i·ki
canot	βάρκα πλοίου f	var·ka pli·ou
canot de	ναυαγοσωστική	na·va·gHo·sso·sti·ki
sauvetage	λέμβος f	lèm·voss
capitaine	καπετάνιος m	ka·pè·ta·nioss
catamaran	σχεδία καταμαράν f	sHiè·dhi·a ka·ta·ma·rann
commissariat	γραφείο λογιστή n	gHra·fi·o lo·yi·sti
croisière	κρουαζέρα f	krou·a·zè·ra
ferry	φέρι n	fè·ri
gilet de	σωσίβιο n	so·ssi·vi·o
sauvetage		
hamac	αιώρα f	è·o·ra
hydroglisseur	ιπτάμενο δελφίνι n	ip·ta·mè·no dhèl·fi·ni
petit bateau	μικρή βάρκα για	mi·kri var·ka yia
de pêche	ψάρεμα f	psa·rè·ma
pont	κατάστρωμα n	ka·ta·stro·ma
pont des	χώρος για αυτοκίνητο	rHo·ross yia af·to·ki·ni·to
voitures	στο κατάστρωμα m	sto ka·ta·stro·ma
poste de	χώρος	rHo·ross
rassemblement	συγκέντρωσης m	si·guè·dro·ssis
yacht	γιωτ n	yiot

taxi

Je voudrais un	Θα ήθελα ένα	tha i·thè·la è·na
taxi...	ταξί...	tak·si...
pour (9h)	στις (εννέα π.μ.)	stiss (è·nè·a prin to
		mè·ssi·mè·ri)
maintenant	τώρα	to·ra
demain	αύριο	av·ri·o

PRATIQUE

54

Où se trouve la station de taxi ?
Πού είναι η στάση για ταξί;　　pou *i*·nè i *sta*·ssi yia tak·si

Ce taxi est-il libre ?
Είναι αυτό το ταξί ελεύθερο;　　*i*·nè af·*to* to tak·si è·*lèf*·thè·ro

Pourriez-vous mettre le compteur, s'il vous plaît.
Παρακαλώ βάλτε το　　pa·ra·ka·*lo* va·ltè to
ταξίμετρο.　　tak·*si*·mè·tro

Combien coûte la course jusqu'à (Petroupoli) ?
Πόσο κάνει (για Πετρούπολη);　　*po*·sso *ka*·ni (yia pè·*trou*·po·li)

Conduisez-moi à (cette adresse), s'il vous plaît.
Παρακαλώ πάρτε με σε　　pa·ra·ka·*lo* pa·rtè mè sè
(αυτή τη διεύθυνση).　　(af·*ti* ti dhi·*èf*·thinn·si)

Combien prenez-vous pour les bagages ?
Πόσο χρεώνετε για　　*po*·sso rHrè·o·nètè yia
τις αποσκευές;　　tiss a·pos·kè·*vèss*

S'il te plaît…	Παρακλώ…	pa·ra·ka·*lo*…
ralentis	πήγαινε πιο σιγά	*pi*·yè·nè pio si·*gHa*
arrête-toi ici	σταμάτα εδώ	sta·*ma*·ta è·*dho*
attends ici	περίμενε εδώ	pè·*ri*·mè·nè è·*dho*

voiture et moto

αυτοκίνητο και μοτοσακό

> location de voiture et moto

Je voudrais louer un/une…	Θα ήθελα να ενοικιάσω ένα …	tha *i*·thè·la na è·ni·ki·*a*·sso è·na …
4x4	4W ντράιβ	for·gHou·il dra·iv
voiture automatique	αυτόματο αυτοκίνητο	af·*to*·ma·to af·to·*ki*·ni·to
manuelle	με ταχύτητες	mè ta·*Hi*·ti·lèss
moto	μοτοσακό	mo·to·ssa·*ko*
avec…	με…	mè…
air conditionné	έρκοντίσιον	è·kon·*di*·ssi·onr
chauffeur	οδηγό	o·dhi·*gHo*

transports

55

Combien cela coûte-t-il à la journée/semaine ?
Πόσο νοικάζεται την   po·sso ni·kia·zè·tè tin
ημέρα/εβδομάδα;   i·mè·ra/èv·dho·ma·dha

Le prix comprend-il l'assurance/le kilométrage ?
Αυτό συμπεριλαμβάνει   af·to si·bè·ri·lamè·va·ni
ασφάλεια/χιλιόμετρα;   as·fa·li·a/Hi·lio·mè·tra

Puis-je monter la voiture sur le bateau ?
Μπορώ να πάρω το   bo·ro na pa·ro to
αυτοκίνητο στο φέρι;   af·to·ki·ni·to sto fè·ri

Auriez-vous un code de la route en français ?
Έχετε οδικό κώδικα   è·Hè·tè o·dhi·ko ko·dhi·ka
κυκλοφορίας στα Γαλλικά;   ki·klo·fo·ri·ass sta gHa·li·ka

Auriez-vous une carte routière ?
Έχετε οδικό χάρτη;   è·Hè·tè o·dhi·ko rHar·ti

> sur la route

À combien la vitesse est-elle limitée ?
Ποιο είναι το όριο ταχύτητας;   pio i·nè to o·ri·o ta·Hi·ti·tass

Est-ce la route de (Lamia) ?
Είναι αυτός ο δρόμος για   i·nè af·toss o dhro·moss·yia
(τη Λαμία);   (ti la·mi·a)

Où se trouve la station-service ?
Πού είναι ένα πρατήριο   pou i·nè è·na pra·ti·ri·o
βενζίνας;   vèn·zi·nass

Faites le plein, s'il vous plaît.
Γεμίστε το, παρακαλώ.   yè·mis·tè to pa·ra·ka·lo

panneaux indicateurs		
Απαγορεύεται η είσοδος	a·pa·gHo·rè·vè·tè i i·sso·dhoss	**entrée interdite**
Διόδια	dhi·o·dhi·a	**péage**
Είσοδος	i·sso·dhoss	**entrée (autoroute)**
Έξοδος Εθνικής Οδού	èk·so·dhoss è·th·ni·kiss o·dhou	**sortie (autoroute)**
Προσοχή	pro·sso·Hi	**attention**
Μονόδρομος	mo·no·dhro·moss	**sens unique**

PRATIQUE

άδεια οδήγησης f	*n*·dhi·a	**permis de conduire**
	o·*dhi*·yi·ssiss	
ασφάλεια f	as·*fa*·li·a	**assurance**
βενζίνα f	vèn·*zi*·na	**carburant**
δωρεάν	dho·rè·*an*	**gratuit**
παρκόμετρο n	par·*ko*·mè·tro	**parcmètre**
Πράσινη κάρτα f	pra·ssi·ni *kar*·ta	**carte verte**
		(assurance de voiture
		individuelle)
χιλιόμετρα n pl	Hi·*lio*·mè·tra	**kilomètres**

avec plomb	μολυβδούχος f	mo·liv·*dhou*·rHoss
diesel	ντίζελ n	*di*·zel
GPL	υγραέριο n	igH·ra·è·ri·o
ordinaire	απλή f	ap·*li*
sans plomb	αμόλυβδος f	a·*mo*·liv·dhoss
sans plomb	αμόλυβδος f	a·*mo*·liv·dhoss
super	σούπερ	*sou*·pèr
Pourriez-vous vérifier... ?	Μπορείς να κοιτάξεις...;	bo·*riss* na ki·*tak*·siss...
l'huile	το λάδι	to *la*·dhi
la pression des pneus	την πίεση των τροχών	tin *pi*·è·ssi tons tro·*rHon*
l'eau	το νερό	to nè·*ro*

(Combien de temps) Puis-je me garer ici ?

(Πόση ώρα) Μπορώ να παρκάρω εδώ;   (*po*·ssi o·ra) bo·*ro* na par·*ka*·ro è·*dho*

Dois-je payer ?

Πρέπει να πληρώσω;   *prè*·pi na pli·*ro*·sso

> problèmes

J'ai besoin d'un mécanicien.
Χρειάζομαι μηχανικό.
rHri·a·zo·mè mi·rHa·ni·ko

J'ai eu un accident.
Είχα ένα ατύχημα.
i·rHa è·na a·ti·Hi·ma

La voiture/moto est tombée en panne (à Corinthe).
Το αυτοκίνητο/μοτοσακό
χάλασε (στην Κόρινθο).
to af·to·ki·ni·to/mo·to·ssa·ko
rHa·la·ssè (stin ko·rin·tho)

La voiture/moto ne démarre pas.
Το αυτοκίνητο/μοτοσακό
δεν αρχίζει.
to af·to·ki·ni·to/mo·to·ssa·ko
dhèn ar·Hi·zi

J'ai un pneu crevé.
Μ'έπιασε λάστιχο.
mè·pia·ssè la·sti·rHo

J'ai perdu mes clés de voiture.
Έχασα τα κλειδιά του
αυτοκινήτου μου.
è·rHa·ssa ta kli·dhia tou
af·to·ki·ni·tou mou

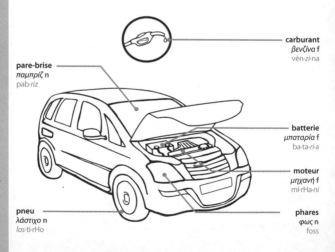

carburant
βενζίνα f
vèn·zi·na

pare-brise
παμπρίζ n
pab·riz

batterie
μπαταρία f
ba·ta·ri·a

moteur
μηχανή f
mi·rHa·ni

pneu
λάστιχο n
las·ti·rHo

phares
φως n
foss

J'ai laissé mes clés dans la voiture.
Κλείδωσα τα κλειδιά μου   *kli*-dho-ssa ta kli-*dhia* mou
στο αυτοκίνητο.   sto af-to-*ki*-ni-to

Je n'ai plus d'essence.
Μου τελείωσε η βενζίνα.   mou tè-*li*-o-ssè i vèn-*zi*-na

Pourrais-tu la réparer (aujourd'hui) ?
Μπορείς να το   bo-*riss* na to
επισκευάσεις (σήμερα);   è-pis-kè-*va*-ssiss (*si*-mè-ra)

Combien de temps cela prendra-t-il ?
Πόση ώρα θα κάμει;   *po*-ssi o-ra tha *ka*-mi

---

vélo

Je voudrais…	Θα ήθελα…	tha *i*-thè-la…
réparer	να επισκευάσω	na è-pis-kè-*va*-sso
ma bicyclette	το ποδήλατό μου	to po-*dhi*-la-to mou
acheter une	να αγοράσω ένα	na a-gHo-*ra*-sso è-na
bicyclette	ποδήλατο	po-*dhi*-la-to
louer une	να νοικιάσω ένα	na ni-*kia*-sso è-na
bicyclette	ποδήλατο	po-*dhi*-la-to

Je voudrais…	Θα ήθελα ένα…	tha *i*-thè-la è-na…
un VTT	ποδήλατο για	po-*dhi*-la-to yia
	βουνό	vou-*no*
un vélo de	ποδήλατο	po-*dhi*-la-to
course	κούρσας	*kour*-sass
une bicyclette	μεταχειρισμένο	mè-ta-Hi-riz-*mè*-no
d'occasion	ποδήλατο	po-*dhi*-la-to

Combien cela coûte-t-il par jour ?
Πόσο κοστίζει την ημέρα;   *po*-sso ko-*sti*-zi tin i-*mè*-ra

Combien cela coûte-t-il par heure ?
Πόσο κοστίζει την ώρα;   *po*-sso ko-*sti*-zi tin o-ra

Ai-je besoin d'un casque ?
Χρειάζομαι κράνος;   rHri·*a*·zo·mè kra·noss

Y a-t-il une carte des pistes cyclables ?
Υπάρχει χάρτης για δρόμο   i·*par*·Hi rHar·tiss yia *dhro*·mo
ποδηλάτου;   po·dhi·*la*·tou

Cette route est-elle accessible aux bicyclettes ?
Είναι αυτός ο δρόμος   i·nè af·*toss* o *dhro*·moss
κατάλληλος για ποδήλατα;   ka·*ta*·li·loss yia po·*dhi*·la·ta

J'ai un pneu crevé.
Τρύπησε η ρόδα μου.   tri·pi·ssè i ro·dha mou

mauvais sentiments

Comme les Français, les Grecs emploient fréquemment des expressions très physiques pour parler de leurs émotions :

Je ne suis pas impressionné(e).
Δεν μου γεμίζει το μάτι.   dhèn mou yè·*mi*·zi to ma·ti
(litt : ne-pas me remplit l'œil.)

Je ne peux pas le/la supporter.
Δεν τον/την χωνεύω.   dhèn ton/tin rHo·nè·*vo*
(litt : ne-pas le/la je-digère.)

J'en ai marre de toi.
Μ'έπρηξες.   mè·prik·sèss
(litt : moi tu-as-gonflé.)

Je ne peux plus le sentir.
Μου βγήκε από τη μύτη.   mou vyi·kè a·po ti mi·ti
(litt : à-moi sort par le nez.)

Il/Elle me stresse.
Μου βαλε τα δυο πόδια   mou·va·lè ta dhio po·dhia
σ' ένα παπούτσι.   sè·na pa·pout·si
(litt : à-moi a mis les deux pieds dans une chaussure.)

passer la frontière

περνώντας τα σύνορα

Je suis ici...	Είμαι...	*i-mè...*
de passage	τράνζιτ	*tran-zit*
pour affaires	για δουλειά	yia dhou-*lia*
en vacances	σε διακοπές	sè dhia-ko-*pèss*

Je suis ici pour (3)...	Είμαι εδώ για (τρεις)...	*i-*mè è-*dho* yia (triss)...
jours	μέρες	*mè-*rèss
semaines	εβδομάδες	èv-dho-*ma-*dhèss
mois	μήνες	*mi-*nèss

Je vais à (Limassol).
Πηγαίνω στη (Λεμεσό).   pi-*yè-*no sti (lè-mè-*sso*)

Je loge à (l'hôtel Xenia).
Μένω στο (Ξενία).   *mè-*no sto (ksè-*ni-*a)

Les enfants sont sur ce passeport.
Τα παιδιά είναι σ'αυτό   ta pè-*dhia* i-nè saf-*to*
το διαβατήριο.   to dhia-va-*ti-*ri-o

Pouvez-vous mettre le tampon sur un papier séparé et non sur mon passeport ?
Μπορείτε να σφραγίσετε   bo-*ri-*tè na sfra-*yi-*ssè-tè
ένα χωριστό χαρτί αντί   è-na rHo-ri-*sto* rHar-*ti* a-*di*
για το διαβατήριο.   yia to dhia-va-*ti-*ri-o

Où puis-je obtenir un permis pour visiter le (mont Athos)?
Πού μπορώ να πάρω μια   pou bo-*ro* na *pa-*ro mia
άδεια ταξιδιού για (το   a-dhi-a tak-si-*dhiou* yia (to
Άγιο Όρος).   *a-*yi-o o-ross)

à la douane

Je n'ai rien à déclarer.
Δεν έχω τίποτε να δηλώσω.   dhèn è·rHo *ti*·po·tè na dhi·*lo*·sso

J'ai quelque chose à déclarer.
Έχω κάτι να δηλώσω.   è·rHo *ka*·ti na dhi·*lo*·sso

Est-ce que je dois déclarer ceci ?
Πρέπει να το δηλώσω αυτό;   *prè*·pi na to dhi·*lo*·sso af·*to*

C'est/Ce n'est pas à moi.
Αυτό είναι/δεν είναι δικό μου.   af·*to* i·nè/dhèn i·nè dhi·*ko* mou

Je ne savais pas qu'il fallait le déclarer.
Δεν ήξερα πως έπρεπε να   dhèn ik·*sè*·ra pos è·*prè*·pè na
το δηλώσω.   to dhi·*lo*·sso

J'ai une ordonnance pour ce médicament.
Έχω πιστοποιητικό γιατρού   è·rHo piss·to·pi·i·ti·*ko*
για αυτό το φάρμακο.   yia·*trou* yia af·*to* to *far*·ma·ko

panneaux		
αφορολόγητα	a·fo·ro·*lo*·yi·ta	**duty free**
έλεγχος	è·lèn·rHoss	**contrôle des**
διαβατηρίων	dhia·va·ti·*ri*·on	**passeports**
καραντίνα	ka·ran·*di*·na	**quarantaine**
τελωνείο	tè·lo·*ni*·o	**douane**
μετανάστευση	mè·ta·*na*·stèf·si	**immigration**

orientation
οδηγίες

Où est (l'office de tourisme) ?
Πού είναι (το τουριστικό   pou *i*·nè (to tou·ri·sti·*ko*
γραφείο);   gHra·*fi*·o)

Quelle est l'adresse ?
Ποια είναι η διεύθυνση;   pia *i*·nè i dhi·*èf*·thin·si

Est-ce loin ?
Πόσο μακριά είναι;   *po*·sso ma·kri·*a i*·nè

Comment y va-t-on ?
Πώς πηγαίνω εκεί;   poss pi·*yè*·no è·*ki*

Quelle est cette rue ?
Ποιος δρόμος είναι αυτός;   pioss *dhro*·moss *i*·nè af·*toss*

Quel est ce village ?
Ποιο χωριό είναι αυτό;   pio rHo·*rio i*·nè af·*to*

Peux-tu me montrer (sur la carte) ?
Μπορείς να μου δείξεις   bo·*riss* na mou *dhik*·siss
(στο χάρτη);   (sto rHar·ti)

C'est...	Είναι ...	*i*·nè ...
fermé	κλειστό	klis·*to*
derrière...	πίσω...	*pi*·sso...
ici	εδώ	è·*dho*
devant...	μπροστά από...	bros·*ta* a·*po*...
près...	κοντά...	ko·*da*...
à côté de...	δίπλα από...	*dhi*·pla a·*po*...
au coin	στη γωνία	sti gHo·*ni*·a
en face...	απέναντι...	a·*pè*·na·di...
tout droit	κατ'ευθείαν	ka·*tèf*·thi·an
là	εκεί	è·*ki*

nord	βόρια	*vo*·ri·a
sud	νότια	*no*·ti·a
est	ανατολικά	a·na·to·li·*ka*
ouest	δυτικά	dhi·ti·*ka*

orientation

63

χιλιόμετρα	Hi·*lio*·mè·tra	**kilomètres**
λεπτά	lèp·*ta*	**minutes**
μέτρα	*mè*·tra	**mètres**

avenue	λεωφόρος f	lè·o·*fo*·ross
rue transversale	πάροδος f	*pa*·ro·dhoss
rue	οδός f	o·dhoss

en bus/taxi	με λεωφορείο/ταξί	mè lè·o·fo·*ri*·o/tak·*si*
à pied	με τα πόδια	mè ta *po*·dhia

Tournez...	Στρίψε...	*strip*·sè...
au coin	στη γωνία	sti gHo·*ni*·a
au feu	στα φανάρια	sta fa·*na*·ria
à gauche	αριστερά	a·ris·tè·*ra*
à droite	δεξιά	dhèk·si·*a*

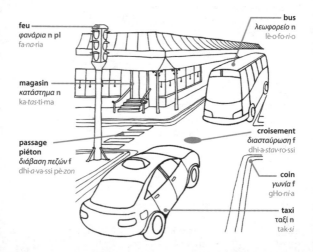

feu
φανάρια n pl
fa·*na*·ria

bus
λεωφορείο n
lè·o·fo·*ri*·o

magasin
κατάστημα n
ka·*tas*·ti·ma

passage piéton
διάβαση πεζών f
dhi·*a*·va·ssi pè·*zon*

croisement
διασταύρωση f
dhi·a·*stav*·ro·ssi

coin
γωνία f
gHo·*ni*·a

taxi
ταξί n
tak·*si*

trouver un hébergement

βρίσκοντας κατάλυμα

Français	Ελληνικά	Προφορά
Où puis-je trouver… ?	Πού είναι…;	pou *i*-nè…
un appartement indépendant	ξεχωριστό διαμέρισμα	ksè-rHo-ri-*sto* dhi-a-*mè*-riz-ma
une auberge	γιουθ χόστελ	yiouth *rHo*-stèl
une chambre chez l'habitant	κατάλυμα με πρόγευμα	ka-*ta*-li-ma mè *pro*-yèv-ma
une chambre à louer	δωμάτιο για νοίκιασμα	dho-*ma*-ti-o yia *ni*-kiaz-ma
un gîte	ξενώνας	ksè-*no*-nass
un hôtel (trois-étoiles)	ξενοδοχείο (τριών αστέρων)	ksè-no-dho-*Hi*-o (tri-*on* a-*stè*-ron)
un logement traditionnel	παραδοσιακό κατάλυμα	pa-ra-dho-ssi-a-*ko* ka-*ta*-li-ma
une pension	πανσιόν	pann-*sionn*
un refuge de montagne	ορεινό καταφύγιο	o-ri-*no* ka-ta-*fi*-yi-o
un terrain de camping	χώρος για κάμπινγκ	*rHo*-ross yia *kam*-ping

parler local

bouge	βουτιά f	vou-*tia*
infesté de rats	γεμάτο ποντίκια	yè-*ma*-to po-*di*-kia
très bon endroit	ωραιότατο σημείο n	o-rè-*o*-ta-to si-*mi*-o

Pourriez-vous me recommander un endroit... ? Μπορείτε να συστήσετε κάπου... ; bo·ri·tè na si·sti·ssè·tè ka·pou...
  bon marché φτηνό fti·no
  agréable καλό ka·lo
  proche κοντινό ko·di·no
  romantique ρομαντικό ro·ma·di·ko

Quelle est l'adresse ?
Ποια είναι η διεύθυνση; pia i·nè i dhi·èf·thin·ssi

Pour les réponses, voir le chapitre **orientation**, p. 63.

réservation

κλείσιμο θέσης από πριν και εγκατάσταση

Je voudrais réserver une chambre, s'il vous plaît.
Θα ήθελα να κλείσω ένα δωμάτιο, παρακαλώ. tha i·thè·la na kli·sso è·na dho·ma·ti·o pa·ra·ka·lo

J'ai réservé.
Έχω κάμει κάποια κράτηση. è·rHo ka·mi ka·pia kra·ti·ssi

Mon nom est...
Με λένε... mè lè·nè...

Pour (3) nuits/semaines.
Για (τρεις) νύχτες/ εβδομάδες. yia (triss) nirH·tèss/ èv·dho·ma·dhèss

Du (2 juillet) au (6 juillet).
Από (τις δύο Ιουλίου) μέχρι (τις έξι Ιουλίου). a·po (tiss dhi·o i·ou·li·ou) mè·rHri (tiss èk·ssi i·ou·li·ou)

---

parler local...		
Πόσες νύχτες;	po·ssèss nirH·tèss	**Combien de nuits ?**
διαβατήριο n	dhia·va·ti·ri·o	**passeport**
γεμάτο a	yè·ma·to	**plein**
κλειδί n	kli·dhi	**clé**
ρεσεψιόν f	rè·ssèp·sion	**réception**

Ελεύθερα δωμάτια	è·*lèf*·thè·ra dho·*ma*·ti·a	**chambres libres**
Μπάνιο	*ba*·nio	**salle de bains**
Πλήρες	*pli*·rèss	**complet**

Avez-vous	Έχετε ένα...	è·Hè·tè è·na...
une chambre... ?	δωμάτιο	dho·*ma*·ti·o
simple	μονό	mo·*no*
double	διπλό	dhi·*plo*
avec des lits jumeaux	δίκλινο	*dhi*·kli·no

Quel est le prix	Πόσο είναι για	*po*·sso i·nè yia
pour/par... ?	κάθε...;	ka·thè...
une nuit	νύχτα	*nirH*·ta
personne	άτομο	*a*·to·mo
une semaine	εβδομάδα	èv·dho·*ma*·dha

Puis-je la voir ?
Μπορώ να το δω;   bo·*ro* na to dho

Je la prends.
Θα το πάρω.   tha to *pa*·ro

Dois-je payer d'avance ?
Χρειάζεται να πληρώσω   rHri·*a*·zè·tè na pli·*ro*·sso
από πριν;   a·*po* prin

Puis-je payer	Μπορώ να	bo·*ro* na
par/en... ?	πληρώσω με...;	pli·*ro*·sso mè...
carte de crédit	πιστωτική κάρτα	pi·sto·ti·*ki* *kar*·ta
chèques de voyage	ταξιδιωτική επιταγή	tak·si·dhio·ti·*ki* è·pi·ta·*yi*

renseignements et services

Quand/Où le petit déjeuner est-il servi ?
Πότε/Πού σερβίρεται το   *po*·tè/pou sèr·*vi*·rè·tè to
πρόγευμα;   *pro*·yèv·ma

Merci de me réveiller à (7)h.
Παρακαλώ ξύπνησέ με   pa·ra·ka·*lo* ksip·ni·ssé mè
στις (εφτά).   stiss (èf·*ta*)

Est-ce que vous… ?   Εδώ …;   è·*dho*
  organisez des   κανονίζετε   ka·no·*ni*·zè·tè
  excursions   ξεναγήσεις   ksè·na·*yi*·ssiss
  changez   αλλάζετε   a·*la*·zè·tè
    de l'argent   χρήματα   *rHri*·ma·ta

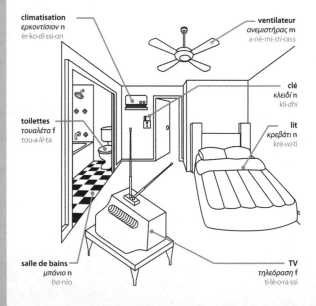

climatisation
ερκοντίσιον n
èr·ko·*di*·ssi·on

ventilateur
ανεμιστήρας m
a·nè·mi·*sti*·rass

clé
κλειδί n
kli·*dhi*

toilettes
τουαλέτα f
tou·a·*lé*·ta

lit
κρεβάτι n
krè·*va*·ti

salle de bains
μπάνιο n
ba·nio

TV
τηλεόραση f
ti·lè·o·ra·ssi

Puis-je utiliser le/la... ?	Μπορώ να χρησιμοποιήσω...;	bo·ro na rHri·ssi·mo·pi·i·sso...
cuisine	την κουζίνα	tin kou·zi·na
lave-linge	το πλυντήριο	to pli·di·ri·o
téléphone	το τηλέφωνο	to ti·lè·fo·no

Avez-vous un/une... ?	Έχετε...;	è·Hè·tè...
ascenceur	ασανσέρ	a·ssan·sèr
piscine	πισίνα	pi·ssi·na
service de blanchisserie	υπηρεσία πλυντηρίου	i·pi·rè·ssi·a pli·di·ri·ou
tableau pour les messages	πίνακα μηνυμάτων	pi·na·ka mi·ni·ma·ton
trousse de 1ers soins	χρηματοκιβώτιο	rHri·ma·to·ki·vo·ti·o

Pourrais-je avoir (un/une) ..., s'il vous plaît ?	Μπορώ να έχω... παρακαλώ;	bo·ro na è·rHo... pa·ra·ka·lo
couverture supplémentaire	μια κουβέρτα ακόμη	mia kou·vèr·ta a·ko·mi
ma clé	το κλειδί μου	to kli·dhi mou
moustiquaire	μια κουνουπιέρα	mia kou·nou·piè·ra
reçu	μια απόδειξη	mia a·po·dhi·ksi

⊡⊡⊡⊡⊡⊡⊡⊡⊡⊡

Y a-t-il de l'eau chaude toute la journée ?
Υπάρχει ζεστό νερό όλη την ημέρα; — i·par·Hi zè·sto nè·ro o·li tin i·mè·ra

Y a-t-il un message pour moi ?
Υπάρχει μήνυμα για μένα; — i·par·Hi mi·ni·ma yia mè·na

Puis-je laisser un message à quelqu'un ?
Μπορώ να αφήσω ένα μήνυμα για κάποιον; — bo·ro na a·fi·sso è·na mi·ni·ma yia ka·pion

Je ne peux pas entrer dans ma chambre.
Κλειδώθηκα έξω από το δωμάτιό μου. — kli·dho·thi·ka èk·so a·po to dho·ma·ti·o mou

se loger

réclamations

C'est trop...	Είναι πάρα πολύ...	*i*·nè *pa*·ra po·*li*...
bruyant	θορυβώδες	tho·ri·*vo*·dhèss
cher	ακριβό	a·kri·*vo*
lumineux	φωτεινό	fo·ti·*no*
froid	κρύο	*kri*·o
petit	μικρό	mi·*kro*
sombre	σκοτεινό	sko·ti·*no*

Le(s)/la ... ne fonctionne(nt) pas.	... δεν δουλεύει.	... dhèn dhou·*lè*·vi
climatisation	Το ερκοντίσιον	to èr·kon·*di*·ssi·on
ventilateur	Ο ανεμιστήρας	o a·nè·mi·*sti*·rass
toilettes	Η τουαλέτα	i tou·a·*lè*·ta

Puis-je avoir une autre (couverture) ?
Μπορώ να πάρω μια άλλη
(κουβέρτα);
bo·*ro* na *pa*·ro mia *a*·li
(kou·*vèr*·ta)

Cet (oreiller) n'est pas propre.
Αυτό (το μαξιλάρι) δεν
είναι καθαρό.
af·*to* (to mak·si·*la*·ri) dhèn
i·nè ka·tha·*ro*

quelqu'un frappe à votre porte...

Qui est-ce ?
Ποιος είναι;
pioss *i*·nè

Un moment.
Μια στιγμή.
mia stigH·*mi*

Entrez.
Περάστε.
pè·*ra*·stè

Revenez plus tard, s'il vous plaît.
Έλα αργότερα, παρακαλώ.
è·la ar·*gHo*·tè·ra pa·ra·ka·*lo*

quitter un hôtel

À quelle heure doit-on libérer la chambre ?
Τι ώρα είναι η αναχώρηση;   ti o·ra i·nè i a·na·rHo·ri·ssi

Puis-je partir plus tard ?
Μπορώ να φύγω αργά;   bo·ro na fi·gHo ar·gHa

Pouvez-vous m'appeler un taxi (pour 11h) ?
Μπορείτε να καλέσετε ένα   bo·ri·tè na ka·lè·ssè·tè è·na
ταξί (για τις έντεκα);   tak·si (yia tiss è·dè·ka)

Je pars maintenant.
Φεύγω τώρα.   fèv·gHo to·ra

Puis-je laisser mes bagages ici ?
Μπορώ να αφήσω τις   bo·ro na a·fi·sso tiss
βαλίτσες μου εδώ;   va·lit·ssèss mou è·dho

Il y a une erreur dans la note.
Υπάρχει κάποιο λάθος   i·par·Hi ka·pio la·thoss
στο λογαριασμό.   sto lo·gHa·riaz·mo

Puis-je avoir mon/	Μπορώ να έχω …	bo·ro na è·rHo …
ma/mes…,	παρακλώ;	pa·ra·ka·lo
s'il vous plaît ?		
caution	την προκατα-	tin pro·ka·ta·
	βολή μου	vo·li mou
passeport	το διαβατήριό	to dhia·va·ti·rio
	μου	mou
bijoux	τα κοσμήματά	ta koz·mi·ma·ta
	μου	mou

Je reviens…	Θα επιστρέψω…	tha è·pi·strèp·so…
dans (3) jours	σε (τρεις) μέρες	sè (triss) mè·rèss
(mardi)	την (Τρίτη)	tin tri·ti

J'ai passé un formidable séjour, merci.
Είχα υπέροχη διαμονή,   i·rHa i·pè·ro·Hi dhi·a·mo·ni
ευχαριστώ.   èf·rHa·ri·sto

Je le recommanderai à mes amis.
Θα το συστήσω στους   tha to si·sti·sso stouss
φίλους μου.   fi·louss mou

camping

κάμπινγκ

Avez-vous… ?	Έχετε …	è·Hè·tè…
l'électricité	ηλεκτρισμό	i·lèk·triz·mo
une laverie	πλυντήριο	pli·di·ri·o
de la place	χώρο	rHo·ro
des douches	εγκαταστάσεις	è·ga·ta·sta·ssiss
	για ντουζ	yia douz
des tentes	τέντες για	tè·dèss yia
à louer	νοίκιασμα	ni·kiaz·ma
Combien est-ce par… ?	Πόσο κοστίζει για κάθε …;	po·sso ko·sti·zi yia ka·thè…
caravane	τροχόσπιτο	tro·rHo·spi·to
personne	άτομο	a·to·mo
tente	τέντα	tè·da
véhicule	αυτοκίνητο	af·to·ki·ni·to

Puis-je camper ici ?
Μπορώ να κατασκηνώσω εδώ; — bo·ro na ka·ta·ski·no·sso è·dho

Puis-je me garer à-côté de ma tente ?
Μπορώ να παρκάρω δίπλα στην τέντα μου; — bo·ro na par·ka·ro dhi·pla stin tè·da mou

À qui faut-il s'adresser pour s'installer ici ?
Ποιον ρωτάω για να μείνω εδώ; — pion ro·ta·o yia na mi·no è·dho

Puis-je emprunter… ?
Μπορώ να δανειστώ…; — bo·ro na dha·ni·sto…

Est-ce que cela marche avec des pièces ?
Λειτουργεί με κέρματα; — li·tour·yi mè kèr·ma·ta

L'eau est-elle potable ?
Είναι το νερό πόσιμο; — i·nè to nè·ro po·ssi·mo

PRATIQUE

72

Pour donner une tournure polie à une requête, commencez votre question par μήπως *mi*·poss, l'équivalent du français "peut-être".

Peut-être auriez-vous une chambre avec vue ?

Μήπως έχετε ένα   *mi*·poss è·Hètè è·na
δωμάτιο με θέα;   dho·*ma*·tio mè *thè*·a

Pour plus de détails sur la formulation des questions, reportez-vous au chapitre **grammaire**.

location

νοικιάζοντας

Je viens au sujet de l'/la ... à louer.	Είμαι εδώ για το ... που νοικιάζεται.	*i*·mè è·*dho* yia to ... pou ni·*kia*·zè·tè
Auriez-vous un/une ... à louer ?	Έχεις ένα ... για νοίκιασμα;	è·Hiss è·na ... yia *ni*·kiaz·ma
appartement	διαμέρισμα	dhi·a·*mè*·riz·ma
maison	σπίτι	*spi*·ti
chambre	δωμάτιο	dho·*ma*·ti·o
Je suis ici pour le/la ... à louer.	Είμαι εδώ για την ... που νοικιάζεται.	*i*·mè è·*dho* yia tin ... pou ni·*kia*·zè·tè
Auriez-vous un/une ... à louer ?	Έχεις μια ... για νοίκιασμα;	è·Hiss mia ... yia *ni*·kiaz·ma
cabine	καμπίνα	ka·*bi*·na
villa	έπαυλη	è·*pav*·li
meublé(e)	με έπιπλα	mè è·*pi*·pla
avec quelques meubles	με λίγα έπιπλα	mè *li*·gHa è·*pi*·pla
non meublé(e)	χωρίς έπιπλα	rHo·*riss* è·*pi*·pla

loger chez l'habitant

διαμονή με τους ντόπιους

Puis-je loger chez vous/toi ?
Μπορώ να μείνω στο   bo·ro na mi·no sto
σπίτι σας/σου;   spi·ti sass/sou

Puis-je vous aider ?
Μπορώ να κάνω κάτι για   bo·ro na ka·no ka·ti yia
να βοηθήσω;   na vo·i·thi·sso

J'ai mon propre...	Έχω το δικό μου...	è·rHo to dhi·ko mou...
matelas	στρώμα	stro·ma
sac de couchage	σλίπινγκ μπαγκ	sli·ping bag

Puis-je... ?	Μπορώ να...;	bo·ro na ...
apporter quelque chose	φέρω κάτι	fè·ro ka·ti
à manger	για το φαγητό	yia to fa·yi·to
faire la vaisselle	πλύνω τα πιάτα	pli·no ta pia·ta
mettre/débarrasser la table	στρώσω/μαζέψω το τραπέζι	stro·sso/ma·zèp·so to tra·pè·zi
sortir les poubelles	βγάλω έξω τα σκουπίδια	vgHa·lo èk·so ta skou·pi·dhia

Merci pour votre hospitalité.
Ευχαριστώ για τη   èf·rHa·ri·sto yia ti
φιλοξενία σας.   fi·lok·sè·ni·a sass

Vous trouverez des expressions ayant trait aux repas dans le chapitre **se restaurer**, p. 157.

En Grèce, la ponctualité n'est pas aussi stricte que dans d'autres pays. Une invitation pour 21h signifie que la plupart des invités n'arriveront pas avant 21h30. Un café en fin de journée peut parfois se prolonger en dîner, et ne s'achever qu'après minuit. C'est ce que les Grecs appellent une αρμένικη βίζιτα ar·mè·ni·ki vi·si·ta (visite arménienne).

PRATIQUE

se renseigner

ψάχνοντας για …

Où se trouve/ y a-t-il… ?	Πού είναι …;	pou *i*·nè …
un grand magasin	ένα κατάστημα	è·na ka·*ta*·sti·ma
un kiosque	ένα περίπτερο	è·na pè·*rip*·tè·ro
un magasin de souvenirs	ένα κατάστημα με σουβενίρ	è·na ka·*ta*·sti·ma mè sou·vè·*nir*
le marché aux puces	το παζάρι	to pa·*za*·ri
le marché	η λαϊκή αγορά	i la·ï·*ki* a·gHo·ra
un supermarché	ένα σούπερ- μάρκετ	è·na sou·pèr *mar*·kèt

Quel est le jour du marché ?
Ποια μέρα έχει λαϊκή; pia *mè*·ra è·Hi la·ï·*ki*

Où puis-je acheter (un cadenas) ?
Πού μπορώ να αγοράσω pou bo·*ro* na a·gHo·*ra*·sso
(μια κλειδαριά); (mia kli·dha·*ria*)

Pour les directions, reportez-vous au chapitre **orientation**, p. 63.

---

parler local

Μπορώ να σας βοηθήσω;
bo·*ro* na sass vo·i·*thi*·sso   **Puis-je vous aider ?**

Τίποτε άλλο;
ti·po·tè *a*·lo   **C'est tout ?**

Όχι, δεν έχουμε.
o·*Hi* dhèn è·rHou·mè   **Non, nous n'en avons pas.**

Να το τυλίξω;
na to ti·*li*·kso   **Dois-je l'emballer ?**

acheter

Je ne fais que regarder.
Απλά κοιτάζω.   a·*pla* ki·ta·zo

Je voudrais acheter (un adaptateur).
Θα ήθελα να αγοράσω   tha *i*·thè·la na a·gHo·*ra*·sso
(ένα μετασχηματιστή).   (è·na mè·ta·sHi·ma·ti·*sti*)

Puis-je le voir ?
Μπορώ να το κοιτάξω;   bo·*ro* na to ki·*tak*·sso

En avez-vous d'autres ?
Έχετε άλλα;   è·Hè·tè *a*·la

Combien cela coûte-t-il ?
Πόσο κάνει;   po·sso *ka*·ni

Pourriez-vous m'écrire le prix ?
Μπορείτε να γράψετε την τιμή;   bo·*ri*·tè na gHrap·sè·tè tin ti·*mi*

Y a-t-il une garantie ?
Έχει εγγύηση;   è·Hè·tè èn·*yi*·i·ssi

Pourriez-vous l'emballer ?
Μπορείτε να μου το τυλίξετε;   bo·*ri*·tè na mou to ti·*lik*·sè·tè

Puis-je avoir un sac/reçu, s'il vous plaît ?
Μπορώ να έχω μια τσάντα/   bo·*ro* na è·rHo mia *tsa*·da/
απόδειξη, παρακαλώ;   a·*po*·dhik·si pa·ra·ka·*lo*

Pourriez-vous l'envoyer à l'étranger ?
Μπορείτε να το στείλετε   bo·*ri*·tè na to *sti*·lè·tè
στο εξωτερικό;   sto èk·so·tè·ri·*ko*

Pourriez-vous me le commander ?
Μπορείτε να το παραγγείλετε   bo·*ri*·tè na to pa·ran·*yi*·lè·tè
για μένα;   yia *mè*·na

Puis-je le reprendre plus tard ?
Μπορώ να το πραλάβω   bo·*ro* na to pa·ra·*la*·vo
αργότερα;   ar·*gHo*·tè·ra

Il est défectueux.
Είναι ελαττωματικό.   *i*·nè è·la·tto·ma·ti·*ko*

PRATIQUE

affaire	ευκαιρία f	èf·kè·*ri*·a
arnaque	γδάρσιμο n	*gHdhar*·ssi·mo
solde	έκπτωση f	èk·pto·ssi
offre spéciale	προσφορές f pl	pros·fo·*rèss*

Acceptez-vous… ?	Δέχεστε…;	*dhè*·Hè·stè…
les cartes de	πιστωτικές	pi·sto·ti·*kèss*
crédit	κάρτες	*kar*·tèss
les chèques de	ταξιδιωτικές	tak·ssi·dhio·ti·*kèss*
voyage	επιταγές	è·pi·ta·*yèss*
Je voudrais …,	Θα ήθελα …,	tha *i*·thè·la …
s'il vous plaît.	παρακαλώ.	pa·ra·ka·*lo*
être	επιστροφή	è·pi·stro·*fi*
remboursé(e)	χρημάτων	rHri *ma*·ton
ma monnaie	τα ρέστα μου	ta *rè*·sta mou
rendre ceci	να επιστρέψω	na è·pi·*strèp*·so
	αυτό	af·to

marchander

παζάρεμα

C'est trop cher.
Είναι πάρα πολύ ακριβό.   i·nè *pa*·ra po·*li* a·kri·*vo*

Je n'ai pas autant d'argent que cela.
Δεν έχω τόσα πολλά   dhèn è·rHo *to*·ssa po·*la*
χρήματα.   rHri·ma·ta

Aurais-tu quelque chose de moins cher ?
Έχεις κάτι πιο φτηνό;   è·Hiss *ka*·ti pio fti·*no*

Pourriez-vous baisser le prix ?
Μπορείς να κατεβάσεις   bo·*riss* na ka·tè·*va*·ssiss
την τιμή;   tin ti·*mi*

Combien demandez-vous pour (les 2) ?
Πόσο κάνει για (δύο);   po·sso *ka*·ni yia (*dhi*·o)

Je vous en donne (5 euros).
Θα σου δώσω (πέντε ευρώ).   tha sou *dho*·sso (*pè*·dè èv·*ro*)

Je vous en donne (5 lires chypriotes).
Θα σου δώσω (πέντε   tha sou *dho*·sso (*pè*·dè
λίρες Κύπρου).   *li*·rèss *ki*·prou)

livres et lecture

βιβλία και διάβασμα

Y a-t-il une librairie/un rayon français(e) ?
Υπάρχει ένα βιβλιοπωλείο/   i·*par*·Hi è·na viv·li·o·po·*li*·o/
τμήμα Γαλλικής γλώσσας;   *tmi*·ma gHa·li·*kiss* gHlo·ssass

Pourriez-vous me recommander un livre ?
Μπορείτε να μου συστήσετε   bo·*ri*·tè na mou si·*sti*·ssè·tè
ένα βιβλίο;   è·na viv·*li*·o

Avez-vous des guides Lonely Planet ?
Έχετε βιβλία-οδηγούς του   è·*Hè*·tè viv·*li*·a·o·dhi·*ghouss*
Λόνλι Πλάνετ;   tou *lon*·li *pla*·nètt

Avez-vous… ?	Έχετε ένα …;	è·*Hè*·tè è·na…
un livre de (Nikos Kazantzakis)	βιβλίο (του Νίκου Καζαντζάκη)	viv·*li*·o (tou *ni*·kou ka·za·*dza*·ki)
un guide	οδηγό	o·dhi·*gHo*
des spectacles	διασκεδάσεων	dhiass·kè·*dha*·ssè·on

Je voudrais un/une…	Θα ήθελα …	tha *i*·thè·la …
dictionnaire	ένα λεξικό	è·na lèk·si·*ko*
journal	μια εφημερίδα	mia è·fi·mè·*ri*·dha
(en français)	(στα Γαλλικά)	(sta gHa·li·*ka*)
carnet	ένα μπλοκ για σημειώσεις	è·na blok yia si·mi·o·ssiss

acheter des vêtements

Je fais du...	Το νούμερό	to *nou*·mè·*ro*
	μου είναι ...	mou *i*·nè...
(40)	(σαράντα)	(sa·*ra*·da)
S	μικρό	mi·*kro*
M	μεσαίο	mè·*ssè*·o
L	μεγάλο	mè·*gHa*·lo

Puis-je l'essayer ?
Μπορώ να το προβάρω;   bo·*ro* na to pro·*va*·ro

Cela ne me va pas.
Δε μου κάνει.   dhè mou *ka*·ni

acheter du matériel électronique

Où puis-je acheter du matériel électronique détaxé ?
Πού μπορώ να αγοράσω   pou bo·*ro* na a·gHo·*ra*·sso
αφορολόγητα ηλεκτρονικά   a·fo·ro·*lo*·yi·ta i·lèk·tro·ni·*ka*
είδη;   *i*·dhi

Est-ce le dernier modèle ?
Είναι αυτό το τελευταίο   *i*·nè af·*to* to tè·lèf·*tè*·o
μοντέλο;   mo·*dè*·lo

Est-ce du (240) volts ?
Είναι αυτό   *i*·nè af·*to*
(240) βολτ;   (dhia·*ko*·ssia sa·*ra*·da) volt

J'ai besoin d'un adaptateur.
Χρειάζομαι ένα   rHri·*a*·zo·mè è·na
μετασχηματιστή.   mè·ta·sHi·ma·ti·*sti*

---

masculin/féminin/neutre

Les symboles m, f et n indiquent le genre (masculin, féminin ou neutre) de certains mots et expressions. Le pluriel sera quant à lui désigné par pl.

achats

79

chez le coiffeur

Je voudrais (un/une)…	Θα ήθελα ένα…	tha *i*·thè·la è·na…
brushing	στέγνωμα	*stègH*·no·ma
	με πιστολάκι	mè pis·to·*la*·ki
couleur	βάψιμο	*vap*·si·mo
coupe	κούρεμα	*kou*·rè·ma
me rafraîchir	ψαλίδισμα	psa·*li*·dhiz·ma
la barbe	στο μούσι μου	sto *mou*·ssi mou
me faire raser	ξύρισμα	*ksi*·riz·ma

Ne les coupez pas trop court.
Μην τα κόψετε πολύ κοντά.   min ta *kop*·sè·tè po·*li* ko·*da*

Utilisez un rasoir neuf, s'il vous plaît.
Παρακαλώ χρησιμοποιήσετε   pa·ra·ka·*lo* rHri·ssi·mo·*pi*·i·ssè·tè
καινούργιο ξυράφι.   kè·*nour*·yio ksi·*ra*·fi

Rasez tout !
Ξυρίσετε τα όλα.   ksi·*ri*·ssè·tè ta *o*·la

Je n'aurais jamais dû vous laisser faire !
Δεν θα έπρεπε ποτέ να σας   dhèn tha è·prè·pè po·*tè* na sass
αφήσω !   a·*fi*·sso

coiffeur	κουρέας m	kou·*rè*·ass
coiffeur	κομμωτής	ko·mo·*tiss*
pour homme	για άντρες m	yia *a*·drèss
pour femme	για γυναίκες m	yia yi·*nè*·kèss
salon	ινστιτούτο	in·sti·*tou*·to
de beauté	αισθητικής n	ès·thi·ti·*kiss*
mixte	και για τα δύο φύλα	kè yia ta *dhi*·o fi·la

musique et DVD

Je voudrais un CD/DVD.
Θα ήθελα ένα CD/DVD.   tha *i*·thè·la è·na si·*di*/di·vi·*di*

Je cherche quelque chose de (Anna Vissi).
Ψάχνω για κάτι   *psarH*·no yia *ka*·ti
(της Άννας Βίσση).   (tiss *a*·na *vi*·ssi)

Quel est son meilleur enregistrement ?
Ποια είναι η καλύτερη   pia *i*·nè i ka·*li*·tè·ri
ηχογράφησή του/της;   i·rHo·*gHra*·fi·ssi tou/tiss

Fonctionne-t-il avec tous les lecteurs de DVD ?
Παίζει σε όλα τα DVD;   *pè*·zi sè *o*·la ta di·vi·*di*

Est-ce adapté au système (PAL/NTSC) ?
Είναι κατάλληλο για   *i*·nè ka·*ta*·li·lo yia
σύστημα (PAL/NTSC);   *si*·sti·ma (pal/èn·ti·ès·*ssi*)

vidéo et photographie

Pourrais-tu... ?	Μπορείς να...;	bo·*riss* na...
développer	εμφανίσεις	èm·fa·*ni*·ssiss
des photos	ψηφιακές	psi·fi·a·*kèss*
numériques	φωτογραφίες	fo·to·gHra·*fi*·èss
développer	εμφανίσεις	èm·fa·*ni*·ssiss
cette pellicule	αυτό το φιλμ	af·*to* to film
recharger	βάλεις το φιλμ	*va*·liss to film
mon apparell	στη μηχανή μου	sti mi·rHa·*ni* mou
recharger la	φορτίσεις την	for·*ti*·ssiss tin
batterie de	μπαταρία για την	ba·ta·*ri*·a yia tin
mon appareil	ψηφιακή μου	psi·fi·a·*ki* mou
numérique	μηχανή	mi·rHa·*ni*
transférer les	μεταφέρεις	mè·ta·*fè*·riss
photos de mon	φωτογραφίες από	fo·to·gHra·*fi*·èss a·*po*
appareil	την φωτογραφική	ti fo·to·gHra·fi·*ki*
vers le CD	μου μηχανή στο CD	mou mi·rHa·*ni* sto si·*di*

Aurais-tu ...   Έχεις ... για αυτή   è·Hiss ... yia af·*ti*
pour cet   τη φωτογραφική   ti fo·to·gHra·fi·*ki*
appareil ?   μηχανή;   mi·rHa·*ni*
    des piles   μπαταρίες   ba·ta·*ri*·èss
    une carte mémoire   κάρτες μνήμης   *kar*·tèss mni·miss

J'ai besoin d'un câble pour connecter mon appareil à un ordinateur.
    Χρειάζομαι ένα καλώδιο   rHri·*a*·zo·mè è·na ka·*lo*·dhi·o
    για να συνδέσω τη μηχανή   yia na sin·*dhè*·sso ti mi·rHa·*ni*
    μου στο κομπιούτερ.   mou sto kom·*piou*·tèr

J'ai besoin d'un câble pour recharger cette batterie.
    Χρειάζομαι ένα καλώδιο   rHri·*a*·zo·mè è·na ka·*lo*·dhi·o
    για να φορτίσω αυτή   yia na for·*ti*·sso af·*ti*
    τη μπαταρία.   ti ba·ta·*ri*·a

J'ai besoin d'une cassette vidéo pour cette caméra.
    Χρειάζομαι μια   rHri·*a*·zo·mè mia
    βιντεοκασέτα για   vi·dè·o·ka·*ssè*·ta yia
    αυτή τη μηχανή.   af·*ti* ti mi·rHa·*ni*

As-tu des appareils jetables (sous-marins) ?
    Έχεις (υποβρύχιες)   è·Hiss (i·pov·*ri*·Hi·èss)
    φωτογραφικές μηχανές   fo·to·gHra·fi·*kèss* mi·rHa·*nèss*
    μιας χρήσης;   miass rHri·ssiss

Quand cela sera-t-il prêt ?
    Πότε θα είναι έτοιμο;   *po*·tè tha *i*·nè è·ti·mo

Combien cela coûte-t-il ?
    Πόσο κάνει;   *po*·sso ka·ni

J'ai besoin de photos d'identité.

Θέλω να βγάλω φωτογραφία
για διαβατήριο.

*thè·*lo na *vgHa·*lo fo·to·gHra·*fi·*a
yia dhia·va·*ti·*ri·o

Ces photos ne me plaisent pas.

Δεν είμαι ικανοποιημένος/
ικανοποιημένη με αυτές
τις φωτογραφίες.

dhèn *i·*mè i·ka·no·pi·i·*mè·*noss/
i·ka·no·pi·i·*mè·*ni mè af·*tèss*
tiss fo·to·gHra·*fi·*èss

Je refuse de payer l'intégralité.

Δεν θέλω να πληρώσω
ολόκληρη την τιμή.

dhèn *thè·*lo na pli·*ro·*sso
o·*lo·*kli·ri tin ti·*mi*

réparations

Pourriez-vous réparer… ?	Μπορώ να επισκευάσω εδώ…;	bo·*ro* na è·pi·skè·*va·*sso è·*dho…*
mon appareil photo	τη φωτογραφική μηχανή μου	ti fo·to·gHra·fi·*ki* mi·rHa·*ni* mou
mes chaussures	τα παπούτσια μου	ta pa·*pou·*tsia mou
mes lunettes de soleil	τα γιαλιά μου του ήλιου	ta yia·*lia* mou tou *i·*liou
mon sac à dos	το σάκο μου	to *sa·*ko mou

Quand … seront-ils/ elles prêt(e)s ?	Πότε θα είναι έτοιμα τα…;	*po·*tè tha *i·*nè è·ti·ma ta…
mes chaussures	παπούτσια μου	pa·*pou·*sia mou
mes lunettes	γιαλιά μου	yia·*lia* mou
mes lunettes de soleil	γιαλιά μου του ήλιου	yia·*lia* mou tou *i·*liou

Quand mon appareil photo sera-t-il prêt ?

Πότε θα είναι έτοιμη η
φωτογραφική μηχανή μου;

*po·*tè tha *i·*nè è·*ti·*mi i
fo·to·gHra·fi·*ki* mi·rHa·*ni* mou

Quand mon sac à dos sera-t-il prêt ?

Πότε θα είναι έτοιμος
ο σάκος μου;

*po·*tè tha *i·*nè è·*ti·*moss
o *sa·*koss mou

amulettes	φυλαχτό n	fi·larH·*to*
backgammon	τάβλι n	*tav*·li
bouzouki (instrument traditionnel à cordes)	μπουζούκι n	bou·*zou*·ki
bronzes	μπρούτζινα n pl	*brou*·dzi·na
céramiques	κεραμικά n pl	kè·ra·mi·*ka*
cuivres	χάλκινα n pl	*rHal*·ki·na
dentelles	δαντέλλα f	dhan·*dè*·la
housses de coussin	μαξιλαροθήκες f pl	mak·si·la·ro·*thi*·kèss
icônes	εικόνες f pl	i·ko·nèss
komboloïs (petit chapelet)	κομπολόγια n pl	ko·bo·*lo*·yia
maroquinerie	δερμάτινα n pl	dhèr·*ma*·ti·na
paniers	καλάθια n pl	ka·*la*·thia
petits tapis	τάπητες m pl	*ta*·pi·tèss
poteries	είδη αγγειοπλαστικής n pl	i·dhi a·yi·o·pla·sti·*kiss*
sacs à main	υφαντή τσάντα	i·fa·*di* tsa·da
tissés	ώμου f	o·mou
sculptures	γλυπτά n pl	gHlip·*ta*
tapis	χαλιά n pl	rHa·*lia*
bijoux...	... κοσμήματα n pl	... koz·*mi*·ma·ta
filigranés	φιλιγκράν	fi·li·*gran*
en or	χρυσά	rHri·*ssa*
en argent	ασημένια	a·ssi·*mè*·nia

poste

ταχυδρομείο

Je voudrais envoyer un/une...	Θέλω να στείλω...	*thè*·lo na *sti*·lo...
carte postale	μια κάρτα	mia *kar*·ta
colis	ένα δέμα	è·na *dhè*·ma
fax	ένα φαξ	è·na faks
lettre	ένα γράμμα	è·na *gHra*·ma
télégramme	ένα τηλεγράφημα	è·na ti·lè·*gHra*·fi·ma
Je voudrais acheter un/une...	Θέλω να αγοράσω ένα...	*thè*·lo na a·gHo·*ra*·sso è·na...
aérogramme	αερόγραμμα	a·è·ro·gHra·ma
enveloppe	φάκελο	*fa*·kè·lo
timbre	γραμματόσημο	gHra·ma·*to*·ssi·mo
boîte postale	ταχυδρομικό κουτί n	ta·Hi·dhro·mi·*ko* kou·*ti*
code postal	ταχυδρομικός τομέας m	ta·Hi·dhrυ·*mi*·koss to·*mè*·ass
courrier	αλληλογραφία f	a·li·lo·gHra·*fi*·a
déclaration	δήλωση	*dhi*·lo·ssi
de douane	τελωνείου f	tè·lo·*ni*·ou
domestique	εσωτερικό	è·sso·tè·ri·*ko*
fragile	εύθραυστο	*èf*·thraf·sto
international	διεθνές	dhi·èth·*nèss*

le courrier en bref

express	εξπρές	èks·*prèss*
par avion	αεροπορικώς	a·è·ro·po·ri·*koss*
par bateau	ατμοπλοϊκώς	at·mo·plo·i·*koss*
par voie de terre	δια ξηράς	dhi·*a* ksi·*rass*
en recommandé	συστημένο	si·sti·*mè*·no

Merci de l'envoyer en (Suisse) par avion.

Παρακαλώ στείλτε το   pa·ra·ka·*lo stil*·tè to
αεροπορικώς στην   a·è·ro·po·ri·*koss* stin
(Ελβετία).   (èl·vè·*ti*·a)

Merci de l'envoyer en (France) par voie de terre.

Παρακαλώ στείλτε το δια   pa·ra·ka·*lo stil*·tè to dhi·*a*
ξηράς στην (Γαλλία).   ksi·*rass* stin (gHa·*li*·a)

Cela contient (des souvenirs).

Περιέχει (σουβενίρ).   pè·ri·è·Hi (sou·vè·*nir*)

Où se trouve la poste restante ?

Πού είναι το ποστ ρεστάντ;   pou *i*·nè to post rè·*stant*

Y a-t-il du courrier pour moi ?

Υπάρχουν γράμματα   i·*par*·rHoun *gHra*·ma·ta
για μένα;   yia *mè*·na

Je voudrais retirer un paquet.

Θα ήθελα να παραλάβω   tha *i*·thè·la na pa·ra·*la*·vo
ένα δέμα.   è·na *dhè*·ma

Où puis-je trouver un service d'expédition de fax et de télégrammes ?

Πού μπορώ να βρω   pou bo·*ro* na vro
υπηρεσία για φαξ και   i·pi·rè·*ssi*·a yia faks kè
για τηλεγράφημα;   yia ti·lè·*gHra*·fi·ma

Combien coûte l'envoi d'une page de fax ?

Πόσο κοστίζει το φαξ   *po*·sso ko·*sti*·zi to faks
η σελίδα;   i ssè·*li*·dha

Avez-vous un accès Internet ?

Έχετε υπηρεσία   è·Hè·tè i·pi·rè·*ssi*·a
Διαδικτύου;   dhi·a·dhik·*ti*·ou

---

les Méduses

Les Méduses, célèbres pour changer les hommes en pierre dans la mythologie grecque, auraient possédé des cheveux semblables aux tentacules des animaux marins auxquels elles ont donné leur nom dans de nombreuses langues, dont le grec (μέδουσα mè·dhou·ssa), le français (méduse) et l'espagnol (*medusa* mè·*doo*·sa), pour n'en citer que quelques-unes.

téléphone

Quel est ton numéro de téléphone ?
Τι αριθμό τηλεφώνου έχεις; ti a·rith·mo ti·lè·fo·nou è·Hiss

Où se trouve le téléphone public le plus proche ?
Πού είναι το πιο κοντινό pou i·nè to pio ko·di·no
δημόσιο τηλέφωνο; dhi·mo·ssi·o ti·lè·fo·no

Où se trouve le centre téléphonique le plus proche ?
Πού είναι το πιο κοντινό pou i·nè to pio ko·di·no
τηλεφωνικό κέντρο; ti·lè·fo·ni·ko kè·dro

As-tu un téléphone avec compteur ?
Έχεις τηλέφωνο με μετρητή; è·Hiss ti·lè·fo·no mè mè·tri·ti

Puis-je consulter l'annuaire ?
Μπορώ να κοιτάξω τον bo·ro na ki·tak·so ton
τηλεφωνικό κατάλογο; ti·lè·fo·ni·ko ka·ta·lo·gHo

Je veux…	Θέλω να…	thè·lo na…
acheter une	αγοράσω μια	a·gHo·ra·sso mia
carte de	τηλεφωνική	ti·lè·fo·ni·ki
téléphone de	κάρτα (2000	kar·ta (dhi·o Hi·lia·dhon
(2 000 unités)	μονάδων)	mo·na·dhon)
acheter une	αγοράσω μια	a·gHo·ra·sso mia
carte de réduction	κάρτα με έκπτωση	kar·ta mè èk·pto·ssi
appeler	τηλεφωνήσω	ti·lè·fo·ni·sso
(à Montréal)	(στο Μόντρεαλ)	(sti Mon·trè·al)
passer un appel	κάμω ένα (τοπικό)	ka·mo è·na (to·pi·ko)
(local)	τηλέφωνο	ti·lè·fo·no
appeler	αντιστρέψω	a·di·strèp·so
en PCV	τα έξοδα	ta èk·sso·dha
parler (3)	μιλήσω για (τρία)	mi·li·sso yia (tri·a)
minutes	λεπτά	lèp·ta

Ποιος μιλάει;
 pioss mi·*la*·i

Qui est à l'appareil ?

Σε ποιον θέλετε να μιλήσετε;
 sè pion thè·lè·tè
 na mi·*li*·ssè·tè

**À qui voulez-vous
 parler ?**

Μια στιγμή.
 mia stigH·*mi*

Un moment.

Δεν είναι εδώ.
 dhèn i·nè è·*dho*

Il/Elle n'est pas là.

Λάθος αριθμός.
 la·thoss a·rith·*moss*

Mauvais numéro.

Combien Πόσο *po*·sso
coûte... ? κοστίζει...; ko·*sti*·zi...
  un appel de ένα τηλεφώνημα è·na ti·lè·*fo*·ni·ma
  (3) minutes (τριών) λεπτών (tri·*on*) lèp·*ton*
  chaque minute κάθε έξτρα λεπτό *ka*·thè *èks*·tra lèp·*to*
  supplémentaire

Le numéro est...
 Ο αριθμός είναι... o a·rith·*moss* i·nè...

Quel est l'indicatif du (Canada) ?
 Ποιος είναι ο κωδικός pioss i·nè o ko·dhi·*koss*
 αριθμός για a·rith·*moss* yia
 (τον Καναδά); (to ka·na·*dha*)

C'est occupé.
 Είναι κατειλημμένη. i·nè ka·ti·li·*mè*·ni

J'ai été coupé.
 Με διέκοψαν. mè dhi·è·*kop*·san

La ligne est mauvaise.
 Η σύνδεση είναι κακή. i *sin*·dhè·ssi i·nè ka·*ki*

Allô.
 Εμπρός. è·*bross*

C'est...
 Είμαι... *i*·mè...

... est-il/elle là ?
Είναι ... εκεί;   *i·nè ... è·ki*

Puis-je parler à... ?
Μπορώ να μιλήσω με…;   *bo·ro na mi·li·sso mè…*

Puis-je laisser un message ?
Μπορώ να αφήσω ένα μήνυμα;   *bo·ro na a·fi·sso è·na mi·ni·ma*

Pourriez-vous lui dire que j'ai appelé.
Παρακαλώ πες του/της   *pa·ra·ka·lo pèss tou/tiss*
ότι τηλεφώνησα.   *o·ti ti·lè·fo·ni·ssa*

Mon numéro est…
Ο αριθμός μου είναι…   *o a·rith·moss mou i·nè…*

On ne peut pas m'appeler.
Δεν έχω αριθμό για   *dhèn è·rHo a·rith·mo yia*
επικοινωνία.   *è·pi·ki·no·ni·a*

Je rappellerai plus tard.
Θα τηλεφωνήσω αργότερα.   *tha ti·lè·fo·ni·sso ar·gHo·tè·ra*

téléphone portable

Je voudrais un/une…	Θα ήθελα…	*tha i·thè·la…*
recharge pour	ένα φορτιστή για	*è·na for·ti·sti yia*
mon téléphone	το τηλέφωνό μου	*to ti·lè·fo·no mou*
louer un téléphone	να νοικιάσω ένα	*na ni·kia·sso è·na*
portable	κινητό τηλέφωνο	*ki·ni·to ti·lè·fo·no*
portable	ένα	*è·na*
prépayé	προπληρωμένο	*pro·pli·ro·mè·no*
	κινητό τηλέφωνο	*ki·ni·to ti·lè·fo·no*
une carte SIM	μια κάρτα SIM	*mia kar·ta sim*
pour votre réseau	για το δίκτυό σας	*yia to dhik·tio sass*

Quels sont les tarifs?
Ποιες είναι οι τιμές;   *pièss i·nè i ti·mèss*

(40 centimes) pour (30) secondes.
(40λ) για (30)   *(sa·ra·da lèp·ta) yia (tri·a·da)*
δευτερόλεπτα.   *dhèf·tè·ro·lèp·ta*

Internet

Où se trouve le cybercafé ?
Πού είναι το τοπικό
καφενείο με διαδίκτυο;
*pou i·nè to to·pi·ko
ka·fè·ni·o mè dhi·a·dhik·ti·o*

Je voudrais… Θα ήθελα να… *tha i·thè·la na…*
  regarder mes ελέγξω την *è·lèng·so tin*
  e-mails ηλεκτρονική *i·lèk·tro·ni·ki*
αλληλογραφία μου *a·li·lo·gHra·fi·a mou*
  accéder έχω πρόσβαση *è·rHo pross·va·ssi*
  à Internet στο Διαδίκτυο *sto dhi·a·dhik·ti·o*
  utiliser une χρησιμοποιήσω *rHri·ssi·mo·pi·i·sso*
  imprimante έναν εκτυπωτή *è·nan èk·ti·po·ti*
  utiliser un χρησιμοποιήσω *rHri·ssi·mo·pi·i·sso*
  scanner ένα σκάνερ *è·na ska·nèr*

Avez-vous… ? Έχετε…; *è·Hè·tè…*
  des Mac Κομπιούτερ Mac *kom·piou·tèr mak*
  des PC Κομπιούτερ PC *kom·piou·tèr pi ssi*
  un lecteur zip Zip drive *zip dra·ïv*

Combien coûte Πόσο κοστίζει *po·sso ko·sti·zi*
une… ? κάθε…; *ka·thè…*
  heure ώρα *o·ra*
  page σελίδα *sè·li·dha*

Comment dois-je faire pour me connecter ?
Πώς μπαίνω μέσα; *poss bè·no mè·ssa*

Merci de me régler le paramètre langue sur (français).
Παρακαλώ άλλαξέ το στην
(Γαλλική) γλώσσα.
*pa·ra·ka·lo a·lak·sè to stin
(gHa·li·ki) glo·ssa*

As-tu un clavier (français) ?
Έχεις (Γαλλικό) πληκτρολόγιο; *è·His (gHa·li·ko) plik·tro·lo·yio*

Il est planté.
Κατέρρευσε. *ka·tè·rèf·sè*

J'ai fini.
Τελείωσα. *tè·li·o·ssa*

À quelle heure ouvre la banque ?
Τι ώρα ανοίγει η τράπεζα;   ti *o*·ra a·*ni*·yi i *tra*·pè·za

Où y a-t-il… ?   Πού είναι…;   pou i·*nè*…
  un distributeur   μια αυτόματη   mia af·*to*·ma·ti
    automatique   μηχανή   mi·rHa·*ni*
          χρημάτων   rHri·*ma*·ton
  un bureau de   ένα γραφείο   *è*·na gHra·*fi*·o
    change   αλλαγής   a·la·*yiss*
          χρημάτων   rHri·*ma*·ton

Où puis-je… ?   Πού μπορώ να…;   pou bo·*ro* na…
Je voudrais…   Θα ήθελα να…   tha *i*·thè·la na…
  encaisser un   εξαργυρώσω   èk·sar·yi·*ro*·sso
    chèque   μια επιταγή   mia è·pi·ta·*yi*
  changer   αλλάξω   a·*lak*·so
    de l'argent   χρήματα   rHri·ma·ta
  changer un   αλλάξω μια   a·*lak*·so mia
    chèque   ταξιδιωτική   tak·si·dhio·ti·*ki*
    de voyage   επιταγή   è·pi·ta·*yi*
  faire un   στείλω ένα   *sti*·lo *è*·na
    virement   έμβασμα   *èm*-vaz·ma
  retirer de   αποσύρω   a·po·*ssi*·ro
    l'argent   χρήματα   rHri·ma·ta

Quel est… ?   Ποια είναι… ;   pia i·*nè*…
  le taux de   η τιμή   i ti·*mi*
    change   συναλλάγματος   si·na·*lagH*·ma·toss
  le coût   η χρέωση   i *rHrè*·o·ssi
    de cela   για αυτό   yia af·*to*

Mon argent est-il arrivé ?
Έχουν φτάσει τα
χρήματά μου;

è·rHoun *fta*·ssi ta
rHri·ma·ta mou

Dans combien de temps arrivera-t-il ?
Σε πόσο καιρό θα φτάσουν;

sè *po*·sso kè·*ro* tha *fta*·ssoun

La machine a avalé ma carte.
Η αυτόματη μηχανή
χρημάτων κράτησε
την κάρτα μου.

i af·*to*·ma·ti mi·rHa·*ni*
rHri·*ma*·ton kra·ti·ssè
tin *kar*·ta mou

J'ai oublié mon code.
Ξέχασα τον κωδικό
αριθμό μου.

ksè·rHa·ssa ton ko·dhi·*ko*
a·rith·*mo* mou

Puis-je utiliser ma carte de crédit pour retirer de l'argent ?
Μπορώ να χρησιμοποιήσω
την πιστωτική μου κάρτα
για να αποσύρω χρήματα;

bo·*ro* na rHri·ssi·mo·pi·*i*·sso
tin pi·sto·ti·*ki* mou *kar*·ta
yia na a·po·*ssi*·ro *rHri*·ma·ta

parler local...

διαβατήριο **n**	dhia·va·*ti*·ri·o	**passeport**
ταυτότητα **f**	taf·*to*·ti·ta	**identification**

Δεν μπορούμε να το κάνουμε αυτό.
  dhèn bo·*rou*·mè na
  to *ka*·nou·mè af·*to*

**Nous ne pouvons pas
faire cela.**

Τελείωσαν τα χρήματά σας.
  tè·*li*·o·ssan ta *rHri*·ma·*ta* sass

Vous n'avez plus d'argent.

Υπάρχει ένα πρόβλημα.
  i·*par*·Hi è·na *prov*·li·ma

Il y a un problème.

Υπογράψτε εδώ.
  i·po·*gHrap*·stè è·*dho*

Signez ici.

Je voudrais un...	Θα ήθελα...	tha i·thè·la...
casque	ακουστικά	a·kou·sti·ka
catalogue	ένα κατάλογο	è·na ka·ta·lo·gl lo
guide	έναν οδηγό	è·nan o·dhi·gHo
guide en	έναν οδηγό στα	è·nan o·dhi·gHo
(français)	(Γαλλικά)	sta (gHa·li·ka)
plan (du quartier)	ένα (τοπικό)	è·na (to·pi·ko)
	χάρτη	rHar·ti

Avez-vous de la	Έχετε	è·Hè·tè
documentation	πληροφορίες για	pli·ro·fo·ri·èss yia
sur les sites... ?	... χώρους;	... rHo·rouss
antiques	αρχαίους	ar·Hè·ouss
archaïques	αρχαϊκούς	ar·rHa·ï·kouss
archéologiques	αρχαιολογικούς	ar·Hè·o·lo·yi·kouss
architecturaux	αρχιτεκτονικούς	ar·Hi·tèk·to·ni·kouss
byzantins	Βυζαντινούς	vi·za·di·nouss
classiques	κλασσικούς	kla·ssi·kouss
culturels	πολιτιστικούς	po·li·ti·sti·kouss
hellénistiques	Ελληνιστικούς	è·li·ni·sti·kouss
historiques	ιστορικούς	i·sto·ri·kouss
néoclassiques	νεοκλασσικούς	nè·o·kla·ssi·kouss
orthodoxes	Ορθόδοξους	or·tho·dhok·souss
ottomans	Οθωμανικούς	o·tho·ma·ni·kouss
religieux	θρησκευτικούς	thris·kèf·ti·kouss
romains	Ρωμαϊκούς	ro·ma·ï·kouss

panneaux

Ανδρών	an·dhron	**hommes**
Είσοδος	i·sso·dhoss	**entrée**
Έξοδος	èk·so·dhoss	**sortie**
Τουαλέτες	tou·a·lè·tèss	**toilettes**
Γυναικών	yi·nè·kon	**femmes**

Je voudrais voir	Θα ήθελα	tha i·thè·la
(le/la/l'/les)…	να δω…	na dho…
Acropole	την Ακρόπολη	tin ak·ro·po·li
amphithéâtre	το αμφιθέατρο	to am·fi·thè·a·tro
fresque	φρέσκο	frès·ko
byzantine	Βυζαντινά	vi·za·di·na
labyrinthe	τον λαβύρινθο	ton la·vi·rinn·tho
mosaïques	τα μωσαϊκά	ta mo·ssa·ï·ka
monastères	τα μοναστήρια	ta mo·na·sti·ria
du mont Athos	του Αγίου Όρους	tou a·yi·ou o·rouss
Musée	Μουσείο	mou·ssi·o
archéologique	το Αρχαιολογικό	to ar·Hè·o·lo·yi·ko
oracle de	το μαντείο των	to ma·di·o ton
Delphes	Δελφών	dhèl·fon
palais	το παλάτι	to pa·la·ti
ruines	τα ερείπια	ta è·ri·pi·a
sculptures	τα γλυπτά	ta gHlip·ta
statues	τα αγάλματα	ta a·gHal·ma·ta
temple	το ναό	to na·o
tombes	τάφους	ta·fouss
mycéniennes	Μυκηναϊκούς	mi·ki·na·ï·kouss

Qu'est-ce que c'est ?
Τι είναι εκείνο; — ti i·nè è·ki·no

Qui l'a fait ?
Ποιος το έκανε; — pioss to è·ka·nè

Quel âge a-t-il/elle ?
Πόσο χρονώ είναι; — po·sso rHro·no i·nè

Quand cela a-t-il été découvert ?
Πότε ανακαλύφτηκε αυτό; — po·tè a·na·ka·lif·ti·kè af·to

De quand datent les fouilles ?
Πότε έγιναν οι ανασκαφές; — po·tè è·yi·nan i a·nass·ka·fèss

Peux-tu me prendre en photo ?
Μπορείς να μου πάρεις — bo·riss na mou pa·riss
μια φωτογραφία; — mia fo·to·gHra·fi·a

Puis-je te prendre en photo ?
Μπορώ να σου πάρω — bo·ro na (sou) pa·ro
μια φωτογραφία; — mia fo·to·gHra·fi·a

accéder à un site touristique

À quelle heure est-ce que ça ouvre ?
Τι ώρα ανοίγει;   ti o·ra a·ni·yi

À quelle heure est-ce que ça ferme ?
Τι ώρα κλείνει;   ti o·ra kli·ni

Est-ce ouvert tous les jours ?
Είναι ανοιχτό κάθε μέρα;   i·nè a·nirH·to ka·thè mè·ra

Combien coûte l'entrée ?
Πόσο κοστίζει η είσοδος;   po·sso ku·sti·zi i i·sso·dhoss

Puis-je entrer dans cette tenue ?
Μπορώ να μπω με αυτά   bo·ro na bo mè af·ta
τα ρούχα;   ta rou·rHa

Y a-t-il des réductions pour les… ?	Υπάρχει έκπτωση για…;	i·*par*·Hi *ék*·pto·ssi yia…
enfants	παιδιά	pè·*dhia*
familles	οικογένοιες	i·ko·yè·ni·èss
groupes	γκρουπ	group
personnes âgées	υπερήλικους	i·pè·*ri*·li·kouss
retraités	συνταξιούχους	si·dak·ssi·*ou*·rHouss
étudiants	σπουδαστές	spou·dha·*stèss*

circuits

περιηγήσεις

Pourrais-tu me conseiller un circuit ?
Μπορείς να συστήσεις κάποια περιήγηση;
bo·*riss* na si·*sti*·ssiss ka·pia pè·ri·*i*·yi·ssi

Quand aura lieu le prochain circuit ?
Πότε είναι η επόμενη περιήγηση;
po·tè *i*·nè i è·*po*·mè·ni pè·ri·*i*·yi·ssi

Combien de temps dure le circuit ?
Πόσην ώρα διαρκεί η περιήγηση;
po·ssin o·ra dhi·ar·*ki* i pè·ri·*i*·yi·ssi

Le guide va payer. m/f
Ο/Η οδηγός θα πληρώσει. **m/f** o/i o·dhi·*gHoss* tha pli·*ro*·ssi

Le guide a payé. m/f
Ο/Η οδηγός έχει πληρώσει. **m/f** o/i o·dhi·*gHoss* è·Hi pli·*ro*·ssi

À quelle heure serons-nous de retour ?
Τι ώρα πρέπει να επιστρέψουμε;
ti o·ra *prè*·pi na è·pi·*strèp*·sou·mè

Je suis avec eux.
Είμαι με αυτούς.
i·mè mè af·*touss*

J'ai perdu mon groupe.
Έχασα την ομάδα μου.
è·rHa·ssa tin o·*ma*·dha mou

en déplacement

επιχειρησήσεις

Je suis ici pour une/des...	Παρακολουθώ...	pa·ra·ko·lou·tho...
conférence	ένα συνέδριο	é·na sin·é·dhri·o
cours	μια σειρά μαθημάτων	mia si·ra ma·thi·ma·ton
foire	μια εμπορική έκθεση	mia è·bo ri·ki èk·thè·ssi
réunion	μια συνεδρίαση	mia sin·è·dhri·a·ssi

Je suis avec...	Είμαι με...	i·mè mè...
mon entreprise	την εταιρεία μου	tin è·tè·ria mou
mon collègue	τον συνάδελφό μου m	ton sin·a·dhèl·fo mou
ma collègue	την συναδέλφισσά μου f	tin sin·a·dhèl·fi·ssa mou
mes collègues	τους συναδέλφους μου	touss sin·a·dhèl·fouss mou

Je suis seul(e).
Είμαι μόνος/μόνη. m/f · i·mè mo·noss/mo·ni

J'ai rendez-vous avec...
Έχω ένα ραντεβού με... · è·rHo é·na ra·dè·vou mè...

Je loge (au Xènia), chambre (10).
Μένω στο (Ξενία), δωμάτιο (10). · mè·no sto (ksè·ni·a) dho·ma·ti·o (dhè·ka)

Je suis ici pour (2) jours/semaines.
Είμαι εδώ για (δύο) μέρες/εβδομάδες. · i·mè è·dho yia (dhi·o) mè·rèss/èv·dho·ma·dhèss

Voici ma carte.
Ορίστε η κάρτα μου. · o·ri·stè i kar·ta mou

Puis-je avoir ta carte ?
Μπορώ να έχω την κάρτα σου; · bo·ro na è·rHo tin kar·ta sou

Voici mon…	Ορίστε … μου.	o·ri·stè … mou
Quelle est ton… ?	Ποια είναι η δική σου η…;	pia i·nè i dhi·ki sou i…
adresse	διεύθυνση	dhi·èf·thin·ssi
adresse e-mail	ηλεκτρονική	i·lèk·tro·ni·ki
	διεύθυνση	dhi·èf·thin·ssi
Voici mon	Εδώ είναι	è·dho i·nè
numéro	ο αριθμός …	o a·rith·moss …
de…	μου.	mou
Quel est	Ποιος είναι ο	pioss i·nè o
ton numéro	δικός σου ο	dhi·koss sou o
de… ?	αριθμός…;	a·rith·moss…
fax	του φαξ	tou faks
portable	του κινητού	tou ki·ni·tou
Où est/se tient… ?	Πού είναι…;	pou i·nè…
le centre	ο χώρος	o rHo·ross
d'affaires	εργασίας	èr·gHa·ssi·ass
la conférence	το συνέδριο	to sin·è·dhri·o
la réunion	η συνεδρίαση	i sin·è·dhri·a·ssi
J'ai besoin…	Χρειάζομαι …	rHri·a·zo·mè…
d'un ordinateur	ένα κομπιούτερ	è·na kom·piou·tèr
d'une connexion	σύνδεση στο	sin·dhè·ssi sto
Internet	διαδύκτιο	dhi·a·dhik·ti·o
d'un interprète	διερμηνέα	dhi·èr·mi·nè·a
de cartes de visite	περισσότερες	pè·ri·sso·tè·rèss
supplémentaires	κάρτες	kar·tèss
de place pour	χώρο να τοποθε-	rHo·ro na to·po·thè·
m'installer	τήσω τα πράγματα	ti·sso ta pragH·ma·ta
d'envoyer un fax	να στείλω ένα φαξ	na sti·lo è·na faks

Merci de m'avoir consacré du temps.
Ευχαριστώ για το χρόνο σου. èf·rHa·ri·sto yia to rHro·no sou

Cela s'est très bien passé.
Πήγε πολύ καλά. pi·yè po·li ka·la

On sort boire un verre/manger ?
Πάμε για ποτό/φαγητό; pa·mè yia po·to/fa·yi·to

recherche d'emploi

Où les offres d'emploi sont-elles publiées ?
Πού διαφημίζονται   pou dhi·a·fi·*mi*·zo·dè
οι δουλειές;   i dhou·*lièss*

Je cherche des informations sur le poste proposé dans l'annonce.
ζητώ πληροφορίες για τη   zi·*to* pli·ro·fo·ri·èss yia ti
θέση που διαφημίστηκε.   *thè*·ssi pou dhi·a·fi·*mi*·sti·kè

J'ai de l'expérience.
Έχω πείρα.   è·rHo *pi*·ra

Quelle est la rémunération ?
Τι μισθό έχει;   ti mi·*stho* è·Hi

Je cherche un travail/poste…	Ψάχνω για δουλειά …	*psarH*·no yia dhou·*lia* …
dans un bar	σε μπαρ	sè bar
temporaire	προσωρινή	pro·sso·ri·*ni*
de professeur	να διδάσκω	na dhi·*dha*·sko
de français	γαλλικά	gHa·li·*ka*
dans la récolte	να μαζεύω	na ma·zè·vo
des fruits	φρούτα	*frou*·ta
à plein temps	με πλήρη απασχόληση	mè *pli*·ri a·pass·*rHo*·li·ssi
manuel	χειρωνακτική	Hi·ro·nak·ti·*ki*
de bureau	γραφείου	gHra·*fi*·ou
à temps partiel	μερικής απασχόλησης	mè·ri·*kiss* a·pas·*rHo*·li·ssiss
de serveur	γκαρσόν	gar·*ssonn*

Ai-je besoin (d'un/d'une/de)… ?	Χρειάζομαι…;	rHri·*a*·zo·mè…
assurance	ασφάλεια	as·*fa*·li·a
contrat	συμβόλαιο	sim·*vo*·lè·o
documents	ντοκουμέντα	do·kou·*mèn*·ta
expérience	πείρα	*pi*·ra
moyen de transport	δικό μου μεταφορικό μέσο	dhi·*ko* mou mè·ta·fo·ri·*ko* mè·sso
permis de travail	άδεια εργασίας	*a*·dhi·a èr·gHa·*ssi*·ass
uniforme	στολή	sto·*li*

Voici mon...	Ορίστε...	o·ri·stè...
numéro de compte	ο τραπεζικός μου λογαριασμός	o tra·pi·zi·koss mou lo·gHa·riaz·moss
CV	το βιογραφικό μου σημείωμα	to vi·o·gHra·fi·ko mou si·mi·o·ma
permis de séjour	η άδεια παραμονής μου	i a·dhi·a pa·ra·mo·niss mou
visa	η βίζα μου	i vi·za mou
permis de travail	η άδεια εργασίας μου	i a·dhi·a èr·gHa·ssi·ass mou

À quelle heure... ?	Τι ώρα...;	ti o·ra...
est-ce que je finis	τελειώνω	tè·li·o·no
ai-je une pause	έχω διάλειμμα	è·rHo dhia·li·ma
est-ce que je commence	αρχίζω	ar·Hi·zo

Je peux commencer...	Μπορώ να αρχίσω...	bo·ro na ar·Hi·sso...
Peux-tu commencer... ?	Μπορείς να αρχίσεις...;	bo·riss na ar·Hi·ssiss...
à (8) heures	στις (οχτώ)	stiss (orH·to)
la semaine prochaine	την επόμενη εβδομάδα	tin è·po·mè·ni èv·dho·ma·dha
aujourd'hui	σήμερα	si·mè·ra
demain	αύριο	av·ri·o

contrat	συμβόλαιο n	sim·vo·lè·o
employé(e)	υπάλληλος m et f	i·pa·li·loss
employeur	εργοδότης m εργοδότρια f	èr·gHo·dho·tiss èr·gHo·dho·tri·a
expérience professionnelle	πείρα στη δουλειά f	pi·ra sti dhou·lia
publicité	διαφήμιση f	dhi·a·fi·mi·ssi
travail	δουλειά f	dhou·lia

Je suis handicapé.
Έχω μια αναπηρία.   è·rHo mia a·na·pi·*ri*·a

J'ai besoin d'aide.
Χρειάζομαι βοήθεια.   rHri·*a*·zo·mè vo·*i*·thi·a

Quels services offrez-vous aux personnes handicapées ?
Τι υπηρεσίες έχετε για   ti i·pi·rè·*ssi*·èss è·Hè·tè yia
άτομα με ειδικές ανάγκες;   *a*·to·ma mè i·dhi·*kèss* a·*na*·guèss

Y a-t-il des toilettes pour les handicapés ?
Υπάρχουν τουαλέτες για   i·*par*·rHoun tou·a·*lè*·tèss yia
άτομα με ειδικές ανάγκες;   *a*·to·ma mè i·dhi·*kèss* a·*na*·guèss

Y a-t-il des places de stationnement pour les handicapés ?
Υπάρχει πάρκινγκ για   i·*par*·Hi *par*·king yia
άτομα με ειδικές ανάγκες;   *a*·to·ma mè i·dhi·*kèss* a·*na*·guèss

Y a-t-il un accès pour les fauteuils roulants ?
Υπάρχει δρόμος για   i·*par*·Hi *dhro*·moss yia
αναπηρικές καρέκλες;   a·na·pi·ri·*kèss* ka·*rè*·klèss

Quelle est la largeur de l'entrée ?
Πόσο πλατιά είναι η είσοδος;   *po*·sso pla·*tia* i·nè i *i*·sso·dhoss

Puis-je m'asseoir quelque part ?
Υπάρχει κάπου να καθίσω;   i·*par*·Hi *ka*·pou na ka *thi*·sso

Je suis sourd.
Είμαι κουφός.   *i*·mè kou·*foss*

Je porte un appareil auditif.
Έχω ακουστικά.   è·rHo a·kou·sti·*ka*

Les chiens guides d'aveugle sont-ils admis ?
Επιτρέπεται στα σκυλιά   è·pi·*trè*·pè·tè sta ski·*lia*
για τυφλούς;   yia ti·*flouss*

Combien de marches y a-t-il ?
Πόσα σκαλοπάτια υπάρχουν;   *po*·ssa ska·lo·*pa*·tia i·*par*·rHoun

Y a-t-il un ascenseur ?
Υπάρχει ασανσέρ;   i·*par*·rHi a·ssan·*sèr*

Y a-t-il des appuis dans la salle de bains ?

Υπάρχουν στηρίγματα   i·*par*·rHouṅ sti·*rigH*·ma·ta

στο μπάνιο;   sto *ba*·nio

Peux-tu m'appeler un taxi accessible aux handicapés ?

Μπορείς να καλέσεις   bo·*riss* na ka·*lè*·ssiss

ένα ταξί για άτομα με   è·na tak·*si* yia *a*·to·ma mè

ειδικές ανάγκες;   i·dhi·*kèss* a·*na*·guèss

Peux-tu m'aider à traverser la rue ?

Μπορείς να με βοηθήσεις   bo·*riss* na mè vo·i·*thi*·ssiss

να περάσω το δρόμο   na pè·*ra*·sso to *dhro*·mo

με ασφάλεια;   mè as·*fa*·li·a

canne	μπαστούνι n	ba·*stou*·ni
chien guide d'aveugle	σκυλί για τυφλούς n	ski·*li* yìa ti·*flouss*
déambulateur	περπατούσα f	pèr·pa·*tou*·ssa
fauteuil roulant	αναπηρική καρέκλα f	a·na·pi·ri·*ki* ka·*rè*·kla
personne âgée	υπερήλικος m	i·pè·*ri*·li·koss
	υπερήλικη f	i·pè·*ri*·li·ki
personne handicapée	άτομο με ειδικές ανάγκες n	*a*·to·mo mè i·dhi·*kèss* a·*na*·guèss
rampe	ράμπα f	*ram*·pa

charabia

Quand les caractères grecs vous auront fait perdre votre latin, vous ne vous direz plus "Tout ça, c'est du chinois !", mais ferez comme les Anglo-Saxons et direz "Tout ça, pour moi, c'est du grec !".

PRATIQUE

102

voyager avec un enfant

ταξιδεύοντας με παιδιά

Y a-t-il un/une/des… ?	Υπάρχει…;	i·par·Hi…
crèche	βρεφοκομείο	vrè·fo·ko·mi·o
menu enfant	παιδικό μενού	pè·dhi·ko mè·nou
endroit pour	δωμάτιο για	dho·ma·ti·o yia
changer un bébé	άλλαγμα μωρών	a·lagH·ma mo·ron
portions enfant	παιδική μερίδα	pè·dhi·ki mè·ri·dha
réduction pour	έκπτωση για	èk·pto·ssi yia
les enfants	παιδιά	pè·dhia
service de	υπηρεσία	i·pi·rè·ssi·a
baby-sitter	διαφύλαξης	dhi·a·fi·lak·siss
	παιδιών	pè·dhion
tarif famille	οικογενειακό	i·ko·yè·ni·a·ko
nombreuse	εισιτήριο	i·ssi·ti·ri·o
J'ai besoin d'un(e)…	Χρειάζομαι…	rHri·a·zo·mè…
alaise	πλαστικό σεντόνι	pla·sti·ko sè·do·ni
baby-sitter		
(qui parle	(γαλλομαθή)	(gHa·lo·ma·thi)
français)	μπέημπι σίτερ	bè·ï·bi ssi·tèr
chaise pour enfant	παιδική καρέκλα	pè·dhi·ki ka·rè·kla
lit de bébé	παιδικό κρεβάτι	pè·dhi·ko krè·va·ti
sac en plastique	πλαστική σακούλα	pla·sti·ki sa·kou·la
yo-yo	γιογιό	yio·yio
landau	παιδικό	pè·dhi·ko
	καροτσάκι	ka·rot·sa·ki
poussette	καροτσάκι	ka·rot·sa·ki
siège bébé	κάθισμα μωρού	ka·thiz·ma mo·rou
chaise haute	ανυψωμένο	a·nip·sso·mè·no
	κάθισμα	ka·thiz·ma

Français	Ελληνικά	Phonétique
Où se trouve le …	Πού είναι το πιο	pou *i*·nè to pio
le plus proche ?	κοντινό…;	ko·di·*no*…
parc	πάρκο	*par*·ko
terrain de jeu	γήπεδο	*yi*·pè·dho
magasin de	κατάστημα	ka·*ta*·sti·ma
jouets	παιγνιδιών	pègH·ni·*dhion*
Où se trouve le/la …	Πού είναι η πιο	pou *i*·nè i pio
le/la plus proche ?	κοντινή…;	ko·di·*ni*…
fontaine d'eau	βρύση με	*vri*·ssi mè
potable	πόσιμο νερό	*po*·ssi·mo nè·*ro*
piscine	πισίνα	pi·*ssi*·na
robinet	βρύση	*vri*·ssi
parc à thème	παιδική χαρά	pè·dhi·*ki* rHa·*ra*
Vendez-vous… ?	Πουλάτε…;	pou·*la*·tè…
des lingettes	πετσέτες για	pèt·*ssè*·tèss yia
pour bébés	σκούπισμα	*skou*·piz·ma
	μωρών	mo·*ron*
des analgésiques	παυσίπονα	paf·*ssi*·po·na
pour bébés	για μωρά	yia mo·*ra*
des couches	πάνες μιας	*pa*·nèss miass
jetables	χρήσης	rHri·*ssiss*
mouchoirs en papier	χαρτομάντηλα	rHar·to·*ma*·di·la
Louez-vous des… ?	Νοικιάζετε…;	ni·*kia*·zè·tè…
landaux	παιδικά	pè·dhi·*ka*
	καροτσάκια	ka·rot·*sa*·kia
poussettes	καροτσάκια	ka·rot·*sa*·kia

Y a-t-il des endroits où emmener les enfants près d'ici ?
Υπάρχουν καλά μέρη εδώ — i·*par*·rHoun ka·*la* mè·ri è·*dho*
κοντά για τα παιδιά; — ko·*da* yia ta pè·*dhia*

Y a-t-il de la place pour un landau ?
Υπάρχει χώρος για το — i·*par*·Hi rHo·ross yia to
παιδικό καροτσάκι; — pè·dhi·*ko* ka·rot·*sa*·ki

Les enfants sont-ils admis ?
Επιτρέπεται στα παιδιά; — è·pi·*trè*·pè·tè sta pè·*dhia*

Où puis-je changer mon enfant ?
Πού μπορώ να αλλάξω — pou bo·*ro* na a·*lak*·so
την πάνα; — tin *pa*·na

Cela te dérange-t-il si je donne le sein ici ?
Σε πειράζει αν θηλάσω · sè pi·*ra·zi* an thi·*la*·sso
εδώ το μωρό; · è·*dho* to mo·*ro*

Pourrais-je avoir du papier et des crayons, s'il vous plaît ?
Μπορώ να έχω λίγο χαρτί · bo·*ro* na è·rHo *li*·gHo rHar·*ti*
και μολύβια, παρακαλώ. · kè mo·*li*·vìa pa·ra·ka·*lo*

Cela convient-il à des enfants de (5) ans ?
Είναι αυτό κατάλληλο για · i·nè af·to ka·*ta*·li·lo yia
παιδιά (πέντε) χρονών; · pè·*dhia* (pè·*dè*) rHro·no

Connais-tu un dentiste/médecin pour enfant ?
Ξέρεις ένα οδοντίατρο/ · *kse*·riss è·na o·dho·*di*·a·tro/
γιατρό που είναι καλός · yia·*tro* pou i·nè ka·*loss*
με τα παιδιά; · mè ta pè·*dhia*

Vous trouverez les maladies infantiles au chapitre **santé**, p. 195.

s'adresser à un enfant

μιλώντας με τα παιδιά

Comment t'appelles-tu ?
Πώς σε λένε; · poss sè *lè*·nè

Quel âge as-tu ?
Πόσο χρονώ είσαι; · *po*·sso rHro·*no* i·ssè

C'est quand ton anniversaire ?
Πότε είναι τα · *po*·tè i·nè ta
γενέθλιά σου; · yè·*nèth*·li·a sou

Vas-tu à l'école/au jardin d'enfant ?
Πηγαίνεις στο σχολείο/ · pi·yè·niss sto srHo·*li*·o/
νηπιαγωγείο; · ni·pi·a·gHo·*yi*·o

Dans quelle classe es-tu ?
Σε ποια τάξη είσαι; · sè pia *tak*·ssi i·ssè

Aimes-tu… ?	Σου αρέσει…;	sou a·*rè*·ssi…
la musique	η μουσική	i mou·ssi·*ki*
l'école	το σχολείο	to srHo·*li*·o
ton maître	ο δάσκαλός σου m	o dha·ska·*loss* sou
ta maîtresse	η δασκάλα σου f	i dha·*ska*·la sou

Aimes-tu le sport ?
Σου αρέσουν τα σπορ;   sou a·rè·ssoun ta spor

Qu'est-ce que tu fais après l'école ?
Τι κάνεις μετά το σχολείο;   ti ka·niss mè·ta to srHo·li·o

Est-ce que tu apprends le français ?
Μαθαίνεις γαλλικά;   ma·thè·niss gHa·li·ka

parler des enfants

μιλώντας για παιδιά

Quand le bébé doit-il naître ?
Πότε είναι να γεννηθεί   po·tè i·nè na yè·ni·thi
το μωρό;   to mo·ro

Comment vas-tu appeler cet enfant ?
Πώς θα το ονομάσεις   poss tha to·o·no·ma·ssiss
το μωρό;   to mo·ro

C'est ton premier enfant ?
Είναι το πρώτο σου παιδί;   i·nè to pro·to sou pè·dhi

Combien d'enfants as-tu ?
Πόσα παιδιά έχεις;   po·ssa pè·dhia è·Hiss

Quel bel enfant !
Τι όμορφο παιδί!   ti o·mor·fo pè·dhi

Est-ce un garçon ou une fille ?
Είναι αγόρι ή κορίτσι;   i·nè a·gHo·ri i ko·rit·si

Quel âge a-t-il/elle ?
Πόσο χρονώ είναι;   po·sso rHro·no i·nè

Va-t-il/elle à l'école ?
Πηγαίνει στο σχολείο;   pi·yè·ni sto srHo·li·o

Comment s'appelle-t-il/elle ?
Πώς τον/την λένε;   poss ton/tin lè·nè

Est-ce un gentil enfant ?
Είναι καλό παιδί;   i·nè ka·lo pè·dhi

Il/Elle a vos yeux.
Έχει τα μάτια σου.   è·Hi ta ma·tia sou

Il/Elle vous ressemble.
Σου μοιάζει.   sou mia·zi

formules de base

βασικά

Oui.	Ναι.	nè
Non.	Όχι.	o·Hi
S'il vous plaît.	Παρακαλώ.	pa·ra·ka·lo
Merci	Ευχαριστώ	èf·rHa·ri·sto
(beaucoup).	(πολύ).	(po·li)
Je vous en prie.	Παρακαλώ.	pa·ra·ka·lo
Désolé(e).	Συγνώμη.	si·gHno·mi
Excusez-moi.	Με συγχωρείτε.	mè sin·rHo·ri·tè
Pardon ?	Ορίστε;/Συγνώμη;	o·ri·stè/si·gHno·mi
Voilà.	Ορίστε.	o·ri·stè

saluer

χαιρετισμοί και αποχαιρετισμοί

Les Grecs se serrent la main pour se saluer et se dire au revoir. Les amis, hommes et femmes confondus, s'embrassent sur les deux joues.

Salut.	Γεια σου.	yia sou
Enchanté(e).	Χαίρετε.	Hè·rè·tè
Bonjour.	Καλή μέρα.	ka·li mè·ra
Bonsoir.	Καλή σπέρα.	ka·li spè·ra

us et coutumes

Veillez à ne jamais arriver chez un ami grec les mains vides. Il est d'usage d'apporter ένα κουτί γλυκά è·na kou·ti gHli·ka (une boîte de gâteaux) ou μια ανθοδέσμη mia an·tho·dhèss·mi (un bouquet de fleurs).

rencontres

107

Comment vas-tu ?

Τι κάνεις;   ti *ka*·niss

Comme ci, comme ça.

Έτσι και έτσι.   *èt*·ssi kè *èt*·ssi

Bien, et toi/vous ?

Καλά. Εσύ/Εσείς;   ka·*la* è·*ssi*/è-*ssiss*

Comment t'appelles-tu ?

Πώς σε λένε;   poss sè *lè*·nè

Je m'appelle…

Με λένε…   mè *lè*·nè…

Je suis ravi(e) de te/vous rencontrer.

Χαίρω πολύ.   *Hè*·ro po·*li*

Je voudrais te/vous présenter… (pour un homme)

Θα ήθελα να σε/σας   tha *i*·thè·la na sè/sass
συστήσω στο …   si·*sti*·sso sto …

Je voudrais te/vous présenter… (pour une femme)

Θα ήθελα να σε/σας   tha *i*·thè·la na sè/sass
συστήσω στη …   si·*sti*·sso sti …

C'est mon/ma…	Από εδώ…	a·po è·*dho*…
ami	ο φίλος μου	o *fi*·loss mou
amie	η φίλη μου	i *fi*·li mou
collègue	ο συνάδελφός μου **m**	o sin·*a*·dhèl·foss mou
	η συναδέλφισσά μου **f**	i sin·*a*·dhèl·fi·ssa mou
compagne	η σύντροφός μου	i *si*·dro·foss mou
compagnon	ο σύντροφός μου	o *si*·dro·foss mou
enfant	το παιδί μου	to pè·*dhi* mou
femme	η σύζυγός μου	i *si*·zi·gHoss mou
mari	ο σύζυγός μου	o *si*·zi·gHoss mou

Vous trouverez les noms de parenté dans le chapitre **famille**, p. 114.

À bientôt/Au revoir/Salut.

Αντίο.   a·*di*·o

Bonne nuit.

Καλή νύχτα.   ka·*li* nirH·ta

Bon voyage !

Καλό ταξίδι!   ka·*lo* tak·si·dhi

s'adresser à quelqu'un

απευθυνόμενος σε ανθρώπους

La distinction entre le tutoiement et le vouvoiement existe en grec comme en français. La forme de politesse est néanmoins beaucoup moins employée en grec. Ne soyez donc pas surpris si un commerçant ou un hôtelier vous tutoie spontanément. Le choix du εσείς è·ss*iss* (vous) s'impose envers un adulte plus âgé rencontré pour la première fois et en cas de rapport hiérarchique. Dans les autres situations, εσύ è·*ssi* (tu) est parfaitement acceptable. Dans ce guide, le tutoiement et le vouvoiement sont tour à tour privilégiés, en fonction des circonstances. Les deux peuvent souvent être indifféremment employés.

Pour vous adresser à une personne plus âgée qui vous est familière, il convient de faire précéder son prénom de Κύριε ki·ri·è (Monsieur) ou de Κυρία ki·*ri*·a (Madame).

M	Κύριε	ki·ri·è
Mme	Κα	ki·ri·a
Mlle	Δις	dhèss·pi·*niss*
Madame	Κυρία	ki·*ri*·a

tutoiement et vouvoiement

Les gens vous diront spontanément si vous pouvez vous adresser à eux en disant "tu" (εσύ è·*ssi*). Pour rompre la glace, demandez à votre interlocuteur de vous tutoyer en ces termes :

Tu peux me tutoyer.
Μίλα μου στον ενικό.   *mi*·la mou ston è·ni·*ko*

Voici quelques expressions amicales ou familières :

l'ami/l'amie !	φίλε/φίλη m/f	*fi*·lè/*fi*·li
voyou !	ρε μάγκα	rè *ma*·ga
mon pote ! (à Chypre)	κουμπάρε	kou·*ba*·rè

rencontres

109

engager la conversation

Comment ça va ?
Πώς πάμε;   poss *pa*·mè

Que se passe-t-il ?
Τι γίνεται;   ti *yi*·nè·tè

Quoi de neuf ?
Τι νέα;   ti *nè*·a

Quelle belle journée !
Τι όμορφη μέρα!   ti o·mor·fi *mè*·ra

Quel temps magnifique/épouvantable, n'est-ce pas ?
Καλός/απαίσιος καιρός,   ka·*loss*/a·*pè*·ssi·oss kè·*ross*
έτσι δεν είναι;   et·ssi dhèn i·*nè*

Où vas-tu ?
Πού πηγαίνεις;   pou pi·*yè*·niss

Que fais-tu ?
Τι κάνεις;   ti *ka*·niss

Comme cela s'appelle-t-il ?
Πώς το λένε αυτό;   poss to *lè*·nè af·*to*

C'est (magnifique), n'est-ce pas !
Είναι (όμορφο),   *i*·nè (o·*mor*·fo)
έτσι δεν είναι!   *èt*·si dhèn *i*·nè

---

de l'art d'éviter les sujets qui fâchent

D'une manière générale, mieux vaut éviter d'aborder certains
sujets :
• tout ce qui a trait à Το Μακεδονικό to ma·kè·dho·ni·*ko*
(la question macédonienne). Les Grecs refusent au pays d'ex-
Yougoslavie le droit de s'appeler Macédoine, nom de la région
grecque limitrophe.
• toute allusion à Το Κυπριακό to kip·ri·a·*ko* (le problème
chypriote). Les Chypriotes grecs contestent l'occupation
turque du nord de l'île.

Puis-je (te) prendre en photo ?
   Μπορώ να (σου) πάρω   bo·*ro* na (*sou*) *pa*·ro
   μια φωτογραφία;   mia fo·to·gHra·*fi*·a

Est-ce que tu vis ici ?
   Μένεις εδώ;   mè·niss è·*dho*

Tu es ici en vacances ?
   Είσαι εδώ για διακοπές;   i·ssè è·*dho* yia dhia·ko·*pèss*

Je suis ici…	Είμαι εδώ για…	i·mè è·*dho* yia…
en vacances	διακοπές	dhia·ko·*pèss*
pour le travail	δουλειά	dhou·*lia*
pour les études	σπουδές	spou·*dhèss*

Pour combien de temps es-tu ici ?
   Πόσον καιρό θα είσαι εδώ;   po·sson kè·*ro* tha i·ssè è·*dho*

Je suis ici pour (4) semaines/jours.
   Θα είμαι εδώ για (τέσσερις)   tha i·mè è·*dho* yia (tè·sse·riss)
   εβδομάδες/μέρες.   èv·dho·ma·dhèss/mè·rèss

Te plais-tu, ici ?
   Σου αρέσει εδώ;   sou a·*rè*·ssi è·*dho*

Je me plais beaucoup.
   Μου αρέσει εδώ.   mou a·*rè*·ssi è·*dho*

nationalités

D'où viens-tu/venez-vous ?
   Από πού είσαι/είστε;   a·*po* pou i·ssè

Je viens…	Είμαι από…	i·mè a·*po*…
du Canada	τον Καναδά	ton ka·na·*dha*
des Antilles	τις Αντίλες	tis a·*di*·lèss
de Belgique	τον Βέλγιο	to vèl·yio

ηλικία

Quel âge... ?	Πόσο χρονώ ...;	po·sso rHro·no ...
as-tu	είσαι	i·ssè
a ton fils	είναι ο γιος σου	i·nè o yioss sou
a ta fille	είναι η κόρη σου	i·nè i ko·ri sou

J'ai ... ans.
Είμαι ... χρονώ.   i·mè ... rHro·no

Il/Elle a... ans.
Αυτός/Αυτή είναι ... χρονώ.   af·toss/af·ti i·nè ... rHro·no

Je fais plus jeune.
Είμαι νεώτερος/νεώτερη   i·mè nè·o·tè·ross/nè·o·tè·ri
από ό,τι φαίνομαι. **m/f**   a·po o·ti fè·no·mè

Concernant l'âge, consultez le chapitre **nombres et quantités**, p. 35.

Concernant l'âge, consultez le chapitre **nombres et quantités**, p. 35.

parler local

Absolument !	Απολύτως!	a·po·li·toss
N'agis pas ainsi !	Μην κάνεις έτσι!	min ka·niss èt·si
Assez !	Αρκετά!	ar·kè·ta
Exactement !	Ακριβώς!	a·kri·voss
Génial !	Απίθανο!	a·pi·tha·no
Eh !	Εε!	è·è
Je m'en fiche.	Δεν με νιάζει.	dhèn mè nia·zi
Je m'en fous.	Δεν δίνω δεκάρα.	dhèn dhi·no dhè·ka·ra
C'est d'accord.	Είναι εντάξει.	i·nè è·dak·ssi
Une minute.	Μισό λεπτό.	mi·sso lèp·to
Je plaisante.	Αστειεύομαι.	a·sti·è·vo·mè
Peut-être.	Ίσως.	i·ssoss
Pas de problème.	Δεν υπάρχει πρόβλημα.	dhèn i·par·Hi prov·li·ma
Pas question !	Αποκλείεται!	a·po·kli·è·tè
N'importe quoi !	Σαχλαμάρες!	sarH·la·ma·rèss
Bien sûr.	Σίγουρα.	si·gHou·ra
Donc...	Λοιπόν...	li·pon...
Tu as tort.	Κάνεις λάθος.	ka·niss la·thoss

Les transcriptions des cris des animaux ont aussi des intonations bien locales. Sachez par exemple qu'un oiseau grec ne dit pas "cui-cui", mais "tsiou-tsiou".

oiseau	τσίου-τσίου	*tsi*·ou *tsi*·ou
chat	νιάου	*nia*·ou
poussin	κο-κο-κο	ko-ko-*ko*
vache	μου	mou
corbeau	κρα	kra
chien	γαβ	gHav
poule	κα-κα-κα	ka·ka·*ka*
coq	κι-κιρίκου	ki·ki·*ri*·kou

travail et études

επαγγέλματα και σπουδές

Quel est votre métier ?
Τι δουλειά κάνεις; — ti dhou·*lia ka*·niss

Je suis...	Είμαι...	i·mè...
commerçant	πωλητής m	po·li·*tiss*
commerçante	πωλήτρια f	po·*li*·tri·a
étudiant	σπουδαστής m	spou·dha·*stiss*
étudiante	σπουδάστρια f	spou·*dha*·stri·a
enseignant	δάσκαλος m	*dha*·ska·loss
enseignante	δασκάλα f	*dha*·ska·la
homme/femme d'affaires	επιχειρηματίας m/f	è·pi·Hi·ri·ma·*ti*·ass
journaliste	δημοσιογράφος m/f	dhi·mo·ssi·o·*gHra*·foss
serveur	γκαρσόν	gar·*sson*
serveuse	γκαρσόνα	gar·*sso*·na

Je travaille dans...	Δουλεύω...	dhou·*lè*·vo...
l'administration	στη διοίκηση	sti dhi·*i*·ki·ssi
la santé	στην υγεία	stin i·*yi*·a
la vente et le marketing	στις πωλήσεις και μάρκετινγκ	stiss po·*li*·ssiss kè *mar*·kè·ting

rencontres

113

Je suis...   Είμαι...   *i*·mè...
  à la retraite   συνταξιούχος m/f   si·dak·ssi·*ou*·rHoss
  travailleur   ιδιωτικός/ιδιωτική   i·dhi·o·ti·*koss*/i·dhi·o·ti·*ki*
  indépendant   υπάλληλος m/f   i·*pa*·li·loss
  au chômage   άνεργος/άνεργη m/f   *an*·èr·gHoss/*an*·èr·yi

Qu'est-ce que tu étudies ?
Τι σπουδάζεις;   ti spou·*dha*·ziss

J'étudie...   Σπουδάζω...   spou·*dha*·zo...
  le grec   Ελληνικά   è·li·ni·*ka*
  les langues   γλώσσες   *gHlo*·ssèss
  les sciences   θετικές επιστήμες   thè·ti·*kèss* è·pi·*sti*·mèss

famille

οικογένεια

Es-tu marié ?
Είσαι παντρεμένος;   *i*·ssè pa·drè·*mè*·noss
Es-tu mariée ?
Είσαι παντρεμένη;   *i*·ssè pa·drè·*mè*·ni
J'habite avec quelqu'un. (avec une femme)
Ζω με κάποια.   zo mè *ka*·pia
J'habite avec quelqu'un. (avec un homme)
Ζω με κάποιον.   zo mè *ka*·pion

Je suis...   Είμαι...   *i*·mè...
  marié   παντρεμένος m   pa·drè·*mè*·noss
  mariée   παντρεμένη f   pa·drè·*mè*·ni
  séparé   χωρισμένος m   rHo·riz·*mè*·noss
  séparée   χωρισμένη f   rHo·riz·*mè*·ni
  célibataire   ανύπαντρος m   a·*ni*·pa·dross
     ανύπαντρη f   a·*ni*·pa·dri

As-tu un(e)... ?	Έχεις...;	è-Hiss...
Je (n')ai (pas) de...	(Δεν) έχω...	(dhèn) è-rHo...
beau-frère	γαμπρό	gHa-*bro*
beau-père	πεθερό	pè-thè-*ro*
belle-fille	νύφη	*ni*-fi
belle-mère	πεθερά	pè-thè-*ra*
belle-soeur	νύφη	*ni*-fi
compagnon/	σύντροφο m/f	si-dro-fo
compagne		
cousin	ξάδερφο	ksa-*dhèr*-fo
cousine	ξαδέρφη	ksa-*dhèr*-fi
famille	οικογένεια f	i-ko-*yè*-ni-a
femme	σύζυγο	si-zi-gHo
fille	κόρη	*ko*-ri
fils	γιο	yio
frère	αδερφό	a-dhèr-*fo*
gendre	γαμπρό	gHa-*bro*
grand-mère	γιαγιά	yia-*yia*
grand-père	παπού	pa-*pou*
mari	σύζυγο	si-zi-gHo
mère	μητέρα	mi-*tè*-ra
neveu	ανιψιό	a-nip-*sio*
nièce	ανιψιά	a-nip-*sia*
oncle	θείο	*thi*-o
père	πατέρα	pa-*tè*-ra
petite-fille	εγγονή	èn-go-*ni*
petit-fils	εγγονό	èn-go-*no*
soeur	αδερφή	a-dhèr-*fi*
tante	θεία	*thi*-a

au revoir

αποχαιρετισμοί

Demain, c'est mon dernier jour ici.
Αύριο είναι η τελευταία
μέρα μου εδώ.
av-ri-o *i*-nè i tè-lèf-*tè*-a
mè-ra mou è-*dho*

J'ai été ravi(e) de te rencontrer.
Είναι υπέροχο που σε
συνάντησα.
i-nè i-*pè*-ro-rHo pou sè
si-*na*-di-ssa

Si tu viens en (Bretagne), tu peux loger chez moi.
Αν έρθεις (στη Βρετάνη)   an èr·thiss (sti vrè·*ta*·ni)
μπορείς να μείνεις μαζί μου.   bo·*riss* na *mi*·niss ma·*zi* mou

Voici mon adresse.
Εδώ είναι η διεύθυνσή μου.   è·*dho* i·nè i dhi·*èf*·thin·*ssi* mou

Quelle est ton adresse ?
Ποια είναι η δική σου   pia i·nè i dhi·*ki* sou
διεύθυνση;   dhi·*èf*·thin·ssi

Quel(le) est ton… ? Ποιο είναι το … σου; pio i·nè to … sou
Voici mon… Εδώ είναι το … μου. è·*dho* i·nè to … mou
  numéro   τηλέφωνό   ti·*lè*·fo·*no*
  de téléphone
  adresse e-mail ημέιλ   i·*mè*·ïl

On reste en contact !
Μη χαθούμε!   mi rHa·*thou*·mè

On se reparle bientôt.
Θα τα πούμε.   tha ta *pou*·mè

Porte-toi bien.
Γεια χαρά.   yia rHa·*ra*

Adieu.
Αντίο.   a·*di*·o

---

souhaits et vœux

Dieu te garde !	Ο Θεός να σε φυλάει!	o thè·*oss* na sè fi·*la*·ï
Bon voyage !	Καλό ταξίδι!	ka·*lo* tak·*ssi*·dhi
Félicitations !	Συγχαρητήρια!	sin·rHa·ri·*ti*·ri·a
Bonne chance !	Καλή τύχη!	ka·*li* ti·Hi
Bon anniversaire !	Χαρούμενα γενέθλια!	rHa·*rou*·mè·na yè·*nè*·thli·a
Amuse-toi bien !	Καλά/Ωραία να περάσεις!	ka·*la*/or·è·a na pè·*ra*·ssiss
Joyeux Noël !	Καλά Χριστούγεννα!	ka·*la* rHri·*stou*·yè·na

Une hésitation ? Sachez que Χρόνια πολλά! *rHro*·nia po·*la* (longue vie !) conviendra dans toutes les situations.

centres d'intérêt

κοινά ενδιαφέροντα

Que fais-tu pendant ton temps libre ?

Τι κάνεις τον ελεύθερο χρόνο σου;	ti *ka*·niss ton è-*lèf*·thè·ro *rHro*·no sou	

Aimes-tu... ?	Σου αρέσει ...;	sou a·*rè*·ssi ...
Je (n')aime (pas) le/la/les...	(Δεν) μου αρέσει...	(dhèn) mou a·*rè*·ssi ...
billard	το μπιλιάρδο	to bi·*liar*·dho
cuisine	η μαγειρική	i ma·yi·ri·*ki*
danse	ο χορός	o rHo·*ross*
dominos	το ντόμινο	to *do*·mi·no
dessin	το σχέδιο	to *sHè*·dhi·o
échecs	το σκάκι	to *ska*·ki
jardinage	η κηπουρική	i ki·pou·ri·*ki*
lecture	το διάβασμα	to *dhia*·vaz·ma
musique	η μουσική	i mou·ssi·*ki*
peinture	η ζωγραφική	i zo·gHra·fi·*ki*

Aimes-tu ... ?	Σου αρέσουν...;	sou a·*rè*·ssoun...
Je (n')aime (pas) les/le...	(Δεν) μου αρέσουν...	(dhèn) mou a·*rè*·ssoun...
	τα ...	ta ...
films	φιλμ	film
sport	σπορ	spor

Aimes-tu... ?	Σου αρέσει να...;	sou a·*rè*·ssi na...
faire des courses	ψωνίζεις	pso·*ni*·ziss
voyager	ταξιδεύεις	tak·si·*dhè*·viss

Je (n')aime (pas)...	(Δεν) μου αρέσει να...	(dhèn) mou a·*rè*·ssi na...
faire les courses	ψωνίζω	pso·*ni*·zo
voyager	ταξιδεύω	tak·ssi·*dhè*·vo

Pour les activités sportives, reportez-vous au chapitre **sport**, p. 141.

l'astrologie	αστρολογία f	a·stro·lo·*yi*·a
le backgammon	τάβλι n	*tav*·li
le *bouzouki*	μπουζούκι n	bou·*zou*·ki
(instrument à cordes traditionnel)		
l'actualité	επίκαιρα θέματα n pl	è·*pi*·kè·ra *thè*·ma·ta
jouer aux cartes	χαρτιά n pl	rHar·*tia*
la politique	πολιτική f	po·li·ti·*ki*
le *sirtaki*	συρτάκι n	sir·*ta*·ki
(danse grecque)		

musique

μουσική

Quelle musique aimes-tu ?

Τι μουσική σου αρέσει;   ti mou·ssi·*ki* sou a·*rè*·ssi

Quels groupes/chanteurs aimes-tu ?

Τι μπάντες/τραγουδιστές   ti *ba*·dèss/tra·gHou·dhi·*stèss*
σου αρέσουν;   sou a·*rè*·ssoun

Nombre de danses traditionnelles sont spécifiques à une région. D'autres jouissent d'une popularité nationale. Les plus connues sont le Ζεμπέκικο zè·*bè*·ki·ko (Zembekiko), le Τσάμικο *tsa*·mi·ko (Tsamiko), le Καλαματιανό ka·la·ma·tia·*no* (Kalamatiano) – aussi appelé Συρτό sir·*to* (Sirto) – et le Χασαποσέρβικο rHa·ssa·po·*ssèr*·vi·ko (Danse de Zorba).

Dans la plupart de ces danses, les participants se tiennent par la main sur un demi-cercle et suivent le chef de file dans le sens inverse des aiguilles d'une montre, au rythme des pas cadencés. Le Zembekiko se danse seul. Si on l'appelle parfois la "danse du marin ivre", le danseur semblant tituber au milieu d'un cercle de spectateurs accroupis, il constitue l'une des danses les plus gracieuses et les plus difficiles du répertoire grec.

Le *kot*·sa·ri (Kotsari), le Κρητικός kri·ti·*koss* (Kritikos) et le Ποντιακός po·di·a·*koss* (Pontiakos) comptent également parmi les danses les plus pratiquées.

Est-ce que tu... ?		
danses	Χορεύεις;	rl·lo·rè·viss
vas voir	Πηγαίνεις σε	pi·yè·niss sè
des concerts	κονσέρτα;	kon·sèr·ta
écoutes de la musique	Ακούς μουσική;	a·kouss mou·ssi·ki
joues d'un instrument	Παίζεις κανένα όργανο;	pè·ziss ka·nè·na or·gHa·no
chantes	Τραγουδάς;	tra·gHou·dhass

blues	μπλουζ n	blouz
musique classique	κλασσική μουσική f	kla·ssi·ki mou·ssi·ki
musique électronique	ηλεκτρονική μουσική f	i·lèk·tro·ni·ki mou·ssi·ki
musique traditionnelle grecque	Ελληνική παραδοσιακή μουσική f	è·li·ni·ki pa·ra·dho·ssi·a·ki mou·ssi·ki
jazz	τζαζ f	tzaz
musique pop	ποπ f	pop
rebetiko	ρεμπέτικα n pl	rè·bè·ti·ka
rock	μουσική ροκ f	mou·ssi·ki rok
musique traditionnelle	παραδοσιακή μουσική f	pa·ra·dho·ssi·a·ki mou·ssi·ki

Un concert vous tente ? Consultez **billets**, p. 46 et **sortir**, p. 127.

cinéma et théâtre

Σινεμά και θέατρο

J'ai envie d'aller à/au...	Θέλω να πάω σε...	*thè*·lo na *pa*·o sè...
ballet	μπαλέτο	ba·*lè*·to
cinéma	φιλμ	film
théâtre	έργο	èr·gHo

Qu'est-ce qui se joue ce soir au cinéma/théâtre ?

Τι παίζει στο σινεμά/ θέατρο απόψε;	ti *pè*·zi sto si·nè·*ma*/ *thè*·a·tro a·*pop*·sè

Est-ce en anglais/français/grec ?
Είναι στα Αγγλικά/Γαλλικά/Ελληνικά;
i·nè sta ag·gli·*ka*//gHa-li-*ka*/è·li·ni·*ka*

Est-ce sous-titré en anglais/français ?
Έχει (Αγγλικούς/Γαλλικούς) υπότιτλους;
è·Hi (ag·gli·*kouss*/gHa-li-*kouss*) i·*po*·tit·louss

Cette place est-elle occupée ?
Είναι αυτή η θέση πιασμένη;   *i*·nè af·*ti* i *thè*·ssi piaz·*mè*·ni

As-tu vu... ?
Έχεις δει...;   *è*·Hiss dhi...

Qui joue ?
Ποιος παίζει σ' αυτό;   pioss *pè*·zi saf·*to*

As-tu aimé le (film) ?
Σου άρεσε το (φιλμ);   sou *a*·rè·ssè to (film)

Je l'ai trouvé...	Νομίζω πως ήταν...	no·*mi*·zo poss *i*·tan...
excellent	εξαιρετικό	èk·sè·rè·ti·*ko*
long	μεγάλο	mè·*gHa*·lo
OK	εντάξει	è·*dak*·si
J'aime/Je n'aime pas...	Μου αρέσουν/ Δεν μου αρέσουν...	(dhèn) mou *a*·rè·ssoun...
les films d'action	οι ταινίες δράσης	i tè·*ni*·èss dhra·ssiss
les films d'animation	τα φιλμ κινου-μένων σχεδίων	ta film ki·nou-*mè*·non sHè·*dhi*·on
les comédies	οι κωμωδίες	i ko·mo·*dhi*·èss
les documentaires	τα ντοκυμαντέρ	ta do·kou·man·*tèr*
les drames	τα δραματικά έργα	ta dhra·ma·ti·*ka* *èr*·gHa
le cinéma grec	τα ελληνικά έργα	ta è·li·ni·*ka* *èr*·gHa
les films d'horreur	τα έργα τρόμου	ta *èr*·gHa tro·mou
la science-fiction	τα έργα επιστημονικής φαντασίας	ta *èr*·gHa è·pi·sti·mo·ni·*kiss* fa·da·*ssi*·ass
les courts-métrages	τα φιλμ μικρής διάρκειας	ta film mi·*kriss* dhi·*ar*·ki·ass
les thrillers	τα θρίλερ	ta *thri*·lèr
les films de guerre	τα πολεμικά έργα	ta po·lè·mi·*ka* *èr*·gHa

sentiments et sensations

αισθήματα

Es-tu… ?	Είσαι…;	*i·*ssè…
Je suis/	Είμαι/Δεν είμαι…	(dhèn) *i·*mè…
Je ne suis pas…		
déçu	απογοητευμένος	a·po·gHo·ï·tèv·*mè·*noss
déçue	απογοητευμένη	a·po·gHo·ï·tèv·*mè·*ni
embarrassé	αμήχανος	a·*mi·*rHa·noss
embarrassée	αμήχανη	a·*mi·*rHa·ni
ennuyé	στενοχωρημένος	stè·no·rHo·ri·*mè·*noss
ennuyée	στενοχωρημένη	stè·no·rHo·ri·*mè·*ni
fatigué	κουρασμένος	kou·raz·*mè·*noss
fatiguée	κουρασμένη	kou·raz·*mè·*ni
gêné	ενοχλημένος	è·no·rHli·*mè·*noss
gênée	ενοχλημένη	è·no·rHli·*mè·*ni
heureux	ευτυχισμένος	èf·ti·Hiz·*mè·*noss
heureuse	ευτυχισμένη	èf·ti·Hiz·*mè·*ni
inquiet	ανύσυχος	a·*ni·*ssi·rHoss
inquiète	ανύσυχη	a·*ni·*ssi·Hi
pressé	βιαστικός	via·sti·*koss*
pressée	βιαστική	via·sti·*ki*
surpris	έκπληκτος	*èk·*plik·toss
surprise	έκπληκτη	*èk·*plik·ti
As-tu… ?	Είσαι…;	*i·*ssè…
J'ai/Je n'ai pas…	Είμαι/Δεν είμαι…	(dhèn) *i·*mè…
faim	πεινασμένος m	pi·naz·*mè·*noss
	πεινασμένη f	pi·naz·*mè·*ni
soif	διψασμένος m	dhip·saz·*mè·*noss
	διψασμένη f	dhip·saz·*mè·*ni
J'ai/Je n'ai pas…		
chaud	(Δεν) Ζεσταίνομαι	(dhèn) zès-*tè-*no-mai
froid	(Δεν) Κρυώνω.	(dhèn) kri·o·no

Si vous ne vous sentez pas bien, consultez le chapitre **santé** p. 195.

un peu	λίγο	*li*·gHo
Je suis un peu ennuyé(e).		
Είμαι λίγο		*i*·mè *li*·gHo
στενοχωρημένος/		stè·no·rHo·ri·*mè*·noss/
στενοχωρημένη. m/f		stè·no·rHo·ri·*mè*·ni
très	πολύ	po·*li*
Je me trouve très chanceux/se.		
Αισθάνομαι πολύ		ès·*tha*·no·mè po·*li*
τυχερός/τυχερή. m/f		ti·Hè·*ross*/ti·Hè·*ri*
extrêmement	πάρα πολύ	*pa*·ra po·*li*
Je suis extrêmement désolé(e).		
Λυπάμαι πάρα		li·*pa*·mè *pa*·ra
πολύ.		po·*li*

opinions

Est-ce que tu as/vous avez aimé ?
Σου/Σας άρεσε;   sou/sass *a*·rè·ssè

Que penses-tu/pensez-vous de cela ?
Τι νομίζεις/νομίζετε για αυτό;   ti no·*mi*·ziss/no·*mi*·zè·tè yia af·*to*

Je pense que c'était…	Νομίζω ήταν…	no·*mi*·zo i·tan…
C'est…	Είναι…	*i*·nè…
terrible	απαίσιο	a·*pè*·ssi·o
beau	όμορφο	o·mor·fo
ennuyeux	πληκτικό	plik·ti·*ko*
génial	καταπληκτικό	ka·ta·plik·ti·*ko*
intéressant	ενδιαφέρον	èn·dhia·*fè*·ron
OK	εντάξει	è·*dak*·si
bizarre	παράξενο	pa·*rak*·sè·no
trop cher	πάρα πολύ ακριβό	*pa*·ra po·*li* a·kri·*vo*

politique et société

Pour qui votes-tu ?	Ποιον ψηφίζεις;	pion psi·*fi*·ziss
Je soutiens le parti...	Εγώ υποστηρίζω το κόμμα...	è·*gHo* i·po·sti·*ri*·zo to *ko*·ma...
Je suis membre du parti...	Είμαι μέλος του κόμματος...	*i*·mè *mè*·loss tou *ko*·ma·toss...
de la coalition	συνασπισμός	si·nass·piz·*moss*
communiste	κομμουνιστικό	ko·mou·ni·sti·*ko*
conservateur	συντηρητικό	si·di·ri·ti·*ko*
démocrate	δημοκρατικό	dhi·mo·kra·ti·*ko*
des verts	οικολογικό	i·ko·lo·yi·*ko*
libéral	φιλελεύθεροι	fil·è·*lèf*·thè·ri
républicain	ρεπουμπλικανικό	rè·pou·bli·ka·ni·*ko*
des démocrates sociaux	κοινωνικό δημοκρατικό	ki·no·ni·*ko* dhi·mo·kra·ti·*ko*
socialiste	σοσιαλιστικό	so·ssi·a·li·sti·*ko*

As-tu/Avez-vous entendu... ?
Άκουσες/Ακούσατε για...;   a·kou·ssèss/a·*kou*·ssa·tè yia...

Es-tu/Êtes-vous d'accord avec... ?
Συμφωνείς/Συμφωνείτε με...;   sim·fo·*niss*/sim·fo·*ni*·tè mè...

Je ne suis pas d'accord avec...
(Δεν) Συμφωνώ με...   (dhèn) sim·fo·*no* mè...

Que pensent les gens de... ?
Πώς αισθάνονται οι άνθρωποι για...;   poss ès·*tha*·no·dè i *an*·thro·pi yia...

Comment faire pour soutenir... ?
Πώς μπορούμε να υποστηρίξουμε...;   poss bo·*rou*·mè na i·po·sti·*rik*·sou·mè...

Comment faire pour protester contre... ?
Πώς μπορούμε να διαμαρτυρηθούμε για...;   poss bo·*rou*·mè na dhi·a·mar·ti·ri·*thou*·mè yia...

S'il ressemble à notre "non", souvenez-vous qu'en réalité, ναι nè signifie… "oui" !

avortement	εκτρώσεις f	èk·*tro*·ssiss
bases militaires américaines de l'OTAN	στρατιωτικές βάσεις των ΗΠΑ f	stra·ti·o·ti·*kèss* *va*·ssiss ton *i*·pa
chômage	ανεργία f	an·èr·*yi*·a
délit/crime	έγκλημα n	*èg*·li·ma
démocratie	δημοκρατία f	dhi·mo·kra·*ti*·a
diaspora	διασπορά f	dhi·a·spo·*ra*
discrimination	διακρίσεις f	dhi·a·*kri*·ssiss
drogue	ναρκωτικά n	nar·ko·ti·*ka*
droits des animaux	δικαιώματα των ζώων n	dhi·kè·*o*·ma·ta ton *zo*·on
droits de l'homme	ανθρώπινα δικαιώματα n	an·*thro*·pi·na dhi·kè·*o*·ma·ta
droits des homosexuels	δικαιώματα των γκέι n	dhi·kè·*o*·ma·ta ton *guè*·ï
économie	οικονομία f	i·ko·no·*mi*·a
éducation	εκπαίδευση f	èk·*pè*·dhèf·si
égalité des chances	ίσες ευκαιρίες f	*i*·ssèss èf·kè·*ri*·èss
environment	περιβάλλον n	pè·ri·*va*·lon
euthanasie	ευθανασία f	èf·tha·na·*ssi*·a
fonctionnaires	δημοσίους υπαλλήλους m	dhi·mo·*ssi*·ouss i·pa·*li*·liouss
grèves	απεργίες f	ap·èr·*yi*·èss
guerre (dans les Balkans)	πολέμους (στα Βαλκάνια) m	po·*lè*·mouss (sta val·*ka*·ni·a)
immigration	μετανάστευση f	mè·ta·*na*·stèf·si
inégalité	ανισότητα f	a·ni·*sso*·ti·ta
inflation	πληθωρισμό m	pli·tho·riz·*mo*
junte militaire	στρατιωτική χούντα f	stra·ti·o·ti·*ki* *rHou*·da
monarchie	μοναρχία f	mo·nar·*Hi*·a
mondialisation	παγκοσμιοποίηση f	pa·goz·mi·o·*pi*·ï·ssi

OTAN	NATO n	*na*·to
parlement	κοινοβούλιο n	ki·no·*vou*·li·o
partition de Chypre	διχοτόμηση της Κύπρου f	dhi·rHu·*to*·mi·ssi tiss *ki*·prou
pauvreté	φτώχεια f	*fto*·Hia
politique du parti	πολιτική του κόμματος f	pu·li·ti·*ki* tou *ko*·ma·toss
privatisation	ιδιοτικοποίηση f	i·dhi·o·ti·ko·*pi*·ï·ssi
question macédonienne	Μακεδονικό ζήτημα n	ma·kè·dho·ni·*ko zi*·ti·ma
racisme	ρατσισμό n	rat·siz·*mo*
réfugiés	πρόσφυγες m	*pros*·fi·yèss
relations avec la Turquie	σχέσεις με την Τουρκία f	*sHè*·ssiss mè tin tour·*ki*·a
restrictions à la circulation	περιορισμό της κυκλοφορίας m	pè·ri·o·riz·*mo* tiss ki·klo·fo·*ri*·ass
sécurité sociale	κοινωνική πρόνοια f	ki·no·ni·*ki pro*·ni·a
sexisme	σεξισμό m	sèk·siz·*mo*
terrorisme	τρομοκρατία f	tro·mo·kra·*ti*·a
Union européenne	Ευρωπαϊκή Ένωση f	èv·ro·pa·ï·*ki é*·no·ssi

environnement

το περιβάλλον

Y a-t-il un problème de … ici ?
Υπάρχει κάποιο πρόβλημα εδώ με…;
i·*par*·Hi *ka*·pio *pro*·vli·ma è·*dho* mè…

Que faudrait-il faire pour… ?
Τι θα πρέπει να γίνει με…;
ti tha *prè*·pi na *yi*·ni mè…

alimentation en eau	παροχή ύδατος f	pa·ro·*Hi* i·dha·toss
aliments génétiquement modifiés	γενετικά μεταλλαγμένο φαγητό n	yè·nè·ti·*ka* mè·ta·lagH·*mè*·no fa·yi·*to*
chasse	κυνήγι n	ki·*ni*·yi
conservation maritime	θαλάσσια διαφύλαξη f	tha·*la*·ssi·a dhi·a·*fi*·lak·si
couche d'ozone	στρώμα του όζοντος n	*stro*·ma tou o·zo·doss
déchets toxiques	τοξικά απόβλητα n	tok·si·*ka* a·*pov*·li·ta
déforestation	αποδάσωση f	a·po·*dha*·sso·ssi
écosystème	οικοσύστημα n	i·ko·*ssi*·sti·ma
énergie nucléaire	πυρηνική ενέργεια f	pi·ri·ni·*ki* è·*nèr*·yi·a
érosion	διάβρωση f	dhi·*av*·ro·ssi
espèces en voie de disparition	είδη υπό εξαφάνιση n	*i*·dhi i·*po* èk·sa·*fa*·ni·ssi
extension urbaine	αστική εξάπλωση f	a·sti·*ki* èk·*sa*·plo·ssi
hydro-électricité	υδροηλεκτρισμό m	i·dhro·i·lèk·triz·*mo*
incendies de forêt	φωτιές στα δάση f	fo·*tyèss* sta *dha*·ssi
irrigation	άρδευση f	*ar*·dhèf·si
nettoyage des côtes	καθαρισμό των ακτών m	ka·tha·riz·*mo* ton ak·*ton*
nuage de pollution	νέφος n	*nè*·foss
parcs nationaux	εθνικά πάρκα n	èth·ni·*ka* par·ka
pesticides	φυτοφάρμακα n	fi·to·*far*·ma·ka
pollution	μόλυνση f	*mo*·lin·si
programme de recyclage	πρόγραμμα ανακύκλωσης n	*pro*·gHra·ma a·na·*ki*·klo·ssiss
protection de l'environnement	προστασία του περιβάλλοντος f	pro·sta·*si*·a tou pè·ri·*va*·lo·doss
sécheresse	ανομβρία f	a·nom·*vri*·a
séisme	σεισμούς m	siz·*mouss*
essais nucléaires	πυρηνικές δοκιμές f	pi·ri·ni·*kèss* dho·ki·*mèss*

Est-ce une … protégée ?	Είναι αυτό προστατευόμενο…;	*i*·nè af·*to* pro·sta·tè·*vo*·mè·no
espèce	είδος	*i*·dhoss
forêt	δάσος	*dha*·ssoss
parc	πάρκο	*par*·ko

où sortir

Que peut-on faire ce soir ?
	Τι μπορούμε να κάνουμε το βράδι;	ti bo·*rou*·mè na *ka*·nou·mè to *vra*·dhi

Qu'y a-t-il… ?	Τι γίνεται…;	ti *yi*·nè·tè…
dans le coin	εδώ γύρω	è·*dho yi*·ro
ce week-end	αυτό το Σαββατοκύριακο	af·*to* to sa·va·to·*ki*·ria·ko
aujourd'hui	σήμερα	*si*·mè·ra
ce soir	απόψε	a·*pop*·sè

Où puis-je trouver un/une/des… ?	Πού μπορώ να βρω…;	pou bo·*ro* na vro…
bars	μπυραρίες	bi·ra·*ri*·èss
bars gays	Χώρους συνάντησης για γκέη	rHo·rouss si·*na*·di·ssiss yia *guè*·ï
clubs	κλαμπ	klab
cinéma en plein air	θερινό κινηματογράφο	thè·ri·*no* ki·ni·ma·to·*gHra*·fo
taverne de *bouzouki* (instrument traditionnel grec)	ταβέρνα με μπουζούκια	ta·*vèr*·na mè bou·*zou*·kia
restaurants	εστιατόρια	è·sti·a·*to*·ri·a

Y a-t-il un guide … dans cette ville ?	Υπάρχει τοπικός οδηγός για…;	i·*par*·Hi to·pi·*koss* o·dhi·*gHoss* yia…
des loisirs	διασκεδάσεις	dhiass·kè·*dha*·ssiss
des cinémas	φιλμ	film
des concerts	μουσική	mou·ssi·*ki*

J'ai envie d'aller dans (un/une)/au/à...	Έχω όρηεη να πάω σε ...	è·rHo o·rèk·si na pa·o sè...
l'opéra (ballet)	μπαλέτο	ba·lè·to
bar	μπαρ	bar
café	καφενείο	ka·fè·ni·o
concert	κονσέρτο	kon·sèr·to
cinéma	φιλμ	film
bar karaoké	καραόκι μπαρ	ka·ra·o·ki bar
boîte de nuit	νυχτερινό κέντρο	nirH·tè·ri·no kè·dro
fête	πάρτυ	par·ti
spectacle	θέαμα	thè·a·ma
théâtre	έργο	èr·gHo
bar	μπυραρία	bi·ra·ri·a
taverne	κέντρο με	kè·dro mè
de rebetiko	ρεμπέτικα	rè·bè·ti·ka
restaurant	εστιατόριο	è·sti·a·to·ri·o
voir un match	αθλητικό	ath·li·ti·ko
	παιγνίδι	pègH·ni·dhi

Pour en savoir plus sur les bars et les boissons, reportez-vous aux chapitres **vie amoureuse**, p. 131 et **se restaurer**, p. 156.

invitations

προσκλήσεις

Que fais-tu/ faites-vous... ?	Τι κάνεις/ κάνετε...;	ti ka·niss/ ka·nè·tè...
maintenant	τώρα	to·ra
ce week-end	το Σαββατοκύριακο	to sa·va·to·ki·ria·ko
ce soir	απόψε	a·pop·sè

Connais-tu/un bon restaurant ?
Ξέρεις/Ξέρερε κανένα καλό   ksè·riss/ksè·rè·tè ka·nè·na
εστιατόριο;   ka·lo è·sti·a·to·ri·o

C'est ma tournée.
Η σειρά μου.   i si·ra mou

Nous faisons une fête.
Έχουμε πάρτι.   è·rHou·mè par·ti

EN SOCIÉTÉ

Est-ce que tu voudrais aller... ?	Θα ήθελες να πας ...;	tha i·thè·lèss na pa·ss ...
boire un café	για καφέ	yia ka·fè
danser	για χορό	yia rHo·ro
boire un verre	για ποτό	yia po·to
déjeuner/dîner	για φαγητό	yia fa·yi·to
quelque part	κάπου έξω	ka·pou èk·so
faire un tour	βόλτα	vol·ta

répondre à une invitation

απαντώντας σε προσκλήσεις

Bien sûr !
Μάλιστα!   ma·li·sta

Oui, j'aimerais beaucoup.
Ναι, θα ήθελα πολύ.   nè tha i·thè·la po·li

C'est très gentil de ta part.
Πολύ ευγενικό εκ   po·li èv·yè·ni·ko èk
μέρους σου.   mè·rouss sou

Non, j'ai peur de ne pas pouvoir.
Όχι, φοβάμαι πως δεν .   o·Hi fo·va·mè poss dhèn
μπορώ   bo·ro

Et demain ?
Τι θα έλεγες για αύριο;   ti tha è·lè·yèss yia av·ri·o

Où va-t-on ?
Πού θα πάμε;   pou tha pa·mè

organiser un rendez-vous

κανονίζοντας για συνάντηση

À quelle heure nous retrouvons-nous ?
Τι ώρα θα συναντηθούμε;   ti o·ra tha si·na·di·thou·mè

Où nous retrouvons-nous ?
Πού θα συναντηθούμε;   pou tha si·na·di·thou·mè

On se retrouve à…	Ας	ass
	συναντηθούμε…	si·na·di·*thou*·mè…
(8)h	στις (οχτώ)	stiss (orH·*to*)
l'entrée	στην είσοδο	stin *i*·sso·dho

Je passe te prendre.
Θα σε πάρω εγώ.　　　　tha sè *pa*·ro è·*gHo*

Es-tu prêt(e) ?
Είσαι έτοιμος/έτοιμη; m/f　　*i*·ssè è·ti·moss/è·ti·mi

Je suis prêt(e).
Είμαι έτοιμος/έτοιμη. m/f　　*i*·mè è·ti·moss/è·ti·mi

Où seras-tu ?
Πού θα είσαι;　　　　pou tha *i*·ssè

Si je ne suis pas là à (9)h, ne m'attends pas.
Αν δεν είμαι εκεί μέχρι　　an dhèn *i*·mè è·*ki* mè·rHri
(τις εννέα), μή με περιμένεις.　(tiss è·*nè*·a) mi mè pè·ri·mè·niss

Je l'attends de toute façon.
Το περιμένω πώς και πώς.　to pè·ri·*mè*·no poss kè poss

OK !	Εντάξει!	è·*dak*·si
On se verra	Θα σε δω τότε.	tha sè dho *to*·tè
à ce moment-là.		
Désolé(e), je suis.	Συγνώμη που	sigH·*no*·mi pou
en retard.	άργησα.	*ar*·yi·ssa

rendez-vous

Où voudrais-tu aller (ce soir) ?
Πού θα ήθελες να πάμε
(απόψε);

pou tha i *thè*·lèss na *pa*·mè
(a·*pop*·sè)

Veux-tu que l'on fasse quelque chose (demain) ?
Θα ήθελες να κάνουμε
κάτι (αύριο);

tha *i*·thè·lèss na *ka*·nou·mè
ka·ti (*av*·ri·o)

Oui, je veux bien.
Ναι, θα το ήθελα πολύ.

nè tha to *i*·thè·la po·*li*

Désolé(e), je ne peux pas.
Συγνώμη, δεν μπορώ.

sigH·*no*·mi dhèn bo·*ro*

séduction

Tu veux boire quelque chose ?
Θα ήθελες ένα ποτό;

tha *i*·thè·lèss è·na po·*to*

Tu ressembles à quelqu'un que je connais. (à un homme)
Μοιάζεις με κάποιον που ξέρω.

mia·ziss mè *ka*·pion pou ksè·ro

Tu ressembles à quelqu'un que je connais. (à une femme)
Μοιάζεις με κάποια που ξέρω.

mia·ziss mè *ka*·pia pou ksè·ro

Tu es un merveilleux danseur.
Είσαι απίθανος χορευτής.

i·ssè a·*pi*·tha·noss rHo·rèf·*tiss*

Tu es une merveilleuse danseuse.
Είσαι απίθανη χορεύτρια.

i·ssè a·*pi*·tha·ni rHo·*rèf*·tria

Puis-je… ?	Μπορώ να…;	bo·*ro* na…
danser	χορέψω	rHo·*rèp*·so
avec toi	μαζί σου	ma·*zi* sou
m'asseoir	καθίσω εδώ	ka·*thi*·sso è·*dho*
te raccompagner	σε πάρω	sè *pa*·ro
chez toi	στο σπίτι	sto *spi*·ti

refus

Non, merci.
Όχι, ευχαριστώ.
o·Hi èf·rHa·ri·*sto*

Je ne préfère pas.
Νομίζω όχι.
no·*mi*·zo *o*·Hi

Je suis ici avec mon petit ami.
Είμαι εδώ με τον φίλο μου.
i·mè è·*dho* mè ton *fi*·lo mou

Je suis ici avec ma petite amie.
Είμαι εδώ με την φίλη μου.
i·mè è·*dho* mè tin *fi*·li mou

Excuse-moi, je dois y aller.
Συγνώμη, πρέπει να
πηγαίνω τώρα.
sigH·*no*·mi *prè*·pi na
pi·*yè*·no *to*·ra

Laisse-moi tranquille ! (un homme)
Άσε με ήσυχο !
a·ssè mè *i*·ssi·rHo

Laisse-moi tranquille ! (une femme)
Άσε με ήσυχη!
a·ssè mè *i*·ssi·Hi

Va-t-en !
Άντε από δω, ρε!
a·dè a·*po* dho rè

EN SOCIÉTÉ

Il est mignon.
Είναι κούκλος.   *i*·nè *kou*·kloss

Elle est mignonne.
Είναι κούκλα.   *i*·nè *kou*·kla

Il est beau/sympa.
Είναι ωραίος.   *i*·nè o-*rè*-oss

Elle est belle/sympa.
Είναι ωραία.   *i*·nè o-*rè*-ï

C'est un salaud.
Είναι μπάσταρδος.   *i*·nè *ba*·star·dhoss

C'est une garce.
Είναι καριόλα.   *i*·nè ka·*rio*·la

tentatives d'approche

πλησιάζοντας πιο κοντά

Tu me plais beaucoup.
Μου αρέσεις πολύ.   mou a·*rè*·ssiss po·*li*

Tu es super.
Είσαι θαύμα.   *i*·ssè *thav*·ma

Est-ce que je peux t'embrasser ?
Μπορώ να σε φιλήσω;   bo·*ro* na sè fi·*li*·sso

Tu veux entrer un moment ?
Θέλεις να έρθεις μέσα,   *thè*·liss na *èr*·thiss *mè*·ssa
για λίγο;   yia *li*·gHo

Tu veux un massage ?
Θέλεις ένα μασάζ;   *thè*·liss è·na ma·*ssaz*

Je peux passer la nuit ici ?
Μπορώ να μείνω τη νύχτα;   bo·*ro* na *mi*·no ti *nirH*·ta

sexe

Embrasse-moi.	Φίλα με.	*fi*·la mè
J'ai envie de toi.	Σε θέλω.	sè *thè*·lo
Caresse-moi là.	Πιάσε με εδώ.	*pia*·ssè mè è·*dho*
Allons au lit.	Πάμε στο κρεβάτι.	*pa*·mè sto krè·*va*·ti

Tu aimes ça ?
Σου αρέσει αυτό; sou a·*rè*·ssi af·*to*

J'aime/Je n'aime pas ça.
(Δεν) Μου αρέσει αυτό. (dhèn) mou a·*rè*·ssi af·*to*

Je crois qu'on devrait s'arrêter là.
Νομίζω πως πρέπει να no·*mi*·zo poss *prè*·pi na
σταματήσουμε τώρα. sta·ma·*ti*·ssou·mè *to*·ra

As-tu un préservatif ?
Έχεις προφυλακτικό; è·Hiss pro·fi·lak·ti·*ko*

Utilisons un préservatif.
Ας χρησιμοποιήσουμε as rHri·ssi·mo·pi·*i*·ssou·mè
προφυλακτικό. pro·fi·lak·ti·*ko*

Je ne veux pas le faire sans protection.
Δεν το κάνω χωρίς dhèn to *ka*·no rHo·*riss*
προφύλαξη. pro·*fi*·lak·si

Oh, mon Dieu !
Ω, θεέ μου! o thè·è mou

C'est super.
Είναι απίθανο. *i*·nè a·*pi*·tha·no

---

pour information

Le préservatif a toujours été d'un usage courant en Grèce, en
particulier parce que la pilule n'est pas généralisée. Il est souvent
reproché aux gynécologues de la déconseiller pour mieux
s'enrichir avec des avortements qui coûtent très cher et ne sont pas
remboursés.

Doucement !	σιγά !	si·*gHa*
plus vite	πιο γρήγορα	pio *gHri*·gHo·ra
plus fort	πιο γερά	pio yè·*ra*
plus lentement	πιο αργά	pio ar·*gHa*
plus doucement	πιο μαλακά	pio ma·la·*ka*
C'était...	Ήταν...	*i*·tan...
magnifique	καταπληκτικό	ka·ta·plik·ti·*ko*
romantique	ρομαντικό	ro·ma·di·*ko*
sauvage	άγριο	*a*·gHri·o

amour

αγάπη

Je trouve qu'on va bien ensemble.
Νομίζω ταιριάζουμε.   no·*mi*·zo tè·*ria*·zou·mè

Je t'aime.
Σ'αγαπώ.   sa·gHa·*po*

Tu veux... ?	Θα...;	tha...
sortir avec moi	έρθεις έξω	èr·thiss *èk*·sso
	μαζί μου	ma·*zi* mou
m'épouser	με παντρευτείς	mè pa·drèf·*tiss*
rencontrer mes	συναντήσεις τους	si·na·*di*·ssiss touss
parents	γονείς μου	gHo·*niss* mou

des mots doux

bébé	μωρό μου	mo·*ro* mou
chéri(e)	μάνα μου	*ma*·na mou
ma poupée	κουκλί μου	kou·*kli* mou
	κούκλα μου	*kou*·kla mou
mon âme	ψυχούλα μου	psi·*rHou*·la mou
mon trésor	χρυσό μου	rHri·*sso* mou
mon cœur	καρδούλα μου	kar·*dhou*·la mou

reproches

Vois-tu quelqu'un d'autre ? (à une femme)
Βλέπεις κάποιον άλλο;   *ka*·pion *a*·lo

Vois-tu quelqu'un d'autre ? (à un homme)
Βλέπεις κάποια άλλη;   ka·pia *a*·li

C'est juste un ami/une amie.
Είναι απλά φίλος/φίλη.   i·nè a·*pla* fi·loss/fi·li

Tu n'es avec moi que pour le sexe.
Με θέλεις μόνο για το σεξ.   mè *thè*·liss *mo*·no yia to sèks

Je ne veux plus jamais te revoir.
Δεν θέλω να σε ξαναδώ.   dhèn *thè*·lo na sè ksa·na·*dho*

Je ne pense pas que ça marche entre nous.
Δεν νομίζω ότι δουλεύει.   dhèn no·*mi*·zo *o*·ti dhou·*lè*·vi

On va trouver une solution.
Θα τα βρούμε.   tha ta *vrou*·mè

départ

Je dois partir (demain).
Πρέπει να φύγω (αύριο).   *prè*·pi na *fi*·gHo (*av*·ri·o)

Tu vas me manquer.
Θα μου λείψεις   tha mou *lip*·siss

Je viendrai te rendre visite.
Θα σε επισκεφτώ.   tha sè è·pis·kèf·*to*

quelle tragédie !

Le mot français "tragédie" vient du grec τραγωδία qui désignait originellement le chant du bouc, c'est-à-dire le chant religieux qui accompagnait le sacrifice d'un bouc pendant les fêtes de Bacchus.

EN SOCIÉTÉ

136

religion

θρησκεία

Quelle est ta religion ?
Ποια είναι η θρησκεία σου; pia *i*·nè i thris·*ki*·a sou

Je ne suis pas croyant.
Δεν είμαι θρήσκος. dhèn *i*·mè *thris*·koss

Je suis...	Είμαι...	*i*·mè...
agnostique	αγνωστικιστής m	agH·no·sti·ki·*stiss*
	αγνωστικίστρια f	agH·no·sti·*ki*·stri·a
bouddhiste	Βουδιστής m	vou·dhi·*stiss*
	Βουδίστρια f	vou·*dhi*·stri·a
catholique	Καθολικός m	ka·tho·li·*koss*
	Καθολική f	ka·tho·li·*ki*
chrétien	Χριστιανός m	rHri·stia·*noss*
chrétienne	Χριστιανή f	rHri·stia·*ni*
hindouiste	Ινδουιστής m	in·dhou·i·*stiss*
	Ινδουίστρια f	in·dhou·*i*·stri·a
juif	Ιουδαίος m	i·ou·*dhè*·oss
juive	Ιουδαία f	i·ou·*dhè*·a
musulman	Μουσουλμάνος m	mou·ssoul·*ma*·noss
musulmane	Μουσουλμάνα f	mou·ssoul·*ma*·na
orthodoxe	Ορθόδοξος m	or·*tho*·dhok·soss
	Ορθόδοξη f	or·*tho*·dhok·si
Je (ne) crois (pas) en/dans...	(Δεν) Πιστευω...	(dhèn) pi·*stè*·vo...
l'astrologie	στην αστρολογία	stin a·stro·lo·*yi*·a
le destin	στη μοίρα	sti *mi*·ra
Dieu	στο Θεό	sto thè·*o*

137

Puis-je … ici ?	Μπορώ να … εδώ;	bo·ro na … è·dho
Où puis-je… ?	Πού μπορώ να…;	pou bo·ro na…
assister à la	παρακολουθήσω	pa·ra·ko·lou·thi·sso
messe	τη λειτουργία	ti li·tour·yi·a
assister à	παρακολουθήσω	pa·ra·ko·lou·thi·sso
l'office	την ακολουθία	tin a·ko·lou·thi·a
prier	προσευχηθώ	pro·ssèf·Hi·tho
me recueillir	προσκυνήσω	pross·ki·ni·sso

différences culturelles

Est-ce une coutume locale, ou nationale ?
Είναι αυτό τοπικό ή
εθνικό έθιμο;
*i·*nè af·*to* to·pi·*ko* i
èth·ni·*ko* è·thi·mo

Je ne suis pas habitué à cela.
Δεν είμαι συνηθισμένος
σ'αυτό.
dhèn *i·*mè si·ni·thiz·*mè·*noss
saf·*to*

Je préférerais ne pas participer.
Θα προτιμούσα να μη
λάβω μέρος.
tha pro·ti·*mou·*ssa na mi
*la·*vo mè·ross

Je vais essayer.
Θα το δοκιμάσω.
tha to dho·ki·*ma·*sso

Je ne voulais rien faire d'inconvenant.
Δεν ήθελα να κάμω κάτι
που δεν έπρεπε.
dhèn *i·*thè·la na *ka·*mo *ka·*ti
pou dhèn è·prè·pè

Je ne voulais rien dire d'inconvenant.
Δεν ήθελα να πω κάτι
που δεν έπρεπε.
dhèn *i·*thè·la na po *ka·*ti
pou dhèn è·prè·pè

Je ne veux pas vous offenser.
Δεν θέλω να σε προσβάλω.
dhèn *thè·*lo na sè proz·*va·*lo

Je suis désolé(e),
c'est contre…
Συγνώμη, είναι
αντίθετο με … μου.
sigH·*no·*mi *i·*nè
a·*di·*thè·to mè … mou
   mes croyances την πίστη   tin *pi·*sti
   ma religion τη θρησκεία   ti thris·*ki·*a

Quelles sont les heures d'ouverture du musée ?
Πότε είναι ανοιχτό το μουσείο;   po·tè i·nè a·nirH·to to mou·ssi·o

À quelle heure la galerie ouvre-t-elle ?
Πότε είναι ανοιχτή   po·tè i·nè a·nirH·ti
η πινακοθήκη;   i pi·na·ko·thi·ki

À quel art t'intéresses-tu ?
Τι είδους τέχνη σε ενδιαφέρει;   ti i·dhouss tèrH·ni sè èn·dhia·fè·ri

Je m'intéresse à...
Με ενδιαφέρει ...   mè èn·dhia·fè·ri ...

Qu'y a-t-il dans la collection ?
Τι υπάρχει στη συλλογή;   ti i·par·Hi sti si·lo·yi

C'est une exposition...
Είναι μια έκθεση ...   i·nè mia èk·thè·ssi ...

Où les objets de (Cnossos) sont-ils exposés ?
Πού είναι τα εκθέματα   pou i·nè ta èk·thè·ma·ta
από την (Κνωσσό);   a·po tin (kno·sso)

De quel style est-ce ?
Τι στυλ είναι αυτό;   ti stil i·nè af·to

Est-ce un original ou une copie ?
Είναι αυθεντικό ή αντίγραφο;   i·nè af·thè·di·ko i a·di·gHra·fo

Que pensez-vous de... ?
Πώς σου φαίνεται...;   poss sou fè·nè·tè...

J'aime les œuvres de...
Μου αρέσουν τα έργα...   mou a·rè·ssoun ta èr·gHa...

Cela me rappelle...
Μου θυμίζει ...   mou thi·mi·zi...

byzantin(e)	Βυζαντινός	vi·za·di·noss
classique	κλασσικός	kla·ssi·koss
hellénistique	Ελληνιστικός	è·li·ni·sti·koss
moderne	μοντέρνος	mo·dèr·noss
romain(e)	Ρωμαϊκός	ro·ma·ï·koss

civilisation...	... πολιτισμός m	... po·li·tiz·*moss*
cycladique	Κυκλαδικός	ki·kla·dhi·*koss*
minoenne	Μινωικός	mi·no·ï·*koss*
mycénienne	Μυκηναϊκός	mi·ki·na·ï·*koss*
style...	... ρυθμός m	... rith·*moss*
corinthien	Κορινθιακός	ko·rin·thi·a·*koss*
dorique	Δωρικός	dho·ri·*koss*
ionnien	Ιωνικός	i·o·ni·*koss*
architecture	αρχιτεκτονική f	ar·Hi·tèk·to·ni·*ki*
arts décoratifs	διακοσμητικές	dhi·a·koz·mi·ti·*kèss*
	τέχνες f pl	*tèrH*·nèss
bouclier	ασπίδα f	a·*spi*·dha
collection permanente	μόνιμη συλλογή f	*mo*·ni·mi si·lo·*yi*
colonne	κολόνα f	ko·*lo*·na
conservateur	έφορος μουσείου m	è·fo·ross mou·*ssi*·ou
copie	αντίγραφο n	a·*di*·gHra·fo
épée	σπαθί n	spa·*thi*
exposition	έκθεση f	*èk*·thè·ssi
fresque	φρέσκο n	*frès*·ko
gravure	χαλκογραφία f	rHal·ko·gHra·*fi*·a
lance	δόρυ n	*dho*·ri
mosaïque	μωσαϊκό n	mo·ssa·ï·*ko*
objets en métal	μεταλλικά	mè·ta·li·*ka*
	αντικείμενα n pl	a·di·*ki*·mè·na
œuvre d'art	καλλιτέχνημα n	ka·li·*tèrH*·ni·ma
peintre	ζωγράφος m	zo·*gHra*·foss
peinture (l'art)	ζωγραφική f	zo·gHra·fi·*ki*
période	περίοδος f	pè·*ri*·o·dhoss
tableau	πίνακας m	*pi*·na·kass
salle d'exposition	αίθουσα έκθεσης f	è·thou·ssa *èk*·thè·ssiss
sculpteur	γλύπτης m	*gHlip*·tiss
sculpture	γλυπτική f	gHlip·ti·*ki*
statue	άγαλμα n	*a*·gHal·ma
tunique	χιτώνας m	Hi·*to*·nass
vase	αγγείο n	a·*gui*·o
vase en terre cuite	αγγείο τερακότα n	a·*gui*·o tè·ra·*ko*·ta

en parler

αθλητικά ενδιφέροντα

Quel sport pratiques-tu ?
Τι σπορ ακολουθείς/παίζεις;   ti spor a·ko·lou·*thiss*/pè·ziss

Je fais (du basket).
Παρακολουθώ (μπάσκετ).   pa·ra·ko·lou·*tho* (ba·skèt)

Je joue (au football).
Παίζω (ποδόσφαιρο).   pè·zo (po·*dhoss*·fè·ro)

Je fais de/du...	Κάνω...	ka·no...
l'athlétisme	αθλήματα	ath·*li*·ma·ta
la marche	πεζοπορία	pè·zo·po·*ri*·a
la voile	ιστιοπλοΐα	i·sti·o·plo·*ï*·a
la plongée	υπόγειες	i·*po*·yi·èss
	καταδύσεις	ka·ta·*dhi*·ssiss
windsurf	γουιντσέρφινγκ	gHou·id·*sèr*·fing
ski nautique	θαλάσσιο σκι	tha·*la*·ssi·o ski

Vous trouverez d'autres noms de sports dans le **dictionnaire**.

les principaux sports		
football	ποδόσφαιρο n	po·*dhoss*·fè·ro
(européen)	ευρωπαϊκό	èv·ro·pa·ï·*ko*
basket-ball	μπάσκετ n	bas·kètt
gymnastique	κλασικός	kla·ssi·*koss*
	αθλητισμός m	ath·li·tiz·*moss*
natation	κολύμπι n	ko·*li*·bi
volley-ball	βόλεϋ n	vo·lè·ï

Les amateurs de sports cérébraux pourront s'essayer au passe-temps préféré des Grecs :

le tavli (jacquet) τάβλι n   *tav*·li

Je…	Εγώ…	è·gHo…
fais du vélo	κάνω ποδήλατο	ka·no po·dhi·la·to
cours	τρέχω	trè·rHo
marche	βαδίζω	va·dhi·zo

Aimes-tu (le football) ?
Σου αρέσει (το ποδόσφαιρο); sou a·rè·ssi (to po·dhos·fè·ro)

Oui, beaucoup.
Ναι, πάρα πολύ. nè pa·ra po·li

Non.
Όχι. o·Hi

J'aime regarder.
Μου αρέσει να το κοιτάζω. mou a·rè·ssi na to ki·ta·zo

Pour quelle équipe es-tu ?
Ποια ομάδα υποστηρίζεις; pia o·ma·dha i·po·sti·ri·ziss

Quel est ton sportif préféré ?
Ποιος αθλητής σου αρέσει; pioss ath·li·tiss sou a·rè·ssi

assister à un match
πηγαίνοντας σε ένα παιγνίδι

Voudrais-tu voir un match ?
Θα ήθελες να πας σε tha i·thè·lèss na pass sè
ένα παιγνίδι; è·na pègH·ni·dhi

Pour qui es-tu ?
Ποιον υποστηρίζεις; pion i·po·sti·ri·ziss

Qui joue/gagne ?
Ποιος παίζει/κερδίζει; pioss pè·zi/kèr·dhi·zi

marquer		
Quel est le score ?	Ποιο είναι το σκορ;	pio i·nè to skor
ex æquo	ισοπαλία	i·sso·pa·li·a
nul/zéro	μηδέν	mi·dhèn
balle de match	πόντος για	po·doss yia
	παιγνίδι	pègH·ni·dhi

Quel(le)… !	Τι …!	ti …
but	γκολ	gol
coup	χτύπημα	*rHti*·pi·ma
tir	κλωτσιά	klot·*sia*
passe	πάσα	*pa*·ssa
action	απόδοση	a·*po*·dho·ssi

Ce jeu était… !	Ήταν … παιγνίδι!	*i*·tan … pèrH·*ni*·dhi
nul	άσχημο	*a*·sHi·mo
ennuyeux	πληκτικό	plik·ti·*ko*
super	υπέροχο	i·*pè*·ro·rHo

pratiquer un sport

παίζοντας σπορ

Tu veux jouer ?
Θέλεις να παίξεις;   *thè*·liss na *pèk*·siss

Je peux jouer avec vous ?
Να παίξω και εγώ;   na *pèk*·so kè è·*gHo*

Ça serait super.
Αυτό θα ήταν υπέροχο.   af·*to* tha *i*·tan i·*pè*·ro·rHo

Je ne peux pas.
Δεν μπορώ.   dhèn bo·*ro*

Je me suis blessé.
Έχω ένα τραύμα.   è·rHo è·na *trav*·ma

Un point pour toi/moi.
Δικός σου/μου πόντος.   dhi·*koss* ssou/mou *po*·doss

Tire !
Κλώτσα την σε μένα!   *klot*·sa tin sè *mè*·na

Lance-la-moi !
Ρίξ'την σε μένα!   *riks*·tin sè *mè*·na

Tu es un bon joueur.
Είσαι καλός παίχτης.   *i*·ssè ka·*loss* pèrH·tiss

Merci pour le match.
Ευχαριστώ για το παιγνίδι.   èf·rHa·ri·*sto* yia to pègH·*ni*·dhi

Où peut-on trouver un   Πού είναι ένα   pou *i*·nè è·na
bon endroit pour… ?   καλό μέρος για   ka·*lo* mè·ross yia
                                              να … κανείς;   na … ka·*niss*

   courir   τρέξει   *trèk*·ssi
   pêcher   ψαρέψει   psa·*rèp*·si
   monter à cheval   κάμει ιππασία   ka·mi i·pa·*ssi*·a
   faire de la plongée κάμει κατάδυση ka·mi ka·*ta*·dhi·ssi
   surfer   σερφάρει   sèr·*fa*·ri

Où se trouve le ... le plus proche ?	Πού είναι το πιο κοντινό...;	pou *i*·nè to pio ko·*di*·no...
terrain de golf	γήπεδο του γκολφ	*yi*·pè·dho tou golf
gymnase	γυμναστήριο	yim·na·*sti*·ri·o
court de tennis	γήπεδο του τένις	*yi*·pè·dho tou *tè*·niss

Où se trouve la piscine la plus proche ?

Πού είναι η πιο κοντινή πισίνα;   pou *i*·nè i pio ko·di·*ni* pi·*ssi*·na

Faut-il être membre pour y aller ?

Πρέπει να είμαι μέλος   *prè*·pi na *i*·mè *mè*·loss
για να πάω;   yia na *pa*·o

Y a-t-il des heures réservées aux femmes ?

Υπάρχει ορισμένη ώρα   i·*par*·Hi o·rIz·*mè*·ni o·ra
μόνο για γυναίκες;   *mo*·no yia yi·*nè*·kèss

Puis-je réserver une leçon ?

Μπορώ να κλείσω ένα   bo·*ro* na *kli*·sso è·na
μάθημα;   *ma*·thi·ma

Où sont les vestiaires ?

Πού είναι τα αποδυτήρια;   pou *i*·nè ta a·po·dhi·*ti*·ri·a

Combien coûte ... ?	Πόσο κοστίζει ...;	*po*·sso ko·*sti*·zi ...
une journée	την ημέρα	tin i·*mè*·ra
un match	το παιγνίδι	to pègH·*ni*·dhi
une heure	την ώρα	tin *o*·ra
une visite	την επίσκεψη	tin è·*pis*·kèp·si
Puis-je louer un/une... ?	Μπορώ να νοικιάσω ...;	bo·*ro* na ni·*kia*·sso ...
ballon	μια μπάλα	mia *ba*·la
bicyclette	ένα ποδήλατο	è·na po·*dhi*·la·to
court	το γήπεδο	to *yi*·pè·dho
raquette	μια ρακέτα	mia ra·*kè*·ta

Où les bons coins se trouvent-ils ?
Πού είναι τα καλά μέρη;   pou *i*·nè ta ka·*la* *mè*·ri

Faut-il un permis de pêche ?
Χρειάζομαι άδεια για   rHri·*a*·zo·mè *a*·dhi·a yia
ψάρεμα;   *psa*·rè·ma

Organisez-vous des excursions "pêche" ?
Κάνετε εκδρομές για   *ka*·nè·tè èk·dhro·*mèss* yia
ψάρεμα;   *psa*·rè·ma

Quel est le meilleur appât ?
Ποιο είναι το καλύτερο   pio *i*·nè to ka·*li*·tè·ro
δόλωμα;   *dho*·lo·ma

Ça mord ?
Τσιμπάει;   tsi·*ba*·i

Quelle espèce de poisson prends-tu ?
Τι ψάρι βγάζεις;   ti *psa*·ri vgHa·ziss

Combien pèse-t-il ?
Πόσο ζυγίζει;   *po*·sso zi·*yi*·zi

appât	δόλωμα n	*dho*·lo·ma
canne à pêche	καλάμι n	ka·*la*·mi
flambeau	φανάρι n	fa·*na*·ri
flotteur	φελλός f	fè·*loss*
hameçon	αγκίστρια n pl	a·*gui*·stri·a
gilet de sauvetage	σωσίβιο n	so·*ssi*·vi·o
ligne	πετονιά f	pè·to·*nia*
plomb	βαρύδια n pl	va·*ri*·dhia

ça ne mord pas ?

La pêche à la dynamite était autrefois un passe-temps populaire en Grèce. Elle est désormais interdite en raison de son impact sur l'environnement. Des panneaux indiquent Απαγορεύεται η χρήση δυναμίτη (dynamite interdite).

équitation

Combien coûte (une) heure d'équitation ?
Πόσο κοστίζει η ιππασία *po·sso kos·ti·zi i i·pa·ssi·a*
(την) ώρα; (tin) *o·ra*

Combien de temps dure la randonnée ?
πόση ώρα διαρκεί η *po·ssi o·ra dhi·ar·ki i*
διαδρομή με το άλογο; dhi·a·dhro·*mi* mè to *a·lo·*gHo

Je (ne) suis (pas) un cavalier expérimenté.
(Δεν) Είμαι πεπειραμένος (dhèn) *i·*mè pè·pi·ra·mè·*noss*
αναβάτης. a·na·*va·*tiss

Puis-je louer une bombe et des bottes ?
Μπορώ να νοικιάσω ένα bo·*ro* na ni·*kia·*sso è·na
καπέλο και μπότες; ka·*pè·*lo kè *bo·*tèss

bride	χαλινάρι n	rHa·li·*na·*ri
cheval	άλογο n	*a·*lo·gHo
course	κούρσα f	*kour·*sa
cravache	μαστίγιο ιππασίας n	mas·*ti·*yi·o i·pa·*ssi·*ass
écurie	στάβλος m	*stav·*loss
étrier	σκάλα f	*ska·*la
galop	τριποδισμός m	tri·po·dhiz·*moss*
galopade	καλπασμός m	kal·paz·*moss*
mors	στομίδα f	sto·*mi·*dha
palefrenier	ιπποκόμος m	i·po·*ko·*moss
pas	βάδισμα n	*va·*dhiz·ma
poney	πουλάρι n	pou·*la·*ri
rênes	γκέμια n pl	*guè·*mia
scelle	σέλλα f	*sè·*la
trot	τροχασμός m	tro·rHaz·*moss*

football

ποδόσφαιρο

Qui joue pour (Iraklis) ?
Ποιος παίζει στον (Ηρακλή);   pioss *pè*·zi ston (i·ra·*kli*)

C'est un grand (joueur).
Είναι μεγάλος (παίχτης).   i·nè mè·*gHa*·loss (*pèrH*·tiss)

Il a fait un super match contre (l'Italie).
Έπαιξε υπέροχα στο ματς   è·pèk·sè i·*pè*·ro·rHa sto mats
εναντίον (της Ιταλίας).   è·na·*di*·on (tiss i·ta·*li*·ass)

Quelle est l'équipe en tête du championnat ?
Ποια ομάδα είναι στην   pia o·*ma*·dha *i*·nè stin
κορυφή της πρώτης εθνικής;   ko·ri·*fi* tiss *pro*·tiss èth·ni·*kiss*

Quelle équipe super/terrible !
Τι μεγάλη/κουρέλα ομάδα!   ti mè·*gHa*·li/kou·rè·la o·*ma*·dha

arbitre	διαιτητής m	dhi·è·ti·*tiss*
ballon	μπάλα f	*ba*·la
but	γκολπόστ n	gol·*post*
carton jaune	κίτρινη κάρτα n	*ki*·tri·ni *kar*·ta
carton rouge	κόκκινη κάρτα f	*ko*·ki·ni *kar*·ta
corner	κόρνερ n	*kor*·nèr
coup franc	φρίκικ n	*fri*·kik
entraîneur	προπονητής m	pro·po·ni·*tiss*
expulsion	αποβολή n	a·po·vo·*li*
faute	φάουλ n	*fa*·oul
gardien de but	γκολκήπερ m	gol·*ki*·pèr
hors-jeu	οφσάιτ n	of·*ssa*·ït
joueur	παίχτης m	*pèrH*·tiss
manager	μάνατζερ m	*ma*·na·dzèr
penalty	πέναλτι n	*pè*·nal·ti
suppléant	αναπληρωματικός m	a·na·pli·ro·ma·ti·*koss*
supporter	οπαδός m	o·pa·*dhoss*

tennis et ping-pong

J'aimerais…	Θα ήθελα να …	tha *i*·thè·la na …
réserver une heure pour jouer	κλείσω ώρα να παίξω	*kli*·sso *o*·ra na *pèk*·sso
jouer au ping-pong	παίξω πινγκ πονγκ	*pèk*·sso ping pong
jouer au tennis	παίξω τένις	*pèk*·sso *tè*·niss

Peut-on jouer de nuit ?

Μπορούμε να παίξουμε τη νύχτα;   bo·*rou*·mè na *pèk*·sou·mè ti *nirH*·ta

Ma raquette a besoin d'être réparée.

Η ρακέτα μου χρειάζεται επισκευή.   i ra·*kè*·ta mou rHri·*a*·zè·tè è·piss·kè·*vi*

ace	άσος m	*a*·ssoss
avantage	πλεονέκτημα n	plè·o·*nèk*·ti·ma
balle de ping-pong	μπαλάκι του πινγκ πονγκ n	ba·*la*·ki tou ping pong
balle de tennis	μπαλάκι του τένις n	ba·*la*·ki tou *tè*·niss
court en dur	σκληρό γήπεδο n	skli·*ro* yi·*pè*·dho
faire un double	παίζουμε ζευγάρια	*pè*·zou·mè zèv·*gHa*·ria
faute	φάουλ n	*fa*·oul
filet	δίχτυ n	*dhirH*·ti
gazon	γρασίδι n	gHra·*ssi*·dhi
jeu, set, match	παιγνίδι, σετ, ματς n	*pègH*·ni·dhi sèt mats
raquette	ρακέτα f	ra·*kè*·ta
servir	σερβ	sèrv
table de ping-pong	τραπέζι του πινγκ πονγκ n	tra·*pè*·zi tou ping pong
terre battue	πήλινη σφαίρα f	*pi*·li·ni *sfè*·ra

sports nautiques

Puis-je louer... ?	Μπορώ να νοικιάσω ...;	bo·ro na ni·kia·sso ...
un bateau	μια βάρκα	mia var·ka
un canoë	ένα κανό	è·na ka·no
une combinaison	αδιάβροχη στολή	a·dhiav·ro·Hi sto·li
un équipement de plongée	μια στολή κατάδυσης	mia sto·li ka·ta·dhi·ssiss
un gilet de sauvetage	ένα σωσίβιο	è·na so·ssi·vi·o
un kayak	ένα καγιάκ	è·na ka·yiak
des skis nautiques	θαλάσσια σκι	tha·la·ssi·a ski

Y a-t-il... ?	Υπάρχουν ...;	i·par·rHoun ...
des rochers	ξέρες	ksè·ress
du courant	δύνες	dhi·nèss
des dangers	θαλάσσιοι κίνδυνοι	tha·la·ssi·i kin·dhi·ni

bateau à moteur	βάρκα με μηχανή f	var·ka mè mi·rHa·ni
bateau à voile	βάρκα με ιστία f	var·ka mè i·sti·a
guide	οδηγός m et f	o·dhi·gHoss
rames	κουπιά n pl	kou·pia
surf (la planche)	σέρφμπορντ n	sèrf·bord
surf (le sport)	σέρφινγκ n	sèr·fing

vague	κύμα n	ki·ma
windsurf	γουιντσέρφινγκ n	gHou·id·sèr·fing

plongée

L'été offre l'opportunité de prendre des leçons de plongée :

Y a-t-il une école de plongée ici ?

Υπάρχει σχολή καταδύσεων εδώ;

i·par·Hi srHo·li ka·ta·dhi·ssè·on è·dho

Donnez-vous des leçons de plongée (en français) ?

Προσφέρετε μαθήματα καταδύσεων (στα Γαλλικά);

pros·fè·rè·tè ma·thi·ma·ta ka·ta·dhi·ssè·on (sta gHa·li·ka)

randonnée

πεζοπορία

Où puis-je... ?	Πού μπορώ να...;	pou bo·*ro* na...
acheter des	αγοράσω	a·gHo·*ra*·sso
provisions	προμήθειες	pro·*mi*·thi·èss
trouver quelqu'un	βρω κάποιον	vro *ka*·pion
qui connaisse	που ξέρει αυτή	pou *ksè*·ri af·*ti*
la région	την περιοχή	tin pè·ri·o·*Hi*
trouver une carte	πάρω ένα χάρτη	*pa*·ro è·na r*Har*·ti
louer un	νοικιάσω	ni·*kia*·sso
équipement	εξοπλισμό για	èk·so·pliz·*mo* yia
de randonnée	πεζοπορία	pè·zo·po·*ri*·a

Quel dénivelé y a-t-il jusqu'en haut ?

Πόσο ψηλό	*po*·sso psi·*lo* ·
είναι το ανέβασμα;	inè to a·*nè*·vaz·ma

Le sentier fait combien de kilomètres ?

Πόσο μακρύ	*po*·sso ma·*kri*
είναι το μονοπάτι;	i·nè to mo·no·*pa*·li

Devons-nous	Χρειάζεται να	rHri·a·*zè*·tè na
emporter... ?	πάρουμε...;	*pa*·rou·mè...
des draps et	σκεπάσματα	skè·*paz*·ma·ta
des couvertures		
de quoi manger	φαγητό	fa·yi·*to*
de l'eau	νερό	nè·*ro*

A-t-on besoin d'un guide ?

Χρειαζόμαστε οδηγό;	rHri·a·*zo*·ma·stè o·dhi·*gHo*

Les circuits sont-ils balisés ?

Υπάρχουν μονοπάτια	i·*par*·rHoun mo·no·*pa*·tia
με σήματα;	mè *si*·ma·ta

Y a-t-il un sentier pour rejoindre (le prophète Ilias) ?

Υπάρχει μονοπάτι για	i·*par*·Hi mo·no·*pa*·ti yia
(τον Προφήτη Ηλία);	(ton pro·*fi*·ti i·*li*·a)

Est-ce sûr ?
Είναι ασφαλές;   *i·*nè as·fa·*lèss*

Est-ce escarpé ?
Είναι απόκρημνο;   *i·*nè a·*po·*krim·no

Y a-t-il des chutes de pierre ?
Πέφτουν πουθενά πέτρες;   *pèf·*toun pou·thè·*na* pèt·rèss

Y a-t-il un refuge quelque part ?
Υπάρχει κανένα καλύβι;   i·*par·*Hi ka·*nè·*na ka·*li·*vi

Quand la nuit tombe-t-elle ?
Πότε σκοτεινιάζει;   *po·*tè sko·ti·*nia·*zi

Le circuit est-il… ?	Είναι ο δρόμος…;	*i·*nè o *dhro·*moss…
(bien)	σημαδεμένος	si·ma·dhè·*mè·*noss
balisé	(καλά)	(ka·*la*)
ouvert	ανοιχτός	a·nirH·*toss*
pittoresque	γραφικός	gHra·fi·*koss*

Quel est le circuit le plus… ?	Ποια είναι η πιο … διαδρομή;	pia *i·*nè i pio … dhi·a·dhro·*mi*
facile	εύκολη	*èf·*ko·li
intéressant	ενδιαφέρουσα	èn·dhia·*fè·*rou·ssa
court	κοντινή	ko·di·*ni*

Où puis-je trouver le/les… ?	Πού μπορώ να βρω το…	pou bo·*ro* na vro to…
terrain de camping	χώρο του κάμπινγκ	*rHo·*ro tou *ka·*bing
village le plus proche	πιο κοντινό χωριό	pio ko·di·*no* rHo·*rio*
douches	ντουζ	douz
toilettes	την τουαλέτα	tin tou·a·*lè·*ta

Par où es-tu venu ?
Από πού ήρθες;   a·*po* pou *ir·*thèss

Combien de temps as-tu mis ?
Πόση ώρα σου πήρε;   *po·*ssi *o·*ra sou pi·*rè*

Ce sentier va-t-il… ?
Πηγαίνει αυτό το μονοπάτι στο…;   pi·*yè·*ni af·*to* to mo·no·*pa·*ti sto…

Puis-je passer par ici ?

Μπορώ να πάω μέσα   bo·ro na pa·o mè·ssa
από εδώ;   a·po è·dho

Peut-on boire l'eau sans problème ?

Είναι εντάξει το νερό   i·nè è·dak·si to nè·ro
για να πιω;   yia na pio

Je suis perdu(e).

Χάθηκα.   rHa·thi·ka

plage

παραλία

Où est la plage… ?	Πού είναι η …	pou i·nè i …
	παραλία;	pa·ra·li·a
la plus agréable	καλύτερη	ka·li·tè·ri
la plus proche	κοντινότερη	ko·di·no·tè·ri
publique	δημόσια	dhi·mo·ssi·a

Où se trouve la plage des nudistes ?

Πού είναι η πλαζ γυμνιστών;   pou i·nè i plaz yim·ni·ston

Est-ce payant ?

Πρέπει να πληρώσουμε;   prè·pi na pli·ro·ssou·mè

Peut-on plonger/nager ici sans danger ?

Είναι ασφαλές να κάμω   i·nè as·fa·lèss na ka·mo
βουτιές/κολυμπήσω εδώ;   vou·tièss/ko·li·bi·sso è·dho

parler local

Είναι επικίνδυνο!
   i·nè è·pi·kin·dhi·no   **C'est dangereux !**

Πρόσεχε το υπόγειο ρεύμα!
   pro·ssè·Hè to i·po·yi·o rèv·ma   **Attention aux courants !**

activités de plein air

153

panneaux		
Απαγορεύεται το κολύμπι	a·pa·gHo·*rè*·vè·tè to ko·*li*·bi	Interdit de nager
Απαγορεύονται οι βουτιές	a·pa·gHo·*rè*·vo·dè i vou·*tièss*	Interdit de plonger

Y a-t-il... ?	Υπάρχουν...;	i·*par*·rHoun...
des courants	ρεύματα	*rèv*·ma·ta
des méduses	μέδουσες	*mè*·dhou·ssèss
des rochers	βράχια	*vra*·Hia
des oursins	αχινοί	a·Hi·*ni*

Combien coûte un/une... ?	Πόσο για μια...;	*po*·sso yia mia...
transat	καρέκλα	ka·*rè*·kla
cabine	καλύβα	ka·*li*·va
parasol	ομπρέλα	o·*brè*·la

météo

καιρός

Quel temps fait-il ?
Πώς είναι ο καιρός;   poss *i*·nè o kè·*ross*

Quel temps fera-t-il demain ?
Πώς θα είναι ο   poss tha *i*·nè o
καιρός αύριο;   kè·*ross* av·ri·o

C'est/Il fait...	Είναι...	*i*·nè...
nuageux	συννεφιά	si·nè·*fia*
sec	ξηρασία	ksi·ra·*ssi*·a
beau	καλός καιρός	ka·*loss* kè·*ross*
froid	παγωνιά	pa·gHo·*nia*
humide	υγρασία	i·gHra·*ssi*·a
doux	μαλακός καιρός	ma·la·*koss* kè·*ross*
ensoleillé	λιακάδα	lia·*ka*·dha

154

Il...		
pleut	Βρέχει.	*vrè*·Hi
neige	Χιονίζει.	Hio·*ni*·zi
fait du vent	Φυσάει.	fi·*ssa*·i
tombe des gouttes	Ψιχαλίζει.	psi·rHa·*li*·zi

Il fait...	Κάνει...	*ka*·ni...
froid	κρύο	*kri*·o
très chaud	πολλή ζέστη	po·*li* zè·sti
chaud	ζέστη	zè·sti

Où puis-je acheter un... ?	Πού μπορώ να αγοράσω...;	pou bo·*ro* na a·gHo·*ra*·sso...
imperméable	ένα αδιάβροχο	*è*·na a·*dhiav*·ro·rHo
parapluie	μια ομπρέλα	mia o·*brè*·la

temps locaux

canicule	καύσωνας m	*kaf*·so·nass
meltème (vent d'été)	μελτέμι n	mèl·*tè*·mi
vent du nord-est	βαρδάρης m	var·*dha*·riss
orage	καταιγίδα f	ka·tè·*yi*·dha

faune et flore

χλωρίδα και πανίδα

Quel(le) est cet(te)... ?	Τι ... είναι εκείνο;	ti ... *i*·nè è·*ki*·no
animal	ζώο	zo·o
fleur	λουλούδι	lou·*lou*·dhi
plante	φυτό	fi·*to*
arbre	δέντρο	*dhè*·dro

À quoi est-ce employé ?
Σε τι χρησιμοποιείται;　　　sè ti rHri·ssi·mo·pi·*i*·tè

Peut-on manger le fruit ?
Μπορείς να φας τον καρπό;　　bo·*riss* na fass ton kar·*po*

Est-ce... ?	Είναι...;	*i*·nè...
courant	κοινό	ki·*no*
dangereux	επικίνδυνο	è·pi·*kin*·dhi·no
en voie de disparition	υπό εξαφάνιση	i·*po* èk·sa·*fa*·ni·ssi
vénéneux	δηλητηριώδες	dhi·li·ti·ri·*o*·dhèss
protégé	προστατευόμενο	pro·sta·tè·*vo*·mè·no

basilic	βασιλικός m	va·ssi·li·*koss*
caroube	χαρούπι n	rHa·*rou*·pi
dauphin	δελφίνι n	dhèl·*fi*·ni
faucon	γεράκι n	yè·*ra*·ki
figue	σύκο n	*si*·ko
fleurs sauvages	αγριολούλουδα n pl	a·gHri·o·*lou*·lou·dha
hirondelle	χελιδόνι n	Hè·li·*dho*·ni
lézard	σαύρα f	*sav*·ra
lys	κρίνος m	*kri*·noss
mouette	γλάρος m	gHla·ross
œillet	γαρύφαλο n	gHa·*ri*·fa·lo
olive	ελιά f	è·*lia*
orchidée	ορχιδέα f	or·Hi·*dhè*·a
pélican de Dalmatie	Δαλματικός πελεκάνος m	dhal·ma·ti·*koss* pè·lè·*ka*·noss
phoque	φώκια f	*fo*·kia
pin	πεύκο n	*pèf*·ko
rose	τριαντάφυλλο n	tri·a·*da*·fi·lo
serpent	φίδι n	*fi*·dhi
tortue de mer	θαλάσσια χελώνα f	tha·*la*·ssi·a Hè·*lo*·na

vocabulaire de base

βασικά

petit déjeuner	πρόγευμα n	*pro*·yèv·ma
déjeuner	γεύμα n	*yèv*·ma
dîner	δείπνο n	*dhip*·no
en-cas/mezzés	μεζεδάκι n	mè·zè·*dha*·ki
manger	τρώω	*tro*·o
boire	πίνω	*pi*·no
Je voudrais…	Θα ήθελα …	tha *i*·thè·la …
S'il vous plaît.	Παρακαλώ.	pa·ra·ka·*lo*
Merci.	Ευχαριστώ.	èf·rHa·ri·*sto*
Je meurs de faim !	Πεινώ τρομερά!	pi·*no* tro·mè·*ra*
Bon appétit.	Καλή όρεξη.	ka·*li* o·rèk·si

habitudes locales

Pour le petit déjeuner, les Grecs prennent d'ordinaire une tasse de thé, de café ou de lait chaud avec des φρυγανιά fri·gHa·*nia* (biscottes). En dehors de chez eux, ils préfèreront un τυρόπιτα ti·*ro*·pi·ta (feuilleté au fromage) ou un σπανακόπιτα spa·na·*ko*·pi·ta (feuilleté aux épinards).

Le principal repas de la journée, le déjeuner, se prend en début d'après-midi, avant la απογευματινός ύπνος a·po·yèv·ma·ti·*noss* ip·noss (sieste). Il se compose souvent d'un plat de viande accompagné de riz, de pâtes ou de pommes de terre, ou d'un poisson avec une salade. Les légumes secs, tels que les φακές fa·*kèss* (lentilles) et les φασολάδα fa·sso·*la*·dha (haricots secs), sont surtout consommés en hiver.

Le dîner, léger, se prend souvent après 21h. Les desserts sont rares. On leur préfère généralement des fruits de saison.

où se restaurer

βρίσκοντας κάπου για φαγητό

Pourrais-tu me recommander un… ?	Μπορείς να συστήσεις ένα…;	bo·*riss* na si·*sti*·ssiss è·na…
bar	μπαρ	bar
café	καφεστιατόριο	ka·fè·sti·a·*to*·ri·o
restaurant	ρεστωράν	rè·sto·*rann*
Où irais-tu pour… ?	Πού θα πήγαινες για…;	pou tha *pi*·yè·nèss yia…
une fête	μια γιορτή	mia yior·*ti*
un repas bon marché	ένα φτηνό γεύμα	è·na fti·*no* *yèv*·ma
manger des spécialités	τοπικές λιχουδιές	to·pi·*kèss* li·rHou·*dhièss*
Je voudrais réserver une table pour…	Θα ήθελα να κρατήσω ένα τραπέζι για…	tha *i*·thè·la na kra·*ti*·sso è·na tra·*pè*·zi yia…
(2) personnes	(δύο) άτομα	(*dhi*·o) *a*·to·ma
(20)h	στις (οχτώ)	stiss (orH·*to*)

parler local

Δεν υπάρχει άδειο τραπέζι. dhèn i·*par*·Hi *a*·dhio tra·*pè*·zi	C'est complet.
Κλείσαμε. *kli*·ssa·mè	C'est fermé.
Μια στιγμή. mia stigH·*mi*	Un moment.
Πού θα θέλατε να καθίσετε; pou tha *thè*·la·tè na ka·*thi*·ssè·tè	Où aimeriez-vous vous asseoir ?
Τι μπορώ να σας φέρω; ti bo·*ro* na sass *fè*·ro	Que désirez-vous ?
Ορίστε! o·*ri*·stè	Voilà.

À TABLE

158

Je voudrais..., s'il vous plaît.	Θα ήθελα …, παρακαλώ.	tha *i·*thèla … pa·ra·ka·*lu*
un menu enfant	ένα μενού για παιδιά	è·na mè·*nou* yia pè·*dhia*
la carte des boissons	τον κατάλογο με τα ποτά	ton ka·*ta·*lo·gHo mè la po·*ta*
une demi-portion	μισή μερίδα	mi·*ssi* mè·*ri·*dha
un menu (en français)	ένα μενού (στα γαλλικά)	è·na mè·*nou* (sta gHa·li·*ka*)
un assortiment	μια ποικιλία	mia pi·ki·*li·*a
être en non-fumeur	στους μη καπνίζοντες	stouss mi kap·*ni·*zo·dèss
fumeur	στους καπνίζοντες	stouss kap·*ni·*zo·dèss
une table pour (5)	ένα τραπέζι για (πέντε)	è·na tra·*pè·*zi yia (pè·dè)
une table en extérieur	ένα τραπέζι έξω	è·na tra·*pè·*zi èk·so

Servez-vous encore ?

Σερβίρετε ακόμη φαγητό;   sèr·*vi·*rè·tè a·*ko·*mi fa·yi·*to*

Combien de temps devrons-nous attendre ?

Πόση ώρα θα περιμένουμε;   *po·*ssi *o·*ra tha pè·ri·*mè·*nou·mè

𝕫𝕫𝕫𝕫𝕫𝕫𝕫𝕫𝕫𝕫

ouzéria, tavernes et autres établissements

Un lieu précis correspond à chaque moment de la journée et à chaque type de collation. Un café se boit dans un καφενείο ka·fè·*ni·*o, tandis qu'un ouzo se sirote en mangeant des mezzés dans un ουζερί ou·zè·ri.

καφετηρία f	ka·fè·ti·*ri·*a	cafétéria
καφενείο n	ka·fè·*ni·*o	café
ψησταριά f	psis·ta·*ria*	rôtisserie
φαστφουντάδικο n	fast·fou·*da·*dhi·ko	fast-food
ουζερί n	ou·zè·*ri*	ouzéri
οινοπωλείο n	i·no·po·*li·*o	cave à vin
ταβέρνα f	ta·*vèr·*na	taverne

se restaurer

au restaurant

Que me recommandes-tu ?
Τι θα συνιστούσες; ti tha si·ni·*stou*·ssèss

Qu'avez-vous aujourd'hui ?
Τι έχετε σήμερα; ti è·Hè·tè si·mè·ra

Comment cela s'appelle-t-il ?
Πώς το λένε αυτό; poss to *lè*·nè af·*to*

Que contient ce plat ?
Τι περιέχει αυτό το φαγητό; ti pè·ri·è·Hi af·*to* to fa·yi·*to*

Je voudrais ceci.
Θα πάρω αυτό. tha *pa*·ro af·*to*

Πώς θα το θέλατε ψημένο; poss tha to *thè*·la·tè psi·*mè*·no	**Quelle cuisson désirez-vous ?**
Σας αρέσει...; sass a·*rè*·ssi...	**Aimez-vous... ?**
Συνιστώ... si·ni·*sto*...	**Je vous suggère...**

Est-ce salé ou sucré ?
Είναι πικάντικο ή γλυκό;   *i*·nè pi·*ka*·di·ko i gHli·*ko*

Je le voudrais chaud.
Θα το ήθελα ζεστό,   tha to *i*·thè·la zè·*sto*
παρακαλώ.   pa·ra·ka·*lo*

Est-ce long à préparer ?
Θα αργήσει να ετοιμαστεί;   tha ar·*yi*·ssi na è·ti·ma·*sti*

Est-ce un self-service ?
Είναι σελφ σέρβις;   *i*·nè sèlf *sèr*·viss

Y a-t-il un supplément ?
Υπάρχει προσαύξηση τιμής;   i·*par*·Hi pro·*ssaf*·ksi·ssi ti·*miss*

Le service est-il inclus ?
Συμπεριλαμβάνεται   si·bè·ri·lamm·*va*·nè·tè
και η εξυπηρέτηση στο   kè i èk·si·pi·*rè*·ti·ssi sto
λογαριασμό;   lo·gHa·riaz·*mo*

Est-ce offert par la maison ?
Είναι αυτά δωρεάν;   *i*·nè af·*ta* dho·rè·*an*

Combien cela coûte-t-il ?
Πόσο κάνει αυτό;   *po*·sso *ka*·ni af·*to*

Je voudrais...	Θα ήθελα...	tha *i*·thè·la...
du poulet	το κοτόπουλο	to ko·*to*·pou·lo
une spécialité	μια τοπική	mia to·pi·*ki*
locale	λιχουδιά	li·rHou·*dhia*
un repas	ένα λουκούλλειο	*è*·na lou·*kou*·li·o
sompteux	γεύμα	*yèv*·ma
le menu	το μενού	to mè·*nou*
un sandwich	ένα σάντουιτς	*è*·na *sa*·dou·its
ce plat-là	εκείνο το φαγητό	*è·ki*·no to fa·yi·*to*

les plats les plus courants

Ορεκτικά	o·rèk·ti·*ka*	amuse-gueule
Σούπες	sou·pèss	soupe
Προδόρπια	pro·*dhor*·pi·a	entrées
Σαλάτες	sa·*la*·tèss	salades
Κύρια φαγητά	*ki*·ri·a fa·yi·*ta*	plats principaux
Ψητά της ώρας	psi·*ta* tiss o·rass	poissons frais grillés
Μαγειρεμένα φαγητά	ma·yi·rè·*mè*·na fa·yi·ta	plats tout préparés
Μακαρόνια	ma·ka·*ro*·nia	pâtes
Ψάρια	psa·ria	poissons
Θαλασσινά	tha·la·ssi·*na*	fruits de mer
Επιδόρπια	è·pi·*dhor*·pi·a	desserts
Ποτά	po·*ta*	boissons
Απεριτίφ	a·pè·ri·*tif*	apéritifs
Αναψυκτικά	a·nap·sik·ti·*ka*	rafraîchissements
Οινοπνευματώδη ποτά	i·nop·*nèv*·ma·*to*·dhi po·*ta*	spiritueux
Μπύρες	*bi*·rèss	bières
Σαμπάνια	sam·*pa*·nia	champagne
Άσπρο κρασί	*as*·pro kra·*ssi*	vin blanc
Κόκκινο κρασί	*ko*·ki·no kra·*ssi*	vin rouge
Επιδόρπια κρασιά	è·pi·*dhor*·pi·a kra·*ssia*	vins doux
Ρετσίνα	rèt·*si*·na	retsina (vin résiné)
Χωνευτικά	rHo·*nèf*·ti·*ka*	digestifs

Ces quelques plats sont idéaux pour combler un petit creux dans la rue :

κουλούρι n	kou·*lou*·ri	*koulouri* (sorte de bretzel)
γύρος m	yi·ross	viande grillée
πασατέμπο n	pa·ssa·*tè*·bo	cacahuètes
σουβλάκι n	souv·*la*·ki	brochette de viande
σπανακόπιτα f	spa·na·*ko*·pi·ta	feuilleté aux épinards
τυρόπιτα f	ti·*ro*·pi·ta	feuilleté au fromage
ψημένα κάστανα n pl	psi·*mè*·na *ka*·sta·na	marrons grillés
ψημένο καλαμπόκι n	psi·*mè*·no ka·la·*bo*·ki	maïs grillé

Je le voudrais avec (du, de la, de l', des)/ sans...	Θα το ήθελα με/ χωρίς...	tha to *i*·thè·la mè/ rHo·*riss*...
ail	σκόρδο	*skor*·dho
épices	πιπεριά	pi·pè·*ria*
fromage	τυρί	ti·*ri*
huile	λάδι	*la*·dhi
ketchup	σάλτσα	*salt*·sa
noix	καρύδια	ka·*ri*·dhia
poivre	πιπέρι	pi·*pè*·ri
sauce épicée	σάλτσα πιπεριάς	*salt*·sa pi·pè·*riass*
sauce tomate	σάλτσα ντομάτας	*salt*·sa do·*ma*·tass
sel	αλάτι	a·*la*·ti
vinaigre	ξύδι	*ksi*·dhi

Vous trouverez d'autres termes dans le **lexique culinaire**, p. 175. Pour les plats spécifiques, reportez-vous au chapitre **végétariens/régimes spéciaux**, p. 173.

à table

S'il vous plaît, pourrait-on avoir...	Παρακαλώ φέρε...	pa·ra·ka·lo fè·rè...
l'addition	το λογαριασμό	to lo·gHa·riaz·mo
une nappe	ένα τραπεζομάντηλο	è·na tra·pè·zo·ma·di·lo
un verre	ένα ποτήρι	è·na po·ti·ri
une serviette	μια πετσέτα	mia pèt·sè·ta
un verre à vin	ένα ποτήρι κρασιού	è·na po·ti·ri kra·ssiou

C'est...	Αυτό είναι ...	af·to i·nè...
(trop) froid	(πολύ) κρύο	(po·li) kri·o
épicé	πιπεράτο	pi·pè·ra·to
excellent	καταπληκτικό	ka·ta·plik·ti·ko

Il y a une erreur dans l'addition.
Υπάρχει κάποιο λάθος στο λογαριασμό.
i·par·Hi ka·pio la·thoss sto lo·gHa·riaz·mo

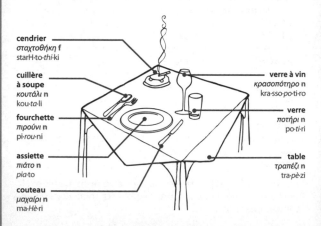

cendrier
σταχτοθήκη f
starH·to·*thi*·ki

cuillère à soupe
κουτάλι n
kou·*ta*·li

fourchette
πιρούνι n
pi·*rou*·ni

assiette
πιάτο n
pia·to

couteau
μαχαίρι n
ma·*Hè*·ri

verre à vin
κρασοπότηρο n
kra·sso·*po*·ti·ro

verre
ποτήρι n
po·*ti*·ri

table
τραπέζι n
tra·*pè*·zi

parler gastronomie

J'adore ce plat.
Μου αρέσει πολύ αυτό   mou a·rè·ssi po·li af·to
το φαγητό.   to fa·yi·to

J'aime beaucoup la cuisine locale.
Μου αρέσει η τοπική κουζίνα.   mou a·rè·ssi i to·pi·ki kou·zi·na

C'était délicieux !
Ήταν νοστιμότατο!   i·tann no·sti·mo·ta·to

Mes compliments au chef.
Τα συγχαρητήριά μου στο σεφ.   ta sinn·rHa·ri·ti·ri·a mou sto sèf

cuissons et préparations

Je le voudrais… Je ne le veux pas…	Θα το ήθελα… Δεν το θέλω…	tha to i·thè·la… dhèn to thè·lo…
bouilli	βρασμένο	vraz·mè·no
passé au gril	ψημένο στη σχάρα	psi·mè·no sti srHa·ra
sauté	τηγανισμένο σε καυτό λίπος	ti·gHa·niz·mè·no sè kaf·to li·poss
frit	τηγανητό	ti·gHa·ni·to
grillé	στα κάρβουνα	sta kar·vou·na
en purée	πουρέ	pou·rè
réchauffé	ξαναζεσταμένο	ksa·na·zè·sta·mè·no
cuit à la vapeur	βρασμένο στον ατμό	vraz·mè·no stonn at·mo

vous l'aimez		
à point	ψημένο	psi·mè·no
	κανονικά	ka·no·ni·ka
salgnant	μισοψημένο	mi·ssop·si·mè·no
bien cuit	καλοψημένο	ka·lop·si·mè·no

se restaurer

165

boissons non alcoolisées

eau minérale...	... μεταλλικό νερό n	... mè·ta·li·ko nè·ro
gazeuse	γαζόζα	gHa·zo·za
plate	χωρίς ανθρακικό	rHo·riss an·thra·ki·ko
eau (chaude)	(ζεστό) νερό n	(zè·sto) nè·ro
eau en bouteille	εμφιαλωμένο νερό n	èm·fi·a·lo·mè·no nè·ro
eau du robinet	νερό βρύσης n	nè·ro vri·ssiss
chocolat chaud	ζεστό κακάο n	zè·sto ka·ka·o
jus de pomme	χυμός μήλου m	Hi·moss mi·lou
jus d'orange	χυμός πορτοκάλι m	Hi·moss por·to·ka·li
infusion	τσάι από βότανα n	tsa·ï a·po vo·ta·na
rafraîchissement	αναψυκτικό n	a·nap·sik·ti·ko
thé	τσάι n	tsa·ï
(tasse de) thé	(ένα φλυτζάνι) τσάι n	(è·na fli·dza·ni) tsa·ï
(tasse de) café	(ένα φλυτζάνι) καφέ m	(è·na fli·dza·ni) ka·fè
avec du lait	με γάλα	mè gHa·la
avec du citron	με λεμόνι	mè lè·mo·ni
avec du sucre	με ζάχαρη	mè za·rHa·ri
sans sucre	χωρίς ζάχαρη	rHo·riss za·rHa·ri

à l'heure du café

noir	χωρίς γάλα	rHo·riss gHa·la
décaféiné	χωρίς καφεΐνη	rHo·riss ka·fè·ï·ni
grec	ελληνικός	è·li·ni·koss
frappé	φραπέ	fra·pè
instantané	στιγμιαίος	stigH·mi·è·oss
moyennement sucré	μέτριος	mè·tri·oss
sans sucre	σκέτος	skè·toss
fort	δυνατός	dhi·na·toss
sucré	γλυκός	gHli·koss
léger	ελαφρύς	è·la·friss
au lait	με γάλα	mè gHa·la

À TABLE

κουμανταρία f	kou·ma·da·*ri*·a	vin traditionnel de Chypre
ζιβανία f	zi·va·*ni*·a	apéritif chypriote à base de raisin
ούζο n	ou·zo	alcool de raisln aromatisé à l'anis
ρετσίνα f	rèt·*si*·na	vin résiné servi froid
τσίπουρο n	*tsi*·pou·ro	alcool de raisin très fort
τσικουδιά f	tsi·kou·*dhia*	version crétoise du τσίπουρο

boissons alcoolisées

οινοπνευματώδη ποτά

Il vous suffira, pour commander dans un bar, de nommer la boisson que vous désirez : μία μπύρα *mi*·a *bi*·ra (une bière) ou ένα ούζο *è*·na ou·zo (un ouzo), par exemple. Pour la bière, on vous demandera : μεγάλη η μικρή mè–*gHa*·li i mi-*krI* (grande ou petite ?). Les grandes bières font 50 cl, les petites 25 cl. Le vin en tonneau se commande à la bouteille ou au kilo, et non au litre. On dira ένα κιλό *è*·na ki-*lo* (un kilo) ou μισό κιλό mi-*sso* ki-*lo* (un demi-kilo).

bière	μπύρα f	*bi*·ra
brandy	μπράντι n	*bran*·di
champagne	σαμπάνια f	sam·*pa*·nia
cocktail	κοκτέηλ n	kok·*tè*·ïl
gin	τζιν n	dzin
rhum	ρούμι n	*rou*·mi
whisky	ουίσκι n	ou·*i*·ski
tequila	τεκίλα f	tè·*ki*·la
vodka	βότκα f	*vot*·ka

se restaurer

167

une bouteille/	ένα μπουκάλι/	è·na bou·*ka*·li/
un verre de vin	ποτήρι ... κρασί n	po·*ti*·ri ... kra·*ssi*
sucré	επιδόρπιο	è·pi·*dhor*·pi·o
sec	ξηρό	ksi·*ro*
rouge	κόκκινο	*ko*·ki·no
rosé	ροζέ	ro·*zè*
pétillant	σαμπάνια	sam·*pa*·nia
doux	γλυκό	gHli·*ko*
blanc	άσπρο	*a*·spro
un/une...	ένα...	è·na...
verre	ποτήρι	po·*ti*·ri
grand verre	μεγάλο ποτήρι	mè·*gHa*·lo po·*ti*·ri
petite bouteille	μικρό μπουκάλι	mi·*kro* bou·*ka*·li
grande bouteille	μεγάλο μπουκάλι	mè·*gHa*·lo bou·*ka*·li
carafe	καράφα	ka·*ra*·fa
canette	κανάτα	ka·*na*·ta

au bon coin

Des adresses spécialisées vous permettront de partir à la découverte de la gastronomie traditionnelle grecque. Sachez que les boulangeries des villages s'appellent **φούρνο** *four*-no parce qu'elles mettent à la disposition des habitants un four où faire cuire les grandes tourtes familiales.

αρτοποιείο/	ar·to·pi·*i*·o/	boulangerie
φούρνο n	*four*-no	
ζαχαροπλαστείο n	za·rHa·ro·pla·*sti*·o	pâtisserie
φαστφουντάδικο n	fast·fou·*da*·dhi·ko	fast-food
καντίνα f	kan·*ti*·na	cantine
σουβλατζίδικο n	souv·lat·*zi*·dhi·ko	kebab et souvlaki
τυροπωλείο n	ti·ro·po·*li*·o	crèmerie
ψαροταβέρνα f	psa·ro·ta·*vèr*·na	taverne de poisson

À TABLE

au bar

Excuse-moi !
Συγνώμη!   sigH·*no*·mi

Je vais prendre…
Θα πάρω…   tha *pa*·ro…

La même chose, s'il vous plaît.
Από τα ίδια, παρακαλώ.   a·*po* ta *i*·dhia pa·ra·ka·*lo*

Sans glace, s'il vous plaît.
Όχι πάγο, ευχαριστώ.   o·Hi *pa*·gHo èf·rHa·ri·*sto*

C'est moi qui régale.
Θα σε κεράσω εγώ.   tha sè kè·*ra*·sso è·*gHo*

Qu'est-ce que tu voudrais ?
Τι θα ήθελες;   ti tha *i*·thè·lèss

Je ne bois pas d'alcool.
Δεν πίνω αλκοόλ.   dhèn *pi*·no al·ko·*ol*

C'est ma tournée.
Είναι η σειρά μου.   *i*·nè i ṣi·*ra* mou

Combien cela coûte-t-il ?
Πόσο κάνει αυτό;   *po*·sso *ka*·ni af·*to*

Servez-vous des repas ?
Σερβίρετε φαγητό εδώ;   sèr·*vi*·rè·tè fa·yi·*to* è·*dho*

---

parler local

Τι θα πάρεις;
ti tha *pa*·riss   **Qu'est-ce que tu prends ?**

Νομίζω ήπιες αρκετά.
no·*mi*·zo *i*·pièss ar·*kè*·ta   **Je crois que tu as assez bu.**

Τελευταίες παραγγελίες.
tè·lèf·*tè*·èss pa·ra·guè·*li*·èss   **Dernières commandes.**

Τα ποτά τα κερνάει το κατάστημα.
ta po·*ta* ta kèr·*na*·ï
to ka·*ta*·sti·ma   **C'est la maison qui régale.**

se restaurer

169

boire un verre

Santé !
Εις υγείαν!   is i·*yi*·an

Je suis en pleine forme !
Είμαι στα κέφια μου!   *i*·mè sta *kè*·fia mou

Je crois que j'ai trop bu.
Νομίζω ήπια παραπάνω.   no·*mi*·zo i·pia pa·ra·*pa*·no

Je suis soûl(e).
Μέθυσα.   *mè*·thi·ssa

Je suis complètement soûl(e).
Είμαι σκνίπα στο μεθύσι.   *i*·mè *skni*·pa sto mè·*thi*·ssi

Je ne me sens pas bien.
Δεν αισθάνομαι καλά.   dhèn ès·*tha*·no·mè ka·*la*

Où sont les toilettes ?
Πού είναι η τουαλέτα;   pou *i*·nè i tou·a·*lè*·ta

Je suis fatigué/fatiguée, je ferais mieux de rentrer.
Είμαι κουρασμένος/   *i*·mè kou·raz·*mè*·noss/
κουρασμένη, καλύτερα   kou·raz·*mè*·ni ka·*li*·tè·ra
να πάω σπίτι. m/f   na *pa*·o *spi*·ti

Peux-tu m'appeler un taxi ?
Μπορείς να μου καλέσεις   bo·*riss* na mou ka·*lè*·ssiss
ένα ταξί;   *è*·na tak·*si*

Je crois que tu ne devrais pas conduire.
Νομίζω ότι δεν πρέπει να   no·*mi*·zo o·ti dhèn *prè*·pi na
οδηγήσεις.   o·dhi·*yi*·ssiss

---

attention au décor

En Grèce, le βασιλικός va·ssi·li·*koss* (basilic) est utilisé comme plante d'agrément et rarement comme herbe aromatique. Il est donc assez mal vu de le cueillir pour le manger.

Quelles sont les spécialités locales ?
Ποιες είναι οι τοπικές   pièss *i*·nè i to·pi·*kèss*
λιχουδιές;   li·rHou·*dhièss*

Qu'est-ce que c'est ?
Τι είναι εκείνο;   ti *i*·nè è·*ki*·no

Puis-je goûter ?
Μπορώ να το δοκιμάσω;   bo·*ro* na to dho·ki·*ma*·sso

Pourrais-je avoir un sac, s'il vous plaît ?
Μπορώ να έχω μια   bo·*ro* na è·rHo mia
σακούλα, παρακαλώ;   sa·*kou*·la pa·ra·ka·*lo*

Combien coûte (un kilo de fromage) ?
Πόσο κάνει (ένα κιλό τυρί);   *po*·sso *ka*·ni (è·na ki·*lo* ti·*ri*)

J'en/Je voudrais...   Θα ήθελα...   tha *i*·thè·la...
(3) morceaux   (τρία) κομμάτια   (*tri*·a) ko·*ma*·tia
(6) tranches   (έξι) φέτες   (èk·si) *fè*·tèss
celui-là   εκείνο   è·*ki*·no
cela   αυτό   af·*to*

Moins.   Πιο λίγο.   pio *li*·gHo
Un peu plus.   Λιγάκι πιο πολύ.   li·*gHa*·ki pio po·*li*
Ça suffit.   Αρκετά.   ar·kè·*ta*

Pour les quantités, reportez-vous à **nombres et quantités**, p. 35.

Pour les quantités, reportez-vous à **nombres et quantités**, p. 35.

---

parler local

Δεν υπάρχει άλλο.
    dhèn i·*par*·Hi *a*·lo   **Il n'y en a pas d'autre.**

Μπορώ να σας βοηθήσω;
    bo·*ro* na sass vo·ï·*thi*·sso   **Puis-je vous aider ?**

Τι θα θέλατε;
    ti tha *thè*·la·tè   **Que voudriez-vous ?**

Τίποτε άλλο;
    ti·po·tè *a*·lo   **C'est tout ?**

cuisiner

cru	ωμό	o·*mo*
cuisiné	μαγειρεμένο	ma·yi·rè·*mè*·no
frais	φρέσκο	*frè*·sko
frit	ψητό	psi·*to*
fumé	καπνιστό	kap·ni·*sto*
grillé	στα κάρβουνα	sta *kar*·vou·na
séché	ξηρό	ksi·*ro*
surgelé	κατεψυγμένο	ka·tèp·sigH·*mè*·no
salé	πικάντικο	pi·*ka*·di·ko
salé (salaison)	παστό	pa·*sto*
sucré	γλυκό	gHli·*ko*

Auriez-vous … ?	Έχετε κάτι…;	è·Hè·tè *ka*·ti…
quelque chose de moins cher	πιο φτηνό	pio fti·*no*
quelque chose d'autre	διαφορετικό	dhia·fo·rè·ti·*ko*

Où puis-je trouver le rayon… ?	Πού μπορώ να βρω το μέρος με …;	pou bo·*ro* na vro to *mè*·ross mè …
fruits et légumes	τα φρούτα και τα λαχανικά	ta *frou*·ta kè ta la·rHa·ni·*ka*
fruits de mer	τα θαλασσινά	ta tha·la·ssi·*na*
pain	το ψωμί	to pso·*mi*
produits laitiers	τα γαλακτικά	ta gHa·lak·ti·*ka*
poissonnerie	τα ψάρια	ta *psa*·ria
surgelés	τα κατεψυγμένα	ta ka·tèp·sigH·*mè*·na
viande	το κρέας	to *krè*·ass
volaille	τα πουλερικά	ta pou·lè·ri·*ka*

Puis-je s'il vous plaît emprunter… ?	Μπορώ παρακαλώ να δανειστ …;	bo·*ro* pa·ra·ka·*lo* na dha·ni·*sto*…
J'ai besoin d'…	Χρειάζομαι…	rHri·*a*·zo·mè…
une planche à découper	μια σανίδα κοπής	mia sa·*ni*·dha ko·*piss*
une poêle à frire	ένα τηγάνι	è·na ti·*gHa*·ni
un couteau	ένα μαχαίρι	è·na ma·*Hè*·ri
une casserole	μια κατσαρόλα	mia kat·sa·*ro*·la

Vous trouverez d'autres noms d'ustensiles dans le **dictionnaire**.

commander

		παραγγέλλοντας φαγητό
Avez-vous des aliments... ?	Έχετε φαγητό...;	è·Hè·tè fa·yi·to...
halal	χαλάλ	rHa·lal
kasher	κόσια	ko·ssi·a
à base de sucres lents	Σαρακοστιανό	sa·ra·ko·stia·no
à base de légumes secs	με όσπρια	mè os·pri·a
végétariens	για χορτοφάγους	yia rHor·to·fa·gHouss

Y a-t-il un restaurant ... près d'ici ?		
	Υπάρχει ένα εστιατόριο ... εδώ κοντά;	i·par·Hi è·na è·sti·a·to·ri·o ... è·dho ko·da

Est-ce cuit dans/avec... ?		
	Είναι μαγειρεμένο σε/με...;	i·nè ma·yi·rè·mè·no sè/mè...

Pourriez-vous préparer un repas sans... ?		
	Μπορείτε να κάνετε φαγητό χωρίς...;	bo·ri·tè na ka·nè·tè fa·yi·to rHo·riss...

Je ne mange pas de/d'...	Δεν τρώω...	dhèn tro·o...
beurre	βούτυρο	vou·ti·ro
œufs	αβγά	av·gHa
poisson	ψάρι	psa·ri
bouillon de poisson	ζουμί από ψάρι	zou·mi a·po psa·ri
agneau	αρνί	ar·ni
viande (rouge)	(κόκκινο) κρέας	(ko·ki·no) krè·ass
bouillon de viande	ζουμί από κρέας	zou·mi a·po krè·ass
huile	λάδι	la·dhi
olives	ελιές	è·lièss
porc	χοιρινό	Hi·ri·no
volaille	πουλερικά	pou·lè·ri·ka

173

Est-ce… ?	Είναι αυτό …;	i·nè af·to …
décaféiné	χωρίς καφεΐνη	rHo·riss ka·fè·ï·ni
sans gluten	χωρίς γλουτένη	rHo·riss gHlou·tè·ni
faible en matières grasses	χαμηλό σε λίπος	rHa·mi·lo sè li·poss
faible en sucre	χαμηλό σε ζάχαρη	rHa·mi·lo sè za·rHa·ri
bio	οργανικό	or·gHa·ni·ko
sans sel	χωρίς αλάτι	rHo·riss a·la·ti

allergies et régimes spéciaux

ειδική δίαιτα και αλλεργίες

Je suis un régime spécial.
Κάνω ειδική δίαιτα.   *ka·no i·dhi·ki dhi·è·ta*

Je suis allergique au/aux …	Είμαι αλλεργικός/ αλλεργική… m/f	i·mè a·lèr·yi·koss a·lèr·yi·ki…
coquillages	στα οστρακοειδή	sta os·tra·ko·i·dhi
fruits secs	στους ξηρούς καρπούς	stouss ksi·rouss kar·pouss
fruits de mer	στα θαλασσινά	sta tha·la·ssi·na
gluten	στη γλουτένη	sti gHlou·tè·ni
miel	στο μέλι	sto mè·li
OGM	στο MSG	sto èm si dzi
oeufs	στα αβγά	sta av·gHa
produits laitiers	στα γαλακτικά	sta gHa·lak·ti·ka

Je suis…	Είμαι…	i·mè…
bouddhiste	Βουδιστής m	vou·dhi·stiss
	Βουδίστρια f	vou·dhi·stri·a
hindouiste	Ινδουιστής m	in·dhou·i·stiss
	Ινδουίστρια f	in·dhou·i·stri·a
juif	Ιουδαίος m	i·ou·dhè·oss
juive	Ιουδαία f	i·ou·dhè·a
musulman	Μουσουλμάνος m	mou·ssoul·ma·noss
musulmane	Μουσουλμάνα f	mou·ssoul·ma·na
vegétalien(ne)	βέγκαν m et f	vè·gan
vegétarien(ne)	χορτοφάγος m et f	rHor·to·fa·gHoss

Ce miniguide recense les plats et ingrédients utilisés dans la cuisine grecque. Il vous aidera à faire le bon choix, en particulier dans les tavernes, dont les cartes sont très fournies. Pour certains plats, nous avons signalé la région ou la ville où ils sont les plus réputés.

L'ordre alphabétique suit l'alphabet grec :

Α α	Β β	Γ γ	Δ δ	Ε ε	Ζ ζ	Η η	Θ θ	Ι ι	Κ κ	Λ λ	Μ μ
Ν ν	Ξ ξ	Ο ο	Π π	Ρ ρ	Σ σ/ς	Τ τ	Υ υ	Φ φ	Χ χ	Ψ ψ	Ω ω

Α α

αβγολέμονο n av·gHo·*lè*·mo·no *sauce à base d'œufs et de citron pour accompagner la viande, le poulet ou les soupes*

αβγοτάραχο n av·gHo·*ta*·ra·rHo *œufs de mulet séchés au soleil et enrobés de cire d'abeille*

αγγινάρες f pl a·gui·*na*·ress *artichauts*
— **αλαπολίτα** a·la·po·*li*·ta *" artichauts à la constantinopolitaine"– artichauts, carottes et pommes de terre cuits dans un bouillon de poulet*
— **καλογρές** ka·lo·*gHrèss* *"nonnes"– cœurs d'artichaut braisés dans une crème d'oignon (Crète)*

αγγουροντομάτα σαλάτα f a·gou·ro·do·*ma*·ta sa·*la*·ta *tranches de concombre, tomates et persil avec de l'huile, du jus de citron, du sel et du poivre*

αγγουροσαλάτα f a·gou·ro·sa·*la*·ta *tranches de concombre saupoudrées de sel, servies avec de l'huile et du vinaigre*

άγρια χόρτα n pl *a*·gHri·a *rHor*·ta *herbes sauvages*

άγρια σπαράγγια n pl *a*·gHri·a spa·*ran*·gui·a *asperges sauvages*

άγριες αγγινάρες f pl *a*·gHri·èss a·gui·*na*·ress *petits artichauts sauvages crus avec du sel et du jus de citron*

αμελέητητα n pl a·mè·*lè*·ti·ta *ris de veau*

αμπελοπούλια n pl a·bè·lo·*pou*·lia *passereaux conservés dans le vinaigre et le vin (Chypre)*

αμπελοφάσουλα n pl a·bè·lo·*fa*·ssou·la *haricots cornille, ou "à œil noir"*

αμπερόριζα f a·bè·ro·*ri*·za *géranium (les feuilles sont utilisées comme arôme dans la pâtisserie)*

αμύγδαλα n pl a·*migH*·dha·la *amandes*

αμυγδαλωτά n pl a·migH·dha·lo·*ta* *biscuits aux amandes saupoudrés de sucre glace et d'amandes effilées*

αμυγδαλωτό γλύκισμα n a·migH·dha·lo·*to* *gHli*·kiz·ma *nougat*

αναρή f a·na·*ri* *fromage frais de chèvre ou de brebis (Chypre)*

αρακάς m a·ra·*kass* *petits pois*
— **λαδερός** la·*dhè*·ross *petits pois mijotés avec des carottes, de l'ail, des herbes et du paprika (Corfou)*

αρνάκι n ar·*na*·ki *agneau de lait*
— **γεμιστό** yè·mi·*sto* *agneau farci (Îles du Dodécanèse)*

αρνί n ar·*ni* *agneau ou mouton*
— **βραστό** vra·*sto* *soupe de mouton bouilli (Crète)*
— **γιαχνί** yiarH·*ni* *ragoût de mouton avec tomates, oignons, carottes et céleri*
— **γιουβέτσι με κριθαράκι** yiou·*vèt*·si mè kri·tha·*ra*·ki *mouton cuit à l'étouffée avec des tomates et des petites pâtes*

— εξοχικό èk-so-Hi-ko *"morceaux d'agneau à la paysanne"* – morceaux d'agneau, pommes de terre, feta et **κεφαλοτύρι**

— **φρικασέ με μαρούλι** fri-ka-*ssè* mè ma-*rou*-li *fricassée de mouton avec de la laitue, des œufs et une sauce au citron*

— **κεφαλάκι ριγανάτο** kè-fa-*la*-ki ri-gHa-*na*-to *tête de mouton entière (en général rôtie)*

— **κοκκινιστό** ko-ki-ni-*sto agneau braisé dans du vin blanc, des oignons et des feuilles de laurier*

— **οφτό** of-*to agneau à la broche*

— **στη σούβλα** sti *souv*-la *agneau à la broche arrosé d'huile d'olive et de jus de citron – servi à Pâques*

— **στο φούρνο** sto *four*-no *gigot ou épaule d'agneau*

αρνίσια παϊδάκια n pl ar-*ni*-ssia pa-ï-*dha*-kia *côtelettes d'agneau marinées et grillées*

αστακός a-sta-*koss* **m** *homard, bouilli ou grillé*

αφέλια n pl a-*fè*-lia *fricassée de pommes de terre, champignons et vin rouge*

αχηβάδα f a-Hi-*va*-dha *palourde*

αχινοί m pl a-Hi-*ni oursins*

— **σαλάτα** sa-*la*-ta *salade d'oursins*

— **γεμιστοί** yè-mi-*sti oursins farcis avec du riz, des oignons et des tomates*

B β

βασιλόπιτα f va-ssi-*lo*-pi-ta *gâteau du Nouvel An décoré d'amandes – celui qui trouve la pièce sera couronné de chance*

βατόμουρο n va-to-*mou*-ro *mûre sauvage*

βατραχοπόδαρα τηγανητά n pl va-tra-rHo-*po*-dha-ra ti-gHa-ni-*ta cuisses de grenouille sautées*

βλίτο n *vli*-to *blettes – servies chaudes en salade*

βοδινό n vo-dhi-*no bœuf*

— **καπαμά** ka-pa-*ma sauté de bœuf avec des tomates, du vin rouge, de la cannelle et des clous de girofle*

— **με λαχανικά** mè la-rHa-ni-*ka bœuf braisé avec des carottes, des pommes de terre et du céleri*

βολβοί m pl vol-*vi oignons frais*

— **βραστοί** vra-*sti oignons bouillis, servis en vinaigrette avec de la σκορδαλιά**

βρούβα f *vrou*-va *roquette sauvage*

βυσσινάδα f vi-ssi-*na*-dha *sirop de griottes servi frais avec de l'eau*

βύσσινο n *vi*-ssi-no *griottes*

— **γλυκό** gHli-*ko griottes au sirop*

Γ γ

γαϊδουρελιά f gHa-ï-dhou-rè-*lia olive dite "annesse" à cause de sa grosse taille*

γαλακτομπούρεκο n gHa-lak-to-*bou*-rè-ko *feuilleté à la crème arrosé d'un sirop au citron*

γαλοπούλα f gHa-lo-*pou*-la *dinde*

— **γεμιστή** yè-mi-*sti dinde farcie*

γαλύπες f pl gHa-*li*-pèss *anémones de mer*

— **τηγανητές** ti-gHa-ni-*tèss anémones de mer frites*

γαλυποκεφτέδες m pl gHa-li-po-kèf-*té*-dhèss *beignets d'anémone de mer*

γαρδούμια n pl gHar-*dhou*-mia *abats enroulés de tripes et rôtis*

γαρίδες f pl gHa-*ri*-dhèss *crevettes*

— **σαγανάκι** sa-gHa-*na*-ki *crevettes sautées, préparées avec des tomates, du vin rouge et de la feta*

— **τηγανητές** ti-gHa-ni-*tèss crevettes frites*

— **βραστές** vra-*stèss crevettes bouillies servies avec du λαδολέμονο*

— **γιουβετσάκι** yiou-vèt-*sa*-ki *crevettes, tomates, persil, origan et feta au four*

γαριδοσαλάτα f gHa-ri-dho-ssa-*la*-ta *salade de crevettes*

γαύρος m *gHav*-ross *anchois frais*

γεμιστά n pl yè-mi-*sta légumes farcis*

γεμιστός yè-mi-*stoss farci, s'applique à la viande, au poisson ou aux légumes*

γιαούρτι n yia-*our*-ti *yaourts grecs, riches en matière grasse, au lait de vache, de brebis ou de chèvre*

— **αγελάδος** a·yè·*la*·dhoss *au lait de vache*

— **φρούτων** frou·ton *aux fruits*

— **με μέλι** mè·*mè*·li *au miel*

— **πρόβειο** pro·vio *au lait de brebis*

γιαουρτογλού f yia·our·to·*gHlou* *tourte à base de fines tranches de viande grillées, nappée de yaourt*

γιαουρτόπιτα f yia·our·*to*·pi·ta *gâteau au yaourt nappé de sirop de sucre et de jus de citron*

γίδα βραστή f *yi*·dha vra·*sti* *plat de chèvre bouillie aromatisée*

γιουμβαρλάκια n pl yiou·var·*la*·kia *boulettes de viande cuites dans un bouillon*

γιουβέτσι n yiou·*vèt*·si *ragoût de viande ou de fruits de mer et de petites pâtes*

— **με θαλασσινά** mè·tha·la·ssi·*na* *ragoût de poisson et de pâtes (îles Ioniennes)*

γιουσελεμέδες m pl yiouz·lè·*mè*·dhèss *tiropités de Mytilène au **κεφαλοτύρι***

γλιστρίδα f gHli·*stri*·dha *pourpier – herbe sauvage acidulée*

— **με κapπaρόφυλλα σαλάτα** mè·ka·pa·ro·fi·la·sa·*la*·ta *salade de pourpier, tomates, olives noires et feuilles de câpre*

— **με γιαούρτι** mè·yia·our·ti *feuilles de pourpier au yaourt, ail, citron, sel et huile (Crète)*

γλυκά κουταλιού n pl gHli·*ka* kou·ta·*liou* *fruits au sirop presque confits/entremets*

γλυκάνισο n gHli·*ka*·ni·sso *anis*

γλυκά ταψιού n pl gHli·*ka* tap·*siou* *pâtisseries à base de pâtes très fines*

γλύκισμα n gHli·kiz·ma *gâteaux*

γλυκοκολοκύθα f gHli·ko·ko·lo·*ki*·tha *courges sucrées*

γλώσσα f gHlo·ssa *sole, se dit aussi de tout poisson plat*

— **μοσχαρίσια κρασάτη** mos·rHa·*ri*·ssia kra·*ssa*·ti *sole sautée dans du beurre et pochée au vin blanc*

γουρουνάκι (του γάλακτος) n gHou·rou·*na*·ki (tou gHu·lak·toss) *cochon de lait*

— **στη σούβλα** sti souv·la *cochon à la broche*

— **γεμιστό με φέτα** yè·mi·*sto* mè·fè·ta *cochon farci à la feta*

γυαλιστερές f pl yia·li·stè·*ròss* *fruits de mer vivants arrosés d'un jus de citron (îles du Dodécanèse)*

γύρος yi·ross – *escalopes de porc, d'agneau ou de poulet superposées, rôties à la broche, puis découpées en fines lamelles servies dans des assiettes ou des **πίτα** avec des tomates, des oignons et du **τζατζίκι***

Δ δ

δάχτυλα n pl dharH·ti·la *"doigts" – pâtisseries aux noix (Chypre)*

δίπλες f pl dhi·plèss *pâtisseries au miel et aux graines de sésame*

— **Δράμιας** dhra·*mass* *tourte au yaourt avec feuilles de vigne*

δρύλοι αλευρολέμονο m pl dhri·li a·lèv·ro·lè·mo·no *herbes sauvages au citron*

Ε ε

ελαιόλαδο n è·lè·o·la·dho *huile d'olive*

ελαιόπιτες f pl è·lè·o·pi·tèss *feuilletés aux poireaux et olives (Chypre)*

ελαιωτή t è·lè·o·ti *pain avec une couche d'olives noires et d'oignons (Chypre)*

ελαιόψωμο n è·lè·op·so·mo *pain aux olives*

ελιές f pl è·*lièss* *olives*

— **Αμφίσσης** am·fi·ssiss *grosses olives bleues presque noires au goût de noix*

— **Αταλάντης** a·ta·*la*·dis *grosses olives fruitées de couleur violette*

— **χαμούρες** rHa·*mou*·rèss *olives sèches, fraîchement tombées*

— **Ιονίων πράσινες** i·o·*ni*·on pra·*ssi*·nèss *olives vertes des îles Ioniennes*

— **Καλαμάτας** ka·la·*ma*·tass *grosses olives noires de Kalamata*

— **μαύρες** mav·rèss *olives noires*

— **Ναυπλίου** naf·*pli*·ou *olives vertes au goût de noix (Nauplie)*

— **παστές** pa·*stèss* *olives salées*

— **πελτέ** pèl·*tè* *pâte d'olives*

— **πράσινες** pra·*ssi*·nèss *olives vertes*

— **τσακιστές** tsa·ki·*stèss* olives vertes fendues, marinées dans l'huile, le citron et les herbes

— **τουρσί** tour·*ssi* olives à la saumure

ελίτσες f pl è·*lit*·sèss petites olives noires

εντόσθια n pl èn·*do*·sthi·a tripes (souvent d'agneau)

— **κοκκινιστά** ko·ki·ni·*sta* abats de poulet en sauce

— **πουλιών** pou·*lion* abats de volaille

Z ζ

ζαμπόν n zam·*bon* jambon

ζαργάνα f zar·*gHa*·na bécassine de mer

ζαχαροπούλια n pl za·rHa·ro·*pou*·lia bouchées à la pâte d'amande (Lesbos)

ζαχαρωτό με αμύγδαλο n za·rHa·ro·*to* mè a·*migH*·dha·lo massepain

ζύμη f *zi*·mi pâte

— **με γιαούρτι** mè yia·*our*·ti macaronis faits maison nappés de yaourt et d'oignons (Kos)

Θ θ

θαλασσινά n pl tha·la·ssi·*na* fruits de mer

— **του Αιγαίου** tou è·*yè*·ou paella à base de riz et de fruits de mer (Hydra)

θρούμπες f pl throu·*bèss* vieilles olives noires

θυμάρι n thi·*ma*·ri thym

I ι

ιμάμ-μπαϊλντί n i·*mam*·ba·ïl·*di* plat d'origine turc fait d'aubergines farcies de pulpe d'aubergine, de tomates, d'ail, d'oignon et de persil

K κ

καβούρι n ka·*vou*·ri crabe

— **βραστό** vra·*sto* crabe bouilli et λαδολέμονο

καϊμάκι n to ka·ï·*ma*·ki mousse se formant sur le café lorsqu'il est brassé

— **πηγμένο** pigH·*mè*·no crème en grumeaux

κακαβιά f ka·ka·*via* soupe de poisson

καλαμαράκια n pl ka·la·ma·*ra*·kia petits calamars

καλαμάρι n ka·la·*ma*·ri calamar

— **γεμιστό** yè·mi·*sto* calamar farci avec du riz et cuits dans du citron

— **Λεβριανά** lèv·ria·*na* ragoût de calamars avec des olives, des tomates, des oignons et du persil

— **με ρύζι** mè *ri*·zi calamars frits servis en ragoût avec oignons, tomates, riz et cannelle

— **τηγανητό** ti·gHa·ni·*to* rondelles de calamars frites ou en beignet

καλιτσούνια n pl ka·lit·*sou*·nia chaussons au fromage

καπαμάς m ka·pa·*mass* viande cuite à l'étouffée avec des tomates, du vin, de la cannelle et des clous de girofle

κάππαρη f *ka*·pa·ri câpres souvent marinées et servies en apéritif

κάπρος m *ka*·pross sanglier

καραμέλα f ka·ra·*mè*·la caramel, bonbons

καραβίδα f ka·ra·*vi*·dha écrevisse

καρύδια n pl ka·*ri*·dhia noix

— **γεμιστά** yè·mi·*sta* noix fourrées aux amandes (Chypre)

καρυδόπιτα f ka·ri·*dho*·pi·ta gâteau aux noix

κάσιου n *ka*·siou noix de cajou

καταΐφι n ka·ta·*ï*·fi "cheveux d'ange" fourrés aux noix et nappés de sirop

κατσικάκι n kat·si·*ka*·ki chevreau

— **πατούδα** pa·*tou*·dho chevreau farci de foie, riz, mie de pain, feta et raisins ou **κεφαλοτύρι**, lard, riz et fenouil (Cyclades)

— **ψητό** psi·*to* rôti, parfois accompagné d'une sauce au vin

καφές m ka·*fèss* café

— **ελληνικός** è·li·ni·*koss* café à la grecque

— **γλυκός** gHli·*koss* café sucré

— **μέτριος** *mè*·tri·oss café moyennement sucré

— **πολλά βαρύς** po·*la* va·*riss* café serré

— **σκέτος** skè·toss *café sans sucre*

— **βαρύγλυκος** va·ri·gHli·koss *café serré et sucré*

κεφαλάκι n kè·fa·*la*·ki *tête – fait référence généralement à la tête d'agneau*

κεφτεδάκια n pl kèf·tè·*dha*·kia *petites boulettes de viande*

κεφαλοτύρι n kè fa·lo·*ti*·rï *fromage de tête*

κεφτέδες m pl kèf·tè·dhèss *boulettes de viande*

— **στη σχάρα** sti *srHa*·ra *boulettes de viande grillées*

κιχώρι n ki·*rHo*·ri *chicorée*

κιμαδόπιτα f ki·ma·*dho*·pi·ta *pita à la viande*

κιμάς ki·*mass* *sauce à base de viande hachée, d'oignons et de tomates accompagnant les pâtes ou le riz*

κληματόφυλλο n kli·ma·*to*·fi·lo *feuille de vigne*

κόκκοι καφέ m pl *ko*·ki ka·fè *grains de café*

κοκκινέλι n ko·ki·*nè*·li *vin rouge résiné*

κόκκινη πιπεριά f *ko*·ki·ni pi·pè·*ria poivron rouge*

κοκκινιστό n ko·ki·ni·*sto* *"rougis" – à la sauce tomate*

κόκκινο φασόλι n *ko*·ki·no fa·*sso*·li *haricot rouge*

— **λάχανο** la·*rHa*·no *chou*

κοκκινοπίπερο n ko·ki·no·*pi*·pè·ro *piment de cayenne*

κόκορας m *ko*·ko·rass *coq*

— **κρασάτος** kra·*ssa*·toss *coq au vin*

κοκορέτσι n ko·ko·*rèt*·si *tripes rôties à la broche*

κοκορόζουμο n ko·ko·ro·zou·mo *bouillon servi après une nuit de fête (Cyclades)*

κολιός m ko·li·oss *maquereau*

— **λαδορίγανη** la·dho·ri·*gHa*·ni *cuit dans l'huile, le citron, l'origan, l'ail et le persil*

— **σε κληματόφυλλα** kli·ma·*to*·fi·la *cuit dans des feuilles de vigne*

κολιτσάνοι m pl ko·lit·*sa*·ni *anémone de mer*

κολοκυθάκια n pl ko·lo ki·*thu*·kia *courgettes*

— **με αβγά** av·*gHa* *courgettes avec des œufs, en omelette*

— **τηγανητά** ti·gHa·ni·ta *rondelles de courgette frites servies avec du citron et de la σκορδαλιά*

— **βραστά** vra·*sta* *petites courgettes bouillies assaisonnées à l'huile et au citron*

κολοκύθι n ko·lo·*ki*·thi *courge*

κολοκυθάνθοι m pl ko·lo·ki·*tho*·an·thi *fleurs de courgette*

— **τηγανητοί** ti·gHa·ni·*ti* *frites (Andros)*

— **γεμιστοί** yè·mi·*sti* *fleurs de courgette farcies de tomates, riz, persil*

κολοκυθοκεφτέδες ko·lo·ki·tho·kèf·tè·dhèss *boulettes de courgette et de pomme de terre*

κολοκυθόπιτα f ko·lo·ki·*tho*·pi·ta *tourte aux courgettes*

κόλυβα n pl ko·li·va *plat de fruits servi après la mort de quelqu'un ou l'anniversaire de sa mort*

κομπόστα f ko·bo·sta *compote de fruit*

κονσερβολιά f kon·sèr·vo·*lia* *type d'olive courant dans la région du centre*

κοντοσούβλι n kon·do·souv·li *morceaux d'agneau ou de porc aromatisés et rôtis à la broche*

κορωναίικη f ko·ro·*na*·ï·ki *variété de petites olives de Kalamata*

κοτόπιτα f ko·to·pi·ta *tourte au poulet*

κοτόπουλο n ko·to·pou·lo *poulet*

— **χυλοπίτες** Hi·lo·*pi*·tèss *poulet entier et pâtes bouillis avec tomates, oignons et cannelle, jusqu'à absorption du liquide*

— **λεμονάτο** lè·mo·*na*·to *poulet au citron*

— **με μπάμιες** mè ba·mièss *poulet servi avec des gombos*

κοτόσουπα f ko·to·sou·pa *soupe de poulet*

κουκιά n pl kou·kia *fèves*

— **ξερά βραστά** ksè·ra vra·sta *fèves bouillies assaisonnées de citron, d'huile et d'oignon*

— **με αγριακινάρες** mè a·gHri·a·gui·na·rèss *fèves accompagnées d'artichauts*

κουκουβάγια f kou·kou·va·yia voir
παξιμάδια σαλάτα

κουλουκόψωμο n kou·lou·kop·so·mo
voir παξιμάδια με ντομάτες και φέτα

κουλουράκια n pl kou·lou·ra·kia
biscuits

— **με πετιμέζι** mè pè·ti·mè·zi biscuit avec
du sirop, de la cannelle, et des épices

κουλούρι n kou·lou·ri petit pain rond en
forme d'anneau au sésame vendu dans la
rue et souvent le dimanche après la messe

κουλούρια αστυπαλίτικα n pl kou·lou·ri·a
a·sti·pa·li·ti·ka biscuits au safran
(Astypaléa)

κουμκουάτ n koum·kou·att cumquat

— **λικέρ** li·kèr liqueur de cumquat
(Corfou)

Κουμανταρία f kou·ma·da·ri·a vin sucré
fabriqué pendant les croisades par les
chevaliers de l'ordre de Saint-Jean (Chypre)

κουνέλι n kou·nè·li lapin

— **κρασάτο** kra·ssa·to civet de lapin au
vin rouge, ail et feuilles de laurier

— **με καρύδι** mè ka·ri·dhi civet de lapin
au vin de noix

— **με γιαούρτι** mè yia·our·ti
lapin mariné dans le jus de citron et le
poivre noir, puis cuit dans une sauce au
yaourt

— **στιφάδο** sti·fa·dho ragoût de lapin
aux épices avec des clous de girofle, de la
cannelle et du cumin

κουπέπια n pl kou·pè·pia ντολμάδες à base
d'agneau et de veau, servies chaudes avec
de l'αβγολέμονο (Chypre)

κουραμπιέδες m pl kou·ra·biè·dhèss
biscuits de Noël au beurre et aux amandes

κοφίσι n ko·fi·ssi tourte à base de poisson
séché, d'oignons, d'ail, de riz et de tomates
(Céphalonie)

κρασί n kra·ssi vin

— **άσπρο** a·spro vin blanc

— **κόκκινο** ko·ki·no vin rouge

— **λευκό** lèf·ko vin blanc

— **ροζέ** ro·zè vin rosé

κρέας n krè·ass vin viande

— **ελαφιού** è·la·fiou gibier

— **στη στάμνα** sti stam·na viande cuite
dans une cocotte en terre fermée

— **στο φούρνο με πατάτες** sto four·no
mè pa·ta·tèss viande cuite au four avec
des pommes de terre

κρεατικά n pl krè·a·ti·ka plats de viande
à la cocotte ou rôtie

κρεατόπιτα f krè·a·to·pi·ta tourte à l'agneau
ou au veau

— **Κεφαλονίτικη** kè·fa·lo·ni·ti·ki tourte à
la viande, avec oignons, œufs, riz, pomme
de terre, tomates et épices (Céphalonie)

— **της Κρήτης** tiss kri·tiss tourte faite
de couches superposées d'agneau (ou de
chèvre) et de μυζήθρα (Crète)

κρεατόσουπα f krè·a·to·ssou·pa bouillon
de viande accompagné parfois de riz et de
αβγολέμονο

κρεμμυδόπιτα f krè·mi·dho·pi·ta tourte
garnie de μυζήθρα, d'oignons, d'œufs et
de fenouil (Mykonos)

Κρητική κρεατόπιτα f kri·ti·ki krè·a·to·pi·ta
voir κρεατόπιτα της Κρήτης

κριθαράκι n kri·tha·ra·ki petites pâtes qui
accompagnent les plats de viande ou les
soupes

— **με βούτυρο και τυρί** mè vou·ti·ro kè
ti·ri pâtes au beurre, au fromage et au jus
de citron

κυδώνι n ki·dho·ni coing

— **μπελτές** bèl·tèss confiture de coing

— **γλυκό** ghli·ko coings confits ou en
sirop aromatisés à l'eau de géranium

— **στο φούρνο** sto four·no coings cuits
au four et caramélisés

— **γεμιστό** yè·mi·sto coings farcis à la
viande avec du riz, des oignons, des raisins,
des clous de girofle et de la noix de muscade

κυδωνόπαστο n ki·dho·no·pa·sto pâte
de coing

Λ λ

λαβράκι n lav·ra·ki *bar*
— **στο αλάτι** sto a·la·ti *bar cuit dans une croûte de sel et servi assaisonné d'une sauce à l'huile et au citron*

λαγάνα f la·gHa·na *fouace, pain au sésame cuit le premier jour du carême*

λαγός m la·gHoss *lièvre*
— **στιφάδο** sti·fa·dho *civet de lièvre aux épices, cumin et clous de girofle*

λαγωτό n la·gHo·to *ragoût de lièvre (Céphalonie)*

λαδόξιδο n la·dhok·si·dho *vinaigrette*

λαδολέμονο n la·dho·lè·mo·no *assaisonnement à base d'huile, de jus de citron, de sel et de poivre*

λάχανα n pl la·rHa·na *légumes verts*
— **με λαρδί** mè lar·dhi *ragoût de légumes avec du lard (Mykonos)*

λαχανικά n pl la·rHa·ni·ka *légumes*
— **της θάλασσας** tiss tha·la·ssass *algues*

λάχανο n la·rha·no *chou*
— **κοκκινιστό** ko·ki·ni·sto *ragoût de chou, tomates, oignons, persil, fenouil et paprika (Corfou)*
— **με κιμά** mè ki·ma *chou braisé avec des oignons, de la viande et des tomates dans lequel on ajoute du beurre frais (Chios)*

λαχανοσαλάτα f la·rHa·no·ssa·la·ta *salade de chou blanc assaisonnée à l'huile et au citron*

λεμονάτος m lè·mo·na·toss *mode de cuisson dans l'huile et le citron*

λιαστός m lia·stoss *séché au soleil*

λιθρίνι n li·thri·ni *dorade*

λουβιά n pl lou·via *mongette (sorte de haricot blanc)*
— **με λάχανα** me la·rHa·na *salade chaude de mongettes et de légumes assaisonnée à l'huile et au jus de citron (Chypre)*

λουζές m lou·zèss *sortes de paupiettes de porc farcies aux tripes (Mykonos)*

λουκάνικα n pl lou·ka·ni·ka *saucisses de porc à la coriandre et à l'écorce d'orange • terme générique pour les saucisses*

λουκανόπιτες f pl lou·ka·no·pi·tèss *friands*

λουκουμάδες m pl lou·kou·ma·dhèss *petits beignets ronds nappés de miel et de cannelle*

λουκούμι n lou·kou·mi *loukoum*

λουκουμια n pl lou·kou·mia *biscuits de mariage (Chypre)*

λούντζα f loun·dza *jambon épicé et fumé (Chypre, Cyclades)*
— **με χαλούμι** mè rHa·lou·mi *jambon grillé nappé de χαλούμι fondu (Chypre)*

Μ μ

μαγειρίτσα f ma·yi·rit·sa *soupe aux tripes, riz et αβγολέμονο, préparée pour célébrer la fin du carême*

μακαρόνια n pl ma·ka·ro·nia *macaronis • spaghettis*
— **με κιμά** mè ki·ma *spaghettis à la bolognaise*
— **με σάλτσα** mè sal·tsa *accompagnés d'une sauce tomate aux oignons et à l'origan*
— **με βούτυρο και τυρί** mè vou·ti·ro kè ti·ri *au beurre et au fromage*
— **στο φούρνο** sto four·no *en gratin*

μαντί n ma·di *petites pâtes farcies à la viande, cuites dans un bouillon relevé et servies avec une sauce au yaourt et à l'ail (nord de la Grèce)*

μάραθο n ma·ra·tho *fenouil*
— **με ούζο σούπα** mè ou·zo sou·pa *soupe à l'ouzo et au fenouil*

μαρίδες f pl ma·ri·dhèss *friture*
— **λιαστές** lia·stèss *friture assaisonnée à l'origan puis grillée et servie avec une sauce à l'huile et au citron*
— **τηγανητές** ti·gHa·ni·tèss *friture roulée dans la farine puis sautée et servie avec une sauce à l'huile et au citron*

μαστίχα f ma·*sti*·rHa *mastic • gomme de lentisque, mangée comme un chewing-gum ou utilisée comme arôme (Chios)*

μαυρομάτικα φασόλια n pl mav·ro·ma·ti·ka fa·sso·lia *mongette*

— **με χόρτα** mè *rHor*·ta *ragoût de mongette, d'herbes, d'oignons, de tomates, de persil, de menthe et d'ail (Crète)*

μαχαλεπί n ma·rHa·lè·*pi gâteau à la crème et au sirop parfumé à l'eau de rose (Chypre)*

μεγαρίτικη f mè·gHa·*ri*·ti·ki *olives d'Attique, près d'Athènes, auxquelles la ville de Megara a donné son nom*

μελανούρι n mè·la·*nou*·ri *oblade*

μεζές m mè·*zèss amuse-gueule, mezzés*

μεζεδάκι n mè·zè·*dha*·ki *petits mezzés servis avec l'ouzo, qui peuvent comprendre olives, rondelles de concombre salées, feta, anchois, maquereaux et boulettes de viande*

μέλι n *mè*·li *miel*

— **με ξηρούς καρπούς** mè ksi·*rouss* kar·*pouss miel aux fruits secs*

μελιτζάνες f pl mè·li·*dza*·nèss *aubergines*

— **στο φούρνο** sto *four*·no *gratin d'aubergines frites avec des pommes de terre, des tomates, du cumin, du persil et de la feta*

— **τηγανητές** ti·gHa·ni·*tèss voir* **κολοκυθάκια τηγανητά**

μελιτζανοσαλάτα f mè·li·dza·no·ssa·*la*·ta *caviar d'aubergine*

μελιτίνι n mè·li·*ti*·ni *tartes garnies d'un mélange de fromage frais, d'œufs et de sucre traditionnellement mangées à Pâques*

μελόπιτα f mè·*lo*·pi·ta *gâteau au fromage fait à partir de* **μυζήθρα** *et de miel*

μηλοπιτάκια n pl mi·lo·pi·*ta*·kia *tourte aux pommes et aux noix*

μοσχάρι n mos·*rHa*·ri *veau*

— **κατσαρόλας με αρακά** kat·sa·ro·lass mè a·ra·*ka ragoût de veau aux petits pois et au thym*

— **κοκκινιστό με μακαρόνια** ko·ki·ni·*sto* mè ma·ka·*ro*·nia *ragoût de veau à la tomate servi avec des spaghettis*

— **ψητό** psi·*to roulades de veau arosées de jus de citron et cuites avec des oignons, des tomates et du vin*

— **στιφάδο** sti·*fa*·dho *ragoût de veau à l'ail, au poivre et aux feuilles de laurier*

μουσακάς m mou·ssa·*kass moussaka, gratin d'aubergines, viande hachée et béchamel*

— **με αγγινάρες** mè a·gui·*na*·rèss *moussaka à la viande de veau et aux artichauts*

μουσταλευριά f mou·sta·lèv·ri·*a gâteau gélatineux fait à base de moût et de farine, nappé de cannelle et de noix*

μούστος m *mou*·stoss *moût*

— **κουλούρα** kou·*lou*·ra *petits pains au moût en forme d'anneau*

μπακαλιάρος m ba·ka·*lia*·ross *morue séchée dessalée à l'eau avant d'être cuite*

μπακλαβάς m pl ba·kla·*vass pâtisserie à base de feuilles de pâte, de fruits secs et de miel*

μπάμιες f pl *ba*·mièss *bongos*

— **λαδερές** la·dhè·*rèss ragoût de bongos*

— **γιαχνί** yia·*rHni bongos braisés avec de la pulpe de tomate et des oignons*

μπαρμπούνια n pl bar·*bou*·nia *petits rougets*

— **ψητά στον άνιθο** psi·*ta* ston a·ni·tho *petits rougets grillés sur un lit de fenouil*

— **στη σκάρα** sti *ska*·ra *petits rougets arrosés d'huile et de citron et grillés*

— **τηγανητά** ti·gHa·ni·*ta petits rougets roulés dans la farine avant d'être frits*

μπεκάτσα f bè·*kat*·sa *bécasse*

— **κρασάτη** kra·*ssa*·ti *ragoût de bécasse au vin rouge, tomates et épices*

μπεκρή μεζέ m bè·kri mè·zè "*μεζέ de l'ivrogne*" – *viande cuite dans la tomate et le vin*

μπισκότα n pl bi·*sko*·ta *biscuits*

μπιζελόσουπα f bi·zè·*lo*·ssou·pa *soupe au petits pois et au fenouil*

μπόλια bo·li·*a f crépine*

μπομπότα f bo·*bo*·ta *cake à la farine de maïs fourré de raisins, noix et clous de girofle, et aromatisé à la cannelle et à l'orange (Zakynthos)*

μπουγάτσα f bou-*gHat*-sa gâteau de semoule

μπουρδέτο n bour-*dhè*-to ragoût de morue
— **κροκετάκια** kro-kè-*ta*-kia croquettes de purée de morue et de pommes de terre
— **πλακί** pla-*ki* morue mijotée avec des oignons, des pommes de terre, du céleri, des carottes et de l'ail dans une sauce à la tomate
— **τηγανητός** ti-gHa-ni-*toss* beignet de morue traditionnellement accompagné de **σκορδαλιά**

μπουρεκάκια n pl bou-rè-*ka*-kia petites tourtes à la viande hachée

μπουρέκια n pl bou-*rè*-kia petits pâtés ou chaussons
— **με ανερί** mè a-*nè*-ri au fromage (Chypre)

μπριάμι n bri-*a*-mi ragoût de pommes de terre, courgettes, piments doux, tomates et herbes

μπριζόλες f pl bri-*zo*-lèss escalopes • steaks

μυαλά n pl mia-*la* cervelle
— **αρνίσια λαδολέμονο** ar-*ni*-ssi-a la-dho-*lè*-mo-no cervelle d'agneau pochée
— **τηγανητά** ti-gHa-ni-*ta* cervelle frite

μύδια n pl *mi*-dhia moules
— **κρασάτα** kra-*ssa*-ta moules au vin blanc
— **τηγανητά** ti-gHa-ni-*ta* moules sautées servies avec une sauce au yaourt
— **γεμιστά** yè-mi-*sta* moules farcies au riz, à l'oignon et au persil, mijotées dans de la purée de tomates et du vin blanc

μυζήθρα f mi-*zi*-thra genre de ricotta à base de lait de brebis ou de chèvre (salée ou sucrée)

μυζηθρόπιτες f pl mi-zi-*thro*-pi-tèss tourtes à la **μυζήθρα** (Crète)

N ν

νεγκόσκα f nè-*go*-ska variété de raisin noir

νεραντζάκι γλυκό n nè-ran-*dza*-ki gHli-ko oranges amères au sirop

νεράτη f nè-*ra*-ti sorte de tourte au fromage (Crète)

νουμπουλό n nou-bou-*lo* saucisse au lard (Corfou)

ντολμάδες m pl dol-*ma*-dhèss dolmadès – feuilles de vigne ou de chou farcies de riz et cuites dans de l'eau, de l'huile et du jus de citron
— **φυλλιανές** fi-lia-*nèss* plat de Noël et du Jour de l'an à base d'oignons farcis au riz et à la viande (Lesbos)
— **με αυγολέμονο** mè av-gHo-*lè*-mo-no dolmadès à base de riz, de tomates, d'agneau, de menthe et de cumin servies chaudes avec de l'**αλευρολέμονο**
— **με κουκιά** mè kou-*kia* dolmadès avec des fèves bouillies et de la viande de bœuf séchée, cuites sur un lit d'os de bœuf (nord de la Grèce)
— **με λαχανόφυλλα** mè la-rHa-*no*-fi-la feuilles de chou farcies, servies chaudes avec de l'**αβγολέμονο**
— **γιαλαντζί** yia-la-*dzi* "fraude" – dolmadès farcies sans viande
— **Σμυρναίικα** zmir-*nè*-i-ka dolmadès farcies aux oignons sautés, riz, aubergine, origan, fenouil et ail, et cuites dans un bouillon à la tomate

ντομάτες f pl do-*ma*-tèss tomates
— **λιαστές** lia-*stèss* tomates séchées
— **γεμιστές** yè-mi-*stèss* tomates farcies avec de la chair de tomate, des oignons, de l'ail et des herbes

ντοματοκεφτέδες m pl do-ma-to-kèf-*tè*-dhèss boulettes de tomate frites

ντοματοπελτές m do-ma-to-bèl-*tèss* concentré de tomate

ντοματόσουπα f do-ma-*to*-ssou-pa soupe à la tomate parfois accompagnée de pâtes

νυχάκι n ni-*rHa*-ki olive de table de Kalamata (Messénie et Laconie)

Ξ ξ

ξεροτήγανα n pl ksè-ro-*ti*-gHa-na voir **δίπλες**

ξινόχοντρος m ksi-*no*-rHon-dross pâte de froment cuite dans le lait

ξινομυζήθρα f ksi-no-mi-*zi*-thra **μυζήθρα** salée

O o

οινοπνευματώδη n pl i·nop·nèv·ma·to·dhi alcools

οστρακοειδή n pl o·stra·ko·i·dhi coquillages

ούζο n ou·zo spiritueux anisé qui ressemble au pastis

οφτό n of·to saucisse faite à base de viscères de porc, de riz, de noix, de pistaches, de raisin, de cannelle et d'écorce d'orange (Crète)

ουρά βοδιού f ou·ra vo·dhiou queue de bœuf

Π π

παϊδάκια n pl pa·ï·dha·kia côtelettes

παξιμάδια n pl pak·si·ma·dhia biscottes de froment ou d'orge humidifiées avant d'être mangées pendant les repas
— **με ντομάτες και φέτα** mè do·ma·tèss kè fè·ta **παξιμάδια** humidifiées à l'eau ou au jus de tomate et nappées de tranches de feta, d'origan, d'huile, de poivre et de sel – en-cas très courant
— **σαλάτα** sa·la·ta **παξιμάδια** morceaux de biscottes humidifiés et recouverts de dés de tomate, de feta, d'origan, d'huile, de poivre et de sel

παλαμίδα f pa·la·mi·dha bonite • thon de la Méditerranée
— **ψητή με χόρτα** psi·ti mè rHor·ta steak de thon aux herbes sauvages

παλικάρια n pl pa·li·ka·ri·a mélange de légumes et de céréales bouillis et sautés à l'huile avec des oignons et du fenouil

πανέ pa·nè pané

παντρεμένοι m pl pan·drè·mè·ni "mariés" – haricots associés à d'autres aliments (riz, viande, lentilles)

παντζάρι n pa·dza·ri betterave
— **σαλάτα** sa·la·ta betteraves en salade avec de la vinaigrette et servie avec de la **σκορδαλιά**

παντσέττα f pan·tsè·ta panse
— **γεμιστή στο φούρνο** yè·mi·sti sto four·no panse de porc farcie de parmesan, d'ail, d'oignons et d'origan, arrosée d'huile, de vin, de jus de citron, et cuite avec des pommes de terre (Zakynthos)

πάπια f pa·pia canard
— **με σάλτσα ροδιού** mè sal·tsa ro·dhiou aiguillettes de canard sautées à la sauce de grenade et aux noix (nord de la Grèce)
— **σαλμί** sal·mi canard saisi dans l'huile puis cuit dans le vin, le jus d'orange et les oignons

παπουτσάκι n pa·pout·sa·ki "petite chaussure" – petites aubergines farcies et nappées de béchamel

πάπρικα f pa·pri·ka paprika

παρμεζάνα f pa·mè·za·na parmesan

πασατέμπος m pa·sa·tè·boss "passe-temps" – graines grillées

πάστα f pa·sta pâte, gâteau

παστέλι n pa·stè·li pâte de sésame et de miel

παστιτσάδα f pa·stit·sa·dha rôti de veau aux tomates, vin blanc, clous de girofle, cannelle et paprika (Corfou)

παστίτσιο n pa·stit·si·o gratin de macaronis recouvert de **κεφαλοτύρι**

παστός pa·stoss salé et séché

παστουρμάς m pa·stour·mass viande séchée, salée et épicée

πατάτες f pl pa·ta·tèss pommes de terre
— **γιαχνί** yia·Hni ragoût de pommes de terre aux tomates, oignons et origan
— **κεφτέδες** kèf·tè·dhèss boulettes de purée de pomme de terre
— **λεμονάτες** lè·mo·na·tèss pommes de terre rôties à l'huile avec du jus de citron et de l'origan
— **πουρέ** pou·rè purée
— **στο φούρνο** sto four·no pommes de terre au four saupoudrées d'origan
— **τηγανητές** ti·gHa·ni·tèss frites

πατατοσαλάτα f pa·ta·to·sa·la·ta salade de pommes de terre

πατατού f pa·ta·tou tourte de purée de pomme de terre (Cyclades)

πατούδα f pa-*tou*-dha *pâtisserie fourrée aux noix, aux amandes et à la cannelle* (Crète)

πατσάς pat-*sass* m tripe • *soupe aux tripes assaisonnée d'αβγολέμονο*

πεϊνιρλί n peï-*nir*-li *petits pâtés garnis de viande, de fromage ou d'œufs et de jambon*

πέρδικες f pl pèr-dhi-kèss *perdreaux*
— **με ελιές και σέλινο** mè è-*liess* kè sè-li-no *perdreaux aux olives, au céleri et aux tomates*

πέρκα f pèr-ka *perche*

πέστροφα f pè-stro-fa *truite*

πεταλίδες f pl pè-ta-*li*-dhèss *patelles*
— **με θαλασσινούς χοχλιούς** mè tha-la-ssi-nouss rHo-rHli-ouss *patelles et bullots cuits avec des tomates, des oignons et du poivre* (Lesbos)

πετιμέζι n pè-ti-*mè*-zi *sirop de moût, utilisé comme boisson ou comme arôme dans la pâtisserie*

πιλάφι n pi-*la*-fi *pilaf*
— **με ντομάτες** mè do-*ma*-tèss *riz pilaf aux tomates*
— **με γαρίδες** mè gHa-*ri*-dhèss *riz pilaf aux crevettes*
— **με μύδια** mè *mi*-dhia *riz pilaf aux moules et au vin blanc*
— **με περδίκια** mè pèr-*dhi*-ki-a *riz pilaf au perdreau* (Céphalonie)

πιπέρι n pi-*pè*-ri *poivre noir*

πιροσκί n pi-ro-*ski* *saucisse grillée*

πίτα f *pi*-ta *feuilleté garni • petit pain rond garni de σουβλάκι ou de γύρος*

πιτσούνια n pl pit-*sou*-nia *pigeonneaux • petit oiseau comestible*
— **κρασάτα** kra-*sa*-ta *pigeon au vin préparé avec de la pulpe de tomate, de la cannelle et des clous de girofle puis braisé*
— **με κουκουνάρια** mè kou-kou-*na*-ria *pigeonneaux aux pignons servis avec une sauce à l'ail* (Nord de la Grèce)
— **με κουκιά** mè kou-*kia* *ragoût de pigeonneaux aux fèves, cuit dans du vin blanc avec du fenouil, de l'ail et beaucoup de poivre noir*

πλακί pla-*ki* *méthode de cuisson avec des tomates, de l'oignon, de l'ail et du persil*

ποδαράκια n pl po-dha-*ra*-kia *pieds de porc ou de mouton*
— **αρνίσια** ar-*ni*-ssi-a *pieds de mouton bouillis brunis au beurre et à l'ail et accompagnés d'une sauce au citron à l'œuf*

πόρτο n *por*-to *porto*

πορτοκάλι n por-to-*ka*-li *orange*
— **γλυκό** gHli-*ko* *orange au sirop*

ποτό n po-*to* *boisson • pot*

πράσα n pl *pra*-ssa *poireaux*
— **αλευρολέμονο** a-lèv-ro-*lè*-mo-no *poireaux braisés dans une sauce au citron*
— **με δαμάσκηνα** mè dha-*ma*-ski-na *poireaux aux pruneaux saupoudrés de cannelle et de poudre de noix*
— **με ρύζι** mè *ri*-zi *poireaux au riz avec du céleri et de la purée de tomate*

πρασάκια με πατάτες n pl pra-*ssa*-ki-a mè pa-ta-tèss *petits poireaux cuits avec des tranches de pomme de terre, des oignons, de l'origan et du persil*

πρασόπιτα f pra-sso-pi-ta *feuilleté aux poireaux, à la φέτα et à la μυζήθρα* (Grèce occidentale)

Ρ ρ

ραβιόλες f pl ra-vi-o-lèss *ravioles au fromage et à la menthe, servies avec du beurre et du fromage râpé* (Chypre)

ραδίκι n ra-*dhi*-ki *chicorée • terme utilisé pour désigner toutes sortes de χόρτα*
— **σαλάτα** sa-*lu*-ta *salade de printemps à base de pousses de pissenlit ou de chicorée, assaisonnée d'huile et de citron*

ρακί n ra-*ki* *alcool de raisin, très fort, qui ressemble à l'ouzo sans anis*

ραφιόλια n pl ra-fi-o-li-a *feuilleté en forme de demi-lune fourré au fromage, aux œufs, à la cannelle, à l'orange et à l'ouzo* (Cyclades)

ρεβανί n rè-va-*ni* *gâteau de semoule aromatisé à la vanille et à l'orange et imbibé d'un sirop au miel*

ρεβίθια n pl rè-*vi*-thia *pois chiches*
— **αλευρολέμονο** a-lèv-ro-*lè*-mo-no *pois chiche cuits dans un bouillon au citron*
— **στο φούρνο** sto *four*-no *pois chiches, oignons, ail et feuilles de laurier cuits au four – plat apprécié pendant le carême*
— **σούπα** *sou*-pa *soupe de pois chiches*

ρεβιθοκεφτέδες m pl rè-vi-tho-kèf-*tè*-dhèss *boulettes de purée de pois chiche et de pomme de terre*

ρέγγα f *rè*-ga *hareng fumé mangé nature ou grillé avec de l'huile et du citron*

ρέσσι n *rè*-ssi *pilaf fait à partir de burghul et d'agneau servi dans les mariages (Chypre)*

ρετσίνα f rèt-*si*-na *retzina – vin résiné servi glacé*

ριγανάτος m ri-gHa-*na*-toss *assaisonnement à base d'origan, de poivre et de sel*

ρίγανη f ri-gHa-ni *origan grec*

ριζάδα f ri-*za*-dha *soupe assez riche à base de riz, de coquillages ou de petits oiseaux sauvages (Corfou)*

ριζόγαλο n ri-zo-gHa-lo *riz au lait parfumé à la vanille et saupoudré de cannelle*

ρόδι n *ro*-dhi *grenade – utilisée pour aromatiser les pâtisseries, confiseries ou salades*

ροδόνερο n ro-dho-*nè*-ro *eau de rose utilisée dans la pâtisserie et la confiserie*

ρολό από κιμά n ro-lo a-po ki-ma *rouleau à la viande garni d'un œuf en son milieu*

ροφός m ro-foss *mérou*

ρύζι n ri-zi *riz*

Σ σ

σαλάχι n sa-*la*-Hi *raie*
— **σαλάτα** sa-*la*-ta *salade de raie bouillie agrémentée d'un ladolémono*

σαλιγκάρια n pl sa-li-*ga*-ri-a *escargots cuits dans leur coquille*
— **φρικασέ** fri-ka-ssè *fricassée de gros escargots, d'oignons, de fenouils augmentée d'un avgolémono*
— **με σάλτσα** mè *sal*-tsa *escargots cuits avec des morceaux de tomate, du concentré de tomate, des oignons et de l'origan*
— **συμπεθεριό** si-bè-thè-*rio* "par alliance" – *escargots cuits avec des aubergines, de la pulpe de tomate et du ξινόχοντρος*
— **στα κάρβουνα** sta *kar*-vou-na *escargots saisis vivants et plongés dans du ladolémono avec des feuilles de laurier (Cyclades)*
— **στιφάδο** sti-*fa*-dho *ragoût d'escargots avec des feuilles de laurier (Crète)*

σαλμί n sal-*mi* *mode de cuisson lente des gibiers dans du vin rouge avec des légumes et des herbes*

σάλτσα f *sal*-tsa *sauce • sauce tomate*
— **από ζωμό κρέατος** a-po zo-mo *krè*-a-toss *jus de viande*
— **άσπρη** *a*-spri *béchamel aux œufs*
— **άσπρη ξινή** *a*-spri ksi-ni *sauce blanche faite avec du beurre, de la farine, du bouillon, des œufs et du citron*
— **αυγολέμονο** av-gHo-*lè*-mo-no *voir* **αβγολέμονο**
— **ντομάτα** do-*ma*-ta *sauce tomate aux feuilles de laurier*
— **ντομάτα με κιμά** do-*ma*-ta mè ki-*ma* *sauce tomate à la viande*
— **μαρινάτα** ma-ri-*na*-ta *marinade*
— **μουστάρδα** mou-*star*-dha *ail et moutarde fouettée avec du jus de citron*
— **ταρτάρ** tar-*tar* *sauce tartare*

Σάμος sa-*moss* *vin doux de Samos (Samos)*

σαρακοστιανά n pl sa-ra-ko-sti-a-*na* *voir* **νηστήσιμα**

σαρδέλες f pl sar-*dhè*-lèss *sardines*
— **παστές** pa-*stèss* *sardines séchées*
— **στο φούρνο** sto *four*-no *sardines au four*

σαρμάς m sar-*mass* *genre de tourtes aux abats (nord de la Grèce)*

σβίγγοι m pl *zvi*-gui *beignets servis avec du miel, de la cannelle et du cognac*

σελινόριζα f sè-li-no-ri-za *céleri*
— **με αυγολέμονο** mè av-gHo-*lè*-mo-no *crème de céleri à l'*avgolémono
— **με πράσα** mè *pra*-ssa *aux poireaux et à l'*αβγολέμονο

σέσκουλο n sè-skou-lo *bette*
— **με κιμά** mè ki-*ma* *bettes à la viande*

σεσκουλόρυζο n sè·skou·*lo·ri·zo*
voir **σπανακόρυζο**

σεφταλιά f sèf·ta *lia boulettes de porc* (Chypre)

σκαλτσοτσέτα n pl skal·tsot·sè·ta *fines tranches de filets de viande cuites à feu doux dans de l'huile, de l'eau et des tomates*

σκορδαλιά f skor·dha·*lia purée d'ail*

σκόρδο n skor·dho *ail*
— **στούμπι** stou·bi *vinaigre à l'ail (îles Ioniennes)*
— **τσιγαριστά** tsi·gHa·ri·*sta gousses d'ail frites et cuites dans le vin blanc, le concentré de tomate, le persil et le poivre (Ithaque)*

σκουμπρί n skou·*bri maquereau*

σνακς n pl *snacks snacks*

σοκολάτα f so·ko·la·ta *chocolat*
— **γάλα** gHa·la *chocolat chaud*

σούβλα f souv·la *broche pour griller la viande ou le poisson*

σουβλάκι n souv·la·ki *brochettes de viande ou de poisson mariné*
— **με πίτα** mè pi·ta *souvlaki avec* **πίτα**

σούπα f sou·pa *soupe*
— **ξιδάτη** ksi·dhu·ti *soupe de persil aux lentilles et au vinaigre*
— **με τσουκνίδες** mè tsouk·ni·dhèss *crème d'orties avec morceaux de pomme de terre cuite dans un bouillon de poulet*

σουπιές f pl sou·pièss *seiches*
— **κρασάτες** kra·ssa·tèss *seiches au vin*
— **με σάλτσα μελάνης** mè sal·tsa mè·la·niss *seiches cuites dans une sauce faite à base d'encre de seiche et de vin* (Crète)
— **με σπανάκι** mè spa·na·ki *seiches aux épinards, aux oignons, au fenouil et à la menthe*

σουσάμι n sou·ssa·mi *graine de sésame*

σουτζουκάκια n pl sou·dzou·ka·kia *boulettes de viande sautées dans une sauce tomate relevée*

σουτζούκι n sou·dzou·ki *amandes effilées nappées de sirop et séchées au soleil*

σοφρίτο n so·fri·to *veau braisé dans une sauce à l'ail, au vinaigre, au vin, au persil, à la menthe et au brandy (Corfou)*

σπάλα f spa·la *épaule*
— **μοσχαρίσια** mos·rHa·ri·ssi·a *épaule de veau*

σπανακόπιτα f spa·na·ko·pi·ta *feuilleté aux épinards avec de la feta ou du* **κεφαλοτύρι**, *des œufs et des herbes*

σπανακόρυζο n spa·na·ko·ri·zo *risotto aux épinards et aux oignons*

σπετζοφάι n spè·dzo·fa·ï *tranches de sanglier en ragoût avec du poivron vert, des aubergines, des tomates et de l'origan*

σπλήνα f spli·na *rate*
— **γεμιστή** yè·mi·sti *rate de veau farcie au foie, aux oignons, à l'ail et aux herbes puis rôtie*

σπληνάντερο n spli·nan·dè·ro *gros intestin d'agneau farci de rate*

σταφίδες f pl sta·fi·dhèss *raisins secs*

σταφιδολιές f pl sta·fi·dho·lièss *type d'olive séchée au soleil*

σταφιδωτά n pl sta·fi·dho·ta *biscuits aux raisins de forme ovale*

σταφύλια n pl sta·fi·li·a *raisins*

στάκα f sta·ka *beurre crémeux de lait de chèvre ou de brebis utilisé dans les tourtes, les légumes farcis et le riz pilaf*
— **με αβγά** mè av·gHa *omelette avec de la* **στάκα** (Crète)

στάμνα f stam·na *cuisson au charbon de bois dans un faitout en terre cuite fermé*

στιφάδο n sti·fa·dho *viande, gibier ou poisson cuit à l'étuvée*

στραγάλια n pl stra·gHa·lia *pois chiches grillés servis à l'apéritif*

σύκο n si·ko *figue*
— **αποστολιάτικο** a·po·sto·lia·ti·ko *jeune figue verte*
— **γλυκό** gHli·ko *figue au sirop*
— **στο φούρνο** sto four·no *figues cuites au four dans un sirop de miel, de vanille, de jus d'orange et d'eau de fleur d'oranger*

συκόπιτα f si·ko·pi·ta *tourte à la figue* (Corfou)

συκόψωμο n si-kop-so-mo *gâteau de figue aromatisé • boulettes de pâte de figue à l'ouzo, aplaties, séchées et enveloppées dans une feuille de vigne*

συκωταριά f si-ko-ta-*ria abats, viscères*

συκώτι n si-ko-ti *foie*
— **κρασάτα** kra-*ssa*-ta *foie haché mariné dans le vin rouge*
— **λαδορίγανη** la-dho-*ri*-gHa-ni *foie revenu dans l'huile, le citron et l'origan*
— **μαρινάτα** ma-ri-*na*-ta *tranches de foie sautées et déglacées au vinaigre et au vin blanc avec du romarin*
— **με κρεμμυδάκια** mè krè-mi-*dha*-kia *foie sauté avec des oignons frais accompagné d'une sauce au vin blanc et d'un jus de tomate*

σφακιανόπιτες f pl sfa-ki-a-*no*-pi-tèss *beignets de fromage frais servis avec du miel*

σφουγγάτο n sfoun-*ga*-to *genre d'omelette espagnole à base de légumes sautés (Rhodes)*

Τ τ

ταβάς m ta-*vass ragoût de bœuf ou d'agneau cuit avec des oignons frits, des dés de tomate, de l'huile, du vinaigre et de la cannelle*

ταλαττούρι n ta-la-*tou*-ri *τζατζίκι aromatisé à la menthe (Chypre)*

ταραμάς m ta-ra-*mass œufs de poisson, souvent de mulet, salés*

ταράξακο n ta-*rak*-sa-ko *pissenlit*

ταχίνι n ta-*Hi*-ni *pâte de graine de sésame*

ταχινόσουπα f ta-Hi-*no*-ssou-pa *crème de citron et de graines de sésame (soupe servie pendant le carême)*

τελεμές m tè-lè-*mèss genre de feta très salée*

τζατζίκι n dza-*dzi*-ki *concombre au yaourt et à l'ail*

τηγανόψωμο n ti-gHa-*nop*-so-mo *pain à la tomate et aux oignons frais (Santorin)*

της ώρας tis o-rass *plats préparés à la commande tels que les steaks ou les escalopes*

τίλιο n ti-li-o *infusion de feuilles de tilleul*

τουρσί n tour-*si pickles*

τούρτα f tour-ta *gâteau • tarte*

τραχανόσουπα f tra-rHa-*no*-ssou-pa *soupe de semoule ou de tapioca cuite dans un bouillon de poule avec du beurre et du jus de citron*

τριαντάφυλλο γλυκό n tri-a-*da*-fi-lo gHli-ko *confiture de pétale de rose*

τσικουδιά f tsi-kou-*dhia voir ρακί*

τσιπούρα f tsi-*pou*-ra *dorade*

τσίπουρο n tsi-*pou*-ro *voir ρακί*

τσίρος m tsi-ross *petit maquereau séché*

τσόχος m tso-rHoss *charbon marie – espèce d'herbe utilisée dans les salades chaudes, les tourtes et les ragoûts • genre de χόρτα*

τσουρέκι n Ht-sou-*rè*-ki *brioche pascale aromatisée au citron et à la cerise, et saupoudrée d'amandes et de μαστίχα*

τσουκνίδες f pl tsou-*kni*-dhèss *orties utilisées dans les salades ou les soupes*

τυρί n ti-ri *fromage*
— **μπλε** blè *bleu*
— **ημίσκληρο** i-mi-skli-ro *fromage demi-frais*
— **κατσικίσιο** kat-si-*ki*-ssi-o *fromage de chèvre*
— **κρεμώδες** krè-mo-dhèss *crème de fromage*
— **μαλακή μυζήθρα** ma-la-*ki* mi-zi-thra *genre de faisselle*
— **μαλακό** ma-la-*ko fromage frais*
— **σαγανάκι** sa-gHa-*na*-ki *fromage frit servi avec du jus de citron*
— **σκληρό** skli-ro *fromage sec*

τυροβολιά f ti-ro-vo-*lia variété de fromage*

τυρόπηγμα n ti-ro-pigH-ma *lait caillé*

τυρόπιτα f ti-ro-pi-ta *feuilleté au fromage*

Φ φ

φάβα f fa-va *purée de fève servie avec des rondelles d'oignon*
— **παντρεμένη** pa-drè-mè-ni *"mariée" – reste de φάβα servie chaude avec des tomates et du cumin*

φαγρί n fa-gHri *pagre*

φακές f pl fa·kèss *lentilles*
— **με μακαρόνια** mè ma·ka·ro·nia *lentilles mijotées dans l'eau et du vinaigre avec de la menthe, de l'ail et des pâtes (Astypaléa)*
— **σούπα** sou·pa *soupe de lentilles*
Φανουρόπιτα f fa·nou·ro·pi·ta *pain d'épices servi à la Saint-Fanourios*
φασκόμηλο n fa·sko·mi·lo *sauge*
φασολάδα f fa·sso·la·dha *soupe de flageolets avec des tomates, du concentré de tomate, des carottes, du céleri, de l'ail et du persil*
φασολάκια n pl fa·sso·la·kia *haricots verts*
— **λαδερά** la·dhè·ra *haricots verts, tomates et oignons cuits dans l'huile —*
σαλάτα sa·la·ta *salade de haricots verts frais assaisonnée au* **λαδολέμονο** *ou* **λαδόξιδο**
φασόλια n pl fa·sso·li·a *haricots secs, en général blancs*
— **μάραθο** ma·ra·tho *haricots secs et oignons revenus dans l'huile puis mijotés avec de la pulpe de tomate et du fenouil*
— **σαλάτα** sa·la·ta *en salade*
φέτα f fè·ta *feta — fromage blanc salé*
— **σχάρας** srHa·rass *feta grillée*
φέτες ψαριού με ντομάτα και σταφίδες f pl fè·tèss psa·riou mè do·ma·ta kè sta·fi·dhèss *tranches de poisson à la tomate et au raisin*
φιλέτο n fi·lè·to *filet • steak*
φιρίκια n pl fi·ri·ki·a *petites pommes croquantes (nord de la Grèce)*
— **με αμύγδαλα** mè a·migH·dha·la **φιρίκια** *cuites et garnies d'amandes*
— **γεμιστά** yè·mi·sta **φιρίκια** *farcies de veau, de coriandre et de cumin*
φιστίκια n pl fi·sti·kia *cacahuètes*
— **Αιγίνης** è·yi·niss *pistaches*
φλαούνες f pl fla·ou·nèss *gâteaux servis à Pâques (Chypre)*
φοινίκια n pl fi·ni·ki·a *"palmiers" biscuits au miel et à la cannelle*
φρικασέ n fri·ka·ssè *fricassée de viande ou de légumes accompagnée d'***αβγολέμονο**

φρουταλιά f frou·ta·lia *genre d'omelette aux pommes de terre, avec du persil et des morceaux de sanglier fumé (Andros)*
φρυγαδέλια n pl fri·gHa·dhè·lia *panse d'agneau farcie de foie, frite ou grillée (nord de la Grèce, Thessalie)*
φύλλο n fi·lo *feuilles de pâte très fine pour les pâtés ou les pâtisseries*

Χ χ

χαβιάρι n rHa·via·ri *caviar*
χαλβάς m rHal·vass *pâte de sésame aux pistaches, au chocolat ou aux amandes*
— **σιμιγδαλένιος** si·migH·dha·lè·nioss *gâteau de semoule arrosé de sirop de miel, avec des amandes et de la cannelle*
— **της Ρίνας** tiss ri·nass *gâteau de semoule aux amandes nappé d'un sirop*
χαλορίνι n rHa·lo·ri·ni *fromage à la coriandre (Chypre)*
χαλούμι n rHa·lou·mi *fromage de brebis ferme et élastique au goût salé (Chypre)*
χαλουμόπιτες f pl rHa·lou·mo·pi·tèss *pitès faites à partir de* **χαλούμι**, *d'œufs, de menthe, de raisins et de* **μαστίχα** *(Chypre)*
χαλουμόψωμο n rHa·lou·mop·so·mo *pain cuit avec des morceaux de* **χαλούμι** *(Chypre)*
χαμομήλι n rHa·mo·mi·li *camomille*
χαμψιά f rHam·psia *anchois frais*
χαμψοπίλαφο n rHam·pso·pi·la·fo *pilaf d'anchois et d'oignons à l'origan*
χείλη της χανούμισσας n pl / li·li tiss rHa·nou·mi·ssass *"lèvres de la dame turque" – gâteau au miel (Rhodes)*
χέλι n Hè·li *anguille*
— **πλακί** pla·ki *anguille* **πλακί** *(Corfou)*
χοιρινές f pl Hi·ri·nèss *escalope de porc*
— **κρασάτες** kra·ssa·tèss *escalope au vin rouge*
— **στη σχάρα** sti srHa·ra *escalope sur le gril avec du sel, du poivre et du jus de citron*
— **τηγανητές** ti·gHa·ni·tèss *escalopes sautées*

χοιρινό n Hi·ri·*no* porc
— **με κυδώνια** mè ki·*dho*·nia ragoût de porc et de coing au vin rouge, aux écorces d'orange et à la cannelle
— **με πράσα** mè pra·*ssa* porc aux poireaux
— **με σέλινο αυγολέμενο** mè sè·li·no av·gHo·lè·*me*·no porc et céleri avec de l'αυγολέμονο
— **μπούτι ψητό** bou·ti psi·*to* pieds de porcs grillés
— **παστό** pa·*sto* porc salé
χοιρομέρι n Hi·ro·*mè*·ri jambon (Chypre, Zakynthos)
χόντρος m rHo·dross froment pilé utilisé dans les soupes, les dolmadès, les escargots et les ragoûts (voir aussi ξινόχοντρος)
χόρτα n pl rHor·ta herbes sauvages servies en salades, ou dans les ragoûts
— **τσιγαριστά** tsi·gHa·ri herbes sauvages légèrement rissolées
χορτόπιτα f rHor·to·pi·ta feuilleté de χόρτα
χορτοσαλάτα f rHor·to·ssa·*la*·ta salade de χόρτα chaude assaisonnée à l'huile et au citron
χορτόσουπα f rHor·to·ssou·pa soupe de χόρτα
χουρμάδες m pl rHour·*ma*·dhèss dattes
χοχλιοί m pl rHo·rHli·*ï* escargots
— **μπουμπουριστοί** bou·bou·ri·*sti* escargots vivants saisis dans la matière grasse et déglacés au vinaigre avec du romarin
χριστόψωμο n rHri·stop·so·mo pain sucré de Noël en forme de croix
χταπόδι n rHta·po·dhi poulpe
— **βραστό** vra·*sto* poulpe bouilli servi arrosé d'huile et de jus de citron
— **κεφτέδες** kèf·tè·dhèss boulettes de poulpe, oignons, menthe et fromage
— **κρασάτο** kra·ssa·to poulpe cuit dans une sauce au vin rouge
— **λιαστό** lia·sto poulpe séché au soleil et passé au gril, arrosé d'huile et de citron

— **με μακαρόνι κοφτό** mè ma·ka·ro·ni kof·to poulpes cuits avec des tomates, macaronis et vin rouge
— **στα κάρβουνα** sta kar·vou·na poulpe grillé
— **στιφάδο** sti·*fa*·dho poulpe en ragoût
— **τουρσί** tour·*si* poulpe au vinaigre
χυλόπτα n pl Hi·*lof*·ta macaronis au beurre et au fromage râpé (Crète)
χωριάτικη σαλάτα f rHo·ri·a·ti·ki sa·*la*·ta "salade villageoise" – salade grecque

Ψ ψ

ψάρι n psa·ri poisson
— **μαρινάτο** ma·ri·na·to poisson revenu et servi avec une sauce relevée à l'ail, au romarin et au vinaigre (aussi appelé ψάρι σαβόρι)
— **πλακί** pla·ki poisson entier nappé d'huile, de citron et de persil, cuit sur un lit de tomates et d'oignons
— **σαβόρι** sa·vo·ri voir ψάρι μαρινάτο
— **Σπετσιώτο** spèt·si·o·to poisson cuit avec de la chapelure et du vin blanc (Spétsai)
— **στη σχάρα** sti srHa·ra poisson grillé
— **τηγανητό** ti·gHa·ni·to poisson revenu à la poêle
ψαροκεφτέδες m pl psa·ro·kèf·tè·dhèss boulettes de poisson
ψαρονέφρι n psa·ro·nè·fri filets de porc
— **βραστό με λαχανικά** vra·sto mè la·rHa·ni·ka filets de porc au court-bouillon avec des légumes – souvent allongé d'un αβγολέμονο
ψαρόσουπα f psa·ro·ssou·pa soupe de poisson au riz et à l'αβγολέμονο
ψητός psi·toss grillé ou rôti
ψωμιά με ανάγλυφες διακοσμήσεις n pl pso·*mia* mè a·na·gHli·fèss dhi·a·koz·mi·ssiss pains décorés servis pour les célébrations, les baptêmes ou les mariages

l'essentiel

έκτακτη ανάγκη

À l'aide !	*Βοήθεια!*	vo·i·thia
Stop !	*Σταμάτα!*	sta·ma·ta
Va-t-en !	*Φύγε!*	fi·yè
Au voleur !	*Κλέφτης!*	klèf·tiss
Au feu !	*Φωτιά!*	fo·tia
Attention !	*Πρόσεχε!*	pro·ssè·Hè

Appelle une ambulance !
Κάλεσε το ασθενοφόρο. ka·lè·ssè to as·thè·no·fo·ro

Appelle un médecin !
Κάλεσε ένα γιατρό. ka·lè·ssè è·na yia·tro

Appelle la police !
Κάλεσε την αστυνομία. ka·lè·ssè tin a·sti·no·mi·a

C'est une urgence.
Είναι μια έκτακτη ανάγκη. i·nè mia èk·tak·ti a·na·gui

Il y a eu un accident.
Έγινε ατύχημα. è·yi·nè a·ti·Hi·ma

Peux-tu m'aider, s'il te plaît ?
Μπορείς να βοηθήσεις, bo·riss na vo·i·thi·ssiss
παρακαλώ; pa·ra·ka·lo

panneaux

Αστυνομία	a·sti·no·mi·a	**police**
Αστυνομικός	a·sti·no·mi·koss	**commissariat**
Σταθμός	stath·moss	
Νοσοκομείο	no·sso·ko·mi·o	**hôpital**
Σταθμός Πρώτων	stath·moss pro·ton	**premières**
Βοηθειών	vo·i·thi·on	**urgences**

Est-ce sûr … ? *Είναι ασφαλές…;* i·ne as·fa·lèss…
   la nuit τη νύχτα ti *nirH*·ta
   pour les homosexuels για γκέι yia guè·ï
   pour les touristes για ταξιδιώτες yia tak·si·*dhio*·tèss
   pour les femmes για γυναίκες yia yi·nè·kèss
   pour les personnes χωρίς παρέα rHo·riss pa·rè·a
   seules

Je me suis perdu(e).
   Έχω χαθεί. è·rHo rHa·*thi*

Où sont les toilettes ?
   Πού είναι η τουαλέτα; pou i·nè i tou·a·*lè*·ta

Est-ce une zone contrôlée par l'ONU ?
   Είναι αυτή η ζώνη του ΟΗΕ; i·nè af·*ti* i *zo*·ni tou o·i·é

Où est la ligne de démarcation ?
   Πού είναι η διαχωριστική pou i·nè i dhi·a·rHo·ri·sti·*ki*
   γραμμή; gHra·*mi*

Y a-t-il des bases militaires dans la région ?
   Υπάρχουν στρατιωτικές i·*par*·rHoun stra·ti·o·ti·*kèss*
   βάσεις σ' αυτή την περιοχή; va·ssis saf·*ti* tin pè·ri·o·*Hi*

police

Où se trouve le commissariat de police ?
   Πού είναι ο αστυνομικός pou i·nè o a·sti·no·mi·*koss*
   σταθμός; stath·*moss*

Téléphone à la police touristique, s'il te plaît.
   Παρακαλώ τηλεφώνα την pa·ra·ka·*lo* ti·lè·*fo*·na tin
   τουριστική αστυνομία. tou·ri·sti·*ki* a·sti·no·*mi*·a

Je veux faire une déposition.
   Θέλω να αναφέρω *thè*·lo na a·na·*fè*·ro
   μια παρανομία. mia pa·ra·no·*mi*·a

C'est lui/elle.
   Ήταν αυτός/αυτή. i·tan af·*toss*/af·*ti*

Je suis assurée.
   Έχω ασφάλεια. è·rHo as·*fa*·li·a

On m'a...	Με έχουν...	mè è·rHounn...
Il/Elle a été...	Τον/Την έχουν...	tonn/tinn è·rHounn...
maltraité(e)	κακοποιήσει	ka·ko·pi·*i*·ssi
violé(e)	βιάσει	vi·*a*·ssi
volé(e)	ληστέψει	li·*stèp*·si

Κατηγορείσαι για... ka·ti·gHo·*ri*·ssè yia ...	Tu es accusé(e)...
Αυτός κατηγορείται για ... af·*toss* ka·ti·gHo·*ri*·tè yia...	Il est accusé...
Αυτή κατηγορείται για ... af·*ti* ka·ti·gHo·*ri*·tè yia...	Elle est accusée...

διατάραξη	dhi·a·*ta*·rak·si	trouble à
ησυχίας	i·ssi·*Hi*·ass	l'ordre public
εξαγωγή	èk·sa·gHo·*yi*	exportation
αρχαιοτήτων χωρίς	ar·Hè·o·*ti*·tonn rHo·*riss*	illicite
άδεια	*a*·dhi·a	d'antiquités
κακοποίηση	ka·ko·*pi*·i·ssi	maltraitance
κλοπή από	klo·*pi* a·po	vol à l'étalage
κατάστημα	ka·*ta*·sti·ma	
κλοπή	klo·*pi*	vol
μετακίνηση	mè·ta·*ki*·ni·ssi	transport
αρχαιοτήτων	ar·Hè·o·*ti*·tonn	d'antiquités
μη κατοχή	mi ka·to·*Hi*	être sans
βίζας	vi·zass	papier
κατοχή	ka·to·*Hi*	détention
(παράνομων	(pa·*ra*·no·monn	(de substances
ουσιών)	ou·ssi·*onn*)	illicites)
υπέρβαση της	i·*pèr*·va·ssi tsis	avoir un visa
βίζας	vi·zass	périmé

Είναι πρόστιμο για ... i·nè *pro*·sti·mo yia...	C'est une contravention pour...
πάρκινγκ	*par*·king	stationnement
ταχύτητα	ta·*Hi*·ti·ta	excès de vitesse

J'ai perdu mon/mes... — *Έχασα ... μου.* — è·rHa·ssa ... mou

Je me suis fait voler mon/mes... — *Έκλεψαν ... μου.* — è·klèp·san ... mou

valises	*τις βαλίτσες*	tiss va·*lit*·sèss
argent	*τα χρήματά*	ta *rHri*·ma·*ta*
passeport	*το διαβατήριό*	to dhia·va·*ti*·rio

De quoi suis-je accusé ?
Για τι πράγμα κατηγορούμαι; — yia ti *pra*·gHma ka·ti·gHo·*rou*·mè

Je n'ai pas réalisé que je faisais quelque chose de mal.
Δεν κατάλαβα ότι έκαμα κάτι λάθος. — dhèn ka·*ta*·la·va o·ti è·ka·ma ka·ti la·thoss

Ce n'est pas moi qui ai fait ça.
Δεν το έκαμα. — dhèn to è·ka·ma

Je suis désolé(e).
Συγνώμη. — sigH·*no*·mi

Puis-je payer une amende sur-le-champ ?
Μπορώ να πληρώσω ένα πρόστιμο επί τόπου; — bo·ro na pli·*ro*·sso è·na *pro*·sti·mo è·*pi* to·pou

Je veux contacter mon ambassade.
Θέλω να έρθω σε επαφή με την πρεσβεία μου. — *thè*·lo na *èr*·tho sè è·pa·*fi* mè tin prèz·*vi*·a mou

Puis-je passer un coup de téléphone ?
Μπορώ να κάμω ένα τηλεφώνημα; — bo·ro na *ka*·mo è·na ti·lè·*fo*·ni·ma

Puis-je avoir un avocat (qui parle français) ?
Μπορώ να έχω ένα δικηγόρο (που να μιλάει ταλλικά); — bo·ro na è·rHo è·na dhi·ki·*gHo*·ro (pou na mi·*la*·ï gHa·li·*ka*)

Ce médicament est destiné à un usage personnel.
Αυτό το φάρμακο είναι για προσωπική χρήση. — af·*to* to *far*·ma·ko *i*·nè yia pro·*sso*·pi·*ki* rHri·ssi

J'ai une ordonnance pour ce médicament.
Έχω συνταγή για αυτό το φάρμακο. — è·rHo si·da·*yi* yia af·*to* to *far*·ma·ko

Je (ne) comprends (pas).
(Δεν) καταλαβαίνω. — (dhèn) ka·ta·la·*vè*·no

consulter un professionnel de santé

γιατρός

Où est le/la/l' ... le/la/l' plus proche ?	Πού είναι το πιο κοντινό...;	pou *i*·nè to pio ko·di·*no*...
centre des urgences	πρώτων βοηθειών	*pro*·ton vo·ï·thi·*on*
hôpital	νοσοκομείο	no·sso·ko·*mi*·o
centre médical (de nuit)	ιατρικό κέντρο (νυχτερινό)	i·a·tri·*ko* kè·dro (nirH·tè·*ri*·no)
pharmacie	φαρμακείο	far·ma·*ki*·o

Où est le/l' ... le plus proche ?	Πού είναι ο πιο κοντινός...;	pou *i*·nè o pio ko·di·*noss*...
dentiste	οδοντίατρος	o·dho·di·a·*tross*
médecin	γιατρός	yia·*tross*
ophtalmologue	οφθαλμίατρος	of·thal·*mi*·a·tross

J'ai besoin d'un médecin (qui parle français).
Χρειάζομαι ένα γιατρό (που να μιλάει ταλλικά). — rHri·*a*·zo·mè è·na yia·*tro* (pou na mi·*la*·ï gHa·li·*ka*)

Puis-je voir une femme médecin ?
Μπορώ να δω μια γυναίκα γιατρό; — bo·*ro* na dho mia yi·*nè*·ka yia·*tro*

Le médecin peut-il venir ici ?
Μπορεί ο γιατρός να έρθει εδώ; — bo·*ri* o yia·*tross* na èr·thi è·*dho*

Y a-t-il un numéro pour les urgences de nuit ?
Υπάρχει τηλεφωνικός αριθμός για επείγουσες ανάγκες τη νύχτα; — i·*par*·Hi ti·lè·fo·ni·*koss* a·rith·*moss* yia è·*pi*·gHou·ssèss a·*na*·guèss ti nirH·ta

Je n'ai plus de médicament.
Μου έχουν τελειώσει τα φάρμακά μου. — mou è·rHoun tè·li·*o*·ssi ta *far*·ma·ka mou

Ce sont mes médicaments habituels.

Αυτά είναι τα συνηθισμένα μου φάρμακα.

af·*ta* i·nè ta si·ni·thiz·*mè*·na mou *far*·ma·ka

Quelle est la bonne posologie ?

Ποια είναι η σωστή δόση;

pia *i*·nè i so·*sti dho*·ssi

Je ne veux pas de transfusion sanguine.

Δεν θέλω μετάγγιση αίματος.

dhèn *thè*·lo mè·*ta*·gui·ssi è·ma·toss

Merci d'utiliser une seringue neuve.

Παρακαλώ χρησιμοποίησε καινούργια σύριγγα.

pa·ra·ka·*lo* rHri·ssi·mo·*pi*·ï·ssè kè·*nour*·yia si·ri·ga

J'ai ma propre seringue.

Έχω δική μου σύριγγα.

è·rHo dhi·*ki* mou si·ri·ga

J'ai été vacciné(e) contre...

Έχω κάμει εμβόλιο για...

è·rHo *ka*·mi èm·*vo*·li·o yia

Il/Elle a été vacciné(e) contre...	Αυτός/Αυτή έχει κάμει εμβόλιο για...	af·*toss*/af·*ti* è·Hi *ka*·mi èm·*vo*·li·o yia...
l'hépatite A/B/C	ηπατίτιδα A/B/C	i·pa·*ti*·ti·dha è·i/bi/si
le tétanos	τέτανο	*tè*·ta·no
la typhoïde	τύφο	*ti*·fo

J'ai besoin...	Χρειάζομαι...	rHri·*a*·zo·mè...
de nouvelles	καινούργιους	kè·*nour*·yiouss
lentilles de contact	φακούς επαφής	fa·*kouss* è·pa·*fiss*
lunettes	καινούργια γιαλιά	kè·*nour*·yia yia·*lia*

Mon ordonnance est...

Η συνταγή μου είναι...

i si·da·*yi* mou *i*·nè...

Combien cela va-t-il coûter ?

Πόσο θα κοστίσει;

po·sso tha ko·*sti*·ssi

Puis-je avoir un reçu pour mon assurance ?

Μπορώ να έχω μια απόδειξη για την ασφάλειά μου;

bo·*ro* na è·rHo mia a·*po*·dhik·si yia tin as·*fa*·li·a mou

Ποιο είναι το πρόβλημα;
pio *i*·nè to *prov*·li·ma

Quel est le problème ?

Πού πονάει;
pou po·*na*·Ï

Où avez-vous mal ?

Έχετε πυρετό;
è·Hè·tè pi·rè·to

Avez-vous de la fièvre ?

Πόσον καιρό είστε έτσι;
po·sson kè·*ro* i·stè èt·si

Depuis combien de temps vous sentez-vous ainsi ?

Το είχατε αυτό πριν;
to *i*·rHa·tè af·po prin

Avez-vous déjà eu ça ?

Έχετε σεξουαλικές σχέσεις;
è·Hè·tè sèk·sou·a·li·*kèss* sHè·ssiss

Avez-vous des rapports sexuels réguliers ?

Μήπως είχατε σεξ χωρίς προφύλαξη;
mi·poss *i*·rHa·tè sèks rHo·*riss* pro·fi·lak·si

Avez-vous eu des rapports non protégés ?

Πίνετε;/Καπνίζτε;
pi·nè·tè/ka·*pni*·zè·tè

Est-ce que vous buvez/fumez ?

Παίρνετε ναρκωτικά;
pèr·nè·tè nar·ko·ti·*ka*

Vous droguez-vous ?

Είστε αλλεργικός σε κάτι;
i·stè a·lèr·yi·*koss* sè *ka*·ti

Avez-vous des allergies ?

Παίρνετε φάρμακα;
pèr·nè·tè *far*·ma·ka

Suivez-vous un traitement ?

Πόσον καιρό ταξιδεύετε;
po·sson kè·*ro* tak·si·dhè·vè·tè

Depuis combien de temps voyagez-vous ?

Πρέπει να μπείτε στο νοσοκομείο.
prè·pi na *bi*·tè sto no·sso·ko·*mi*·o

Vous devez être hospitalisé(e).

Πρέπει να το ελέγξετε όταν επιστρέψετε στη χώρα σας.
prè·pi na to è·*len*·ksè·tè o·tan è·pi·*strèp*·sè·tè sti rHo·ra sass

Vous devrez faire un examen à votre retour.

santé

197

Πρέπει να επιστρέψετε στη
χώρα σας για θεραπεία.
*prè·pi na è·pi·strèp·sè·tè sti
rHo·ra sass yia thè·ra·pi·a*

**Vous devez rentrer chez
vous pour vous faire soigner.**

Είστε υποχονδριακός/υποχονδριακή. **m/f**
*i·stè i·po·rHon·dhri·a·koss/
i·po·rHon·dhri·a·ki*

Vous êtes hypocondriaque.

symptômes et condition physique

συμπτώματα και καταστάσεις

Je suis malade.
Είμαι άρρωστος.   *i·mè a·ro·stoss*

Mon ami est (très) malade.
Ο φίλος μου είναι   *o fi·loss mou i·nè*
(πολύ) άρρωστος.   *(po·li) a·ro·stoss*

Mon amie est (très) malade.
Η φίλη μου είναι   *i fi·li mou i·nè*
(πολύ) άρρωστη.   *(po·li) a·ro·sti*

Mon enfant est (très) malade.
Το παιδί μου   *to pè·dhi mou*
είναι (πολύ) άρρωστο.   *i·nè (po·li) a·ro·sto*

Il/Elle fait un/une...	Αυτός/Αυτή έχει...	*af·toss/af·ti è·Hi...*
réaction allergique	αλλεργική αντίδραση	*a·lèr·yi·ki a·di·dhra·ssi*
crise d'asthme	προσβολή από άσθμα	*proz·vo·li a·po as·thma*
crise d'épilepsie	επιληπτική κρίση	*è·pi·lip·ti·ki kri·ssi*
crise cardiaque	καρδιακή προσβολή	*kar·dhi·a·ki proz·vo·li*

Il/Elle s'est/a...	Αυτός/Αυτή...	*af·toss/af·ti...*
blessé(e)	έχει τραυματιστεί	*è·Hi trav·ma·ti·sti*
vomi	κάνει εμετό	*ka·ni è·mè·to*

URGENCES

198

Je me suis/J'ai...		
blessé(e)	Έχω τραυματιστεί.	è·rHo trav·ma·ti·*sti*
vomi	Κάνω εμετό.	*ka*·no è·mè·*to*

J'ai été mordu(e)/	Με έχει δαγκώσει/	mè è·Hi dha·*go*·ssi/
piqué(e) par...	τσιμπήσει...	tsi·*bi*·ssi...
une abeille	μέλισσα	mè·li·ssa
une guêpe	σφήκα	*sfi*·ka
une méduse	μέδουσα	*mé*·dhou·ssa
un oursin	αχινός	a·Hi·*noss*
un serpent	φίδι	*fi*·dhi
une vive	δράκαινα	dhra·*kè*·na

Je suis/me sens...	Αισθάνομαι ...	ès·*tha*·no·mè...
angoissé(e)	ανυπόμονος/η m/f	a·ni·*po*·mo·noss/i
bizarre	παράξενα m/f	pa·*rak*·sè·na
déprimé(e)	θλιμμένος/η m/f	thli·*mè*·noss/i
faible	αδύνατος/η m/f	a·*dhi*·na·toss/i
mieux	καλύτερα m/f	ka·*li*·tè·ra
plus mal	χειρότερα m/f	Hi·ro·tè·ra

J'ai des...	Αισθάνομαι...	ès·*tha*·no·mè...
frissons	ρίγος m/f	*ri*·qHoss
nausées	ναυτία m/f	naf·*ti*·a
vertiges	ζαλάδα m/f	za·*la*·dha

J'ai mal ici.
Πονάει εδώ.   po·*na*·ï è·*dho*

Je ne peux pas dormir.
Δεν μπορώ να κοιμηθώ.   dhèn bo·*ro* na ki·mi·*tho*

Je crois que c'est à cause des médicaments que je prends.
Νομίζω είναι τα φάρμακα   no·*mi*·zo i·nè ta *far*·ma·ka
που παίρνω.   pou *pèr*·no

J'ai un traitement pour/contre...
Παίρνω φάρμακα για...   *pèr*·no *far*·ma·ka yia...

Il/Elle a un traitement pour/contre...
Αυτός/αυτή παίρνει   af·*toss*/af·*ti pèr*·ni
φάρμακα για...   *far*·ma·ka yia...

santé

199

J'ai...
Έχω ...   è·rHo ...
Il/Elle a...
Αυτός/Αυτή έχει ...   af·toss/af·ti è·Hi ...
J'ai eu récemment...
Είχα πρόσφατα...   i·rHa pros·fa·ta...
Il/Elle a eu récemment...
Αυτός/Αυτή είχε πρόσφατα...   af·toss/af·ti i·Hè pros·fa·ta...

sida	Έηντς n	è·ïdz
asthme	άσθμα n	as·thma
brûlure	έγκαυμα n	è·gav·ma
constipation	δυσκοιλιότητα f	dhiss·ki·li·o·ti·ta
coup de soleil	ηλιακό έγκαυμα n	i·li·a·ko è·gav·ma
déshydration	αφυδάτωση f	a·fi·dha·to·ssi
diabète	διαβήτη m	dhia·vi·ti
diarrhée	διάρροια f	dhi·a·ri·a
encéphalite	εγκεφαλίτιδα f	è·guè·fa·li·ti·dha
entorse	στραμπούλισμα n	stra·bou·liz·ma
éruption cutanée	εξάνθημα n	èk·san·thi·ma
fièvre	πυρετό m	pi·rè·to
grippe	κρύωμα n	kri·o·ma
indigestion	δυσπεψία f	dhis·pèp·si·a
infection (mycosique)	(μυκητώδη) μόλυνση f	(mi·ki·to·dhi) mo·lin·si
insolation	ηλιακή συμφόρηση f	i·lia·ki sim·fo·ri·ssi
mal	πόνο m	po·no
mal à la gorge	πονόλαιμο m	po·no·lè·mo
mal à la tête	πονοκέφαλο m	po·no·kè·fa·lo
mal à l'estomac	στομαχόπονο m	sto·ma·rHo·po·no
mal de mer	ναυτία f	naf·ti·a
maladie de Lyme	νόσο του lyme f	no·sso tou la·ïm
nausées	ναυτία f	naf·ti·a
piqûre d'insecte	τσίμπημα από έντομο n	tsi·bi·ma a·po è·do·mo
rage	λύσσα f	li·ssa
tique	τσιμπούρι n	tsi·bou·ri
toux	βήχα m	vi·rHa

santé au féminin

(Je crois que) Je suis enceinte.
(Νομίζω) Είμαι έγγυος.   (no·*mi*·zo) *i*·mè è·gui·oss

Je prends la pilule.
Παίρνω το Χάπι.   *pèr*·no to *rHa*·pi

Ça fait (6) semaines que je n'ai pas eu mes règles.
Δεν έχω περίοδο για (έξι)   dhèn è·rHo pè·*ri*·o·dho yia (*èk*·si)
εβδομάδες.   èv·dho·*ma*·dhèss

J'ai remarqué une grosseur ici.
Παρατήρησα ένα   pa·ra·*ti*·ri·ssa è·na
εξόγκωμα εδώ.   èk·so·go·ma è·*dho*

Auriez-vous quelque chose pour (les règles douloureuses) ?
Έχετε κάτι για (πόνο για   è·*Hé*·tè *ka*·ti yia (*po*·no yia
την περίοδο);   tin pè·*ri*·o·dho)

J'ai un/une…	Έχω …	è·rHo…
infection	μόλυνση στον	*mo*·lin·si ston
urinaire	ουρικό σωλήνα	ou·ri·*ko* so·*li*·na
infection	μυκωτική	mi·ko·ti·*ki*
mycosique	μόλυνση	*mo*·lin·si

---

ce que le médecin dira peut-être…

Χρησιμοποιείτε αντισυλληπτικά;
rHri·ssi·mo·pi·*i*·tè
a·di·ssi·lip·ti·*ka* — **Utilisez-vous un moyen de contraception ?**

Έχετε περίοδο;
è·*Hè*·tè pè·*ri*·o·dho — **Avez-vous vos règles ?**

Είστε έγγυος;
i·stè è·gui·oss — **Êtes-vous enceinte ?**

Πότε είχατε περίοδο τελευταία;
po·tè *i*·rHa·tè pè·*ri*·o·dho
tè·lèf·*tè*·a — **À quand remontent vos dernières règles ?**

Είστε έγγυος.
i·stè è·gui·oss — **Vous êtes enceinte.**

Il me faudrait...	Χρειάζομαι ...	rHri-a·zo·mè...
une méthode contraceptive	αντισυλληπτικό	a·di·ssi·lip·ti·ko
la pilule du lendemain	το χάπι του επόμενου πρωινού	to rHa·pi tou è·po·mè·nou pro·i·nou
un test de grossesse	τεστ εγγυμοσύνης	tèst è·gui·mo·ssi·niss

allergies

αλλεργίες

Je fais une allergie cutanée.
Έχω αλλεργία στο δέρμα.   è·rHo a·lèr·yi·a sto dhèr·ma

Je suis allergique à/au(x)...	Είμαι αλλεργικός/ αλλεργική... m/f	i·mè a·lèr·yi·koss a·lèr·yi·ki...
Il est allergique à/au(x)...	Αυτός είναι αλλεργικός...	af·toss i·nè a·lèr·yi·koss...
Elle est allergique à/aux...	Αυτή είναι αλλεργικός...	af·ti i·nè a·lèr·yi·ki...
antibiotiques	στα αντιβιωτικά	sta a·di·vi·o·ti·ka
anti- inflammatoires	στα αντιφλεγμονώδη	sta a·di·flègH·mo·no·dhi
l'aspirine	στην ασπιρίνη	stin as·pi·ri·ni
piqûres d'abeille	στις μέλισσες	stiss mè·li·ssèss
la codéine	στην κωδεΐνη	stin ko·dhè·i·ni
la pénicilline	στην πενικιλλίνη	stin pè·ni·ki·li·ni
pollen	στη γύρη	sti yi·ri
médicaments à base de soufre	στα φάρμακα με θείο	sta far·ma·ka mè thi·o
piqûres de guêpe	στις σφήκες	stiss sfi·kèss

inhalateur	αναπνευστήρας m	a·nap·nèf·sti·rass
injection	ένεση f	è·nè·ssi
antihistaminiques	αντιισταμίνες f	a·di·i·sta·mi·nèss

Pour les allergies alimentaires, reportez-vous au chapitre végétariens/régimes spéciaux, p. 173.

les parties du corps

J'ai mal à la/au(x)…
Πονάει…   po·*na*·ï…

Je ne peux pas bouger…
Δεν μπορώ να κουνήσω…   dhèn bo·*ro* na kou·*ni*·sso…

J'ai une crampe à la/au(x)…
Έχω κράμπα …   è·rHo *kra*·ba…

Je me suis cassé le/la/les…
Είναι πρησμένο…   i·nè priz·*mè*·no…

J'ai mal lorsque vous appuyez.
Πονάει όταν το αγγίζεις.   po·*na*·ï o·tan to a·*gui*·ziss

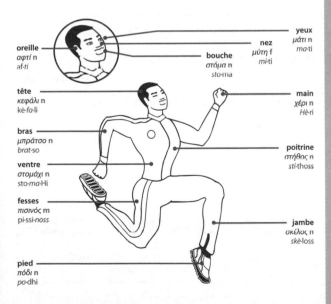

yeux
μάτι n
ma·ti

oreille
αφτί n
af·ti

nez
μύτη f
mi·ti

bouche
στόμα n
sto·ma

tête
κεφάλι n
kè·*fa*·li

main
χέρι n
Hè·ri

bras
μπράτσο n
brat·so

poitrine
στήθος n
sti·thoss

ventre
στομάχι n
sto·*ma*·Hi

fesses
πισινός m
pi·ssi·*noss*

jambe
σκέλος n
skè·loss

pied
πόδι n
po·dhi

santé

203

médecines douces

εναλλακτικές θεραπείες

Je n'ai pas recours (à la médecine traditionnelle).
Δεν χρησιμοποιώ   dhèn rHri·ssi·mo·pi·o
(συμβατική ιατρική).   (sim·va·ti·ki i·a·tri·ki)

Je préfère...   Προτιμώ...   pro·ti·mo...
Puis-je voir quelqu'un   Μπορώ να δω   bo·ro na dho
qui pratique... ?   κάποιον που   ka·pion pou
    ασκεί...;   a·ski...
     l'acupuncture   βελονισμό   vè·lo·niz·mo
     les thérapies naturelles   φυσική θεραπεία   fi·ssi·ki thè·ra·pi·a
     la réflexologie   αντανακλαστική   a·da·na·kla·sti·ki

à la pharmacie

φαρμακοποιός

Il me faudrait quelque chose pour (le mal de tête).
Χρειάζομαι   rHri·a·zo·mè
κάτι για (πονοκέφαλο).   ka·ti yia (po·no·kè·fa·lo)

Ai-je besoin d'une ordonnance pour (des antihistaminiques) ?
Χρειάζομαι συνταγή για   rHri·a·zo·mè si·da·yi yia
(αντιισταμίνες);   (a·di·i·sta·mi·nèss)

J'ai une ordonnance.
Έχω συνταγή.   è·rHo si·da·yi

---

pardon ?

Si vous ne comprenez pas votre interlocuteur, employez Ορίστε;
o·ris·tè (pardon ?) pour lui demander de répéter. Συγνώμη
sigH·no·mi (désolé/e) s'utilise pour s'excuser.

Combien de fois par jour ?
Πόσες φορές την ημέρα;   *po*·ssèss fo·rèss tin i·*mè*·ra

Cela fait-il somnoler ?
Θα με κάμει να νυστάζω;   tha mè *ka*·mi na ni·*sta*·zo

analgésique	παυσίπονα	paf·*si*·po·na
(pour enfant)	(για μωρά) **n pl**	(yia mo·*ra*)
antimoustique	εντομοαπωθητικό **n**	è·do·mo·a·po·thi·ti·*ko*
antiseptique	αντισηπτικό **n**	a·di·ssip·ti·*ko*
contraceptifs	αντισυλληπτικά **n pl**	a·di·ssi·lip·ti·*ka*
crème solaire	λοσιόν για ηλιακό	lo·*ssion* yia i·li·a·*ku*
	έγκαυμα **n**	è·qav·ma
écran total	αντηλιακό **n**	a·di·i·li·a·*ko*
laxatif	καθαρτικό **n**	ka·thar·ti·*ko*
pommade	αλοιφή **f**	a·li·*fi*
préservatifs	προφυλακτικά **n pl**	pro·fi·lak·ti·*ka*
sels de	ενυδρωτικά	èn·i·dhro·ti·*ka*
réhydratation	άλατα **n pl**	*a*·la·ta
spray pour les	σπρέι για	*sprè*·ï yia
piqûres de	τσιμπήματα	tsi·*bi*·ma·ta
moustique	κουνουπιών **n**	kou nou·*piòn*
talc	ταλκ **n**	talk
thermomètre	θερμόμετρο **n**	thèr·*mo*·mè·tro

ce que le pharmacien dira peut-être…

Δυο φορές την ημέρα (με φαγητό).
 dhio fo·*rèss* tin i·*mè*·ra **Deux fois par jour (pendant**
 (mè fa·yi·*to*) **les repas).**

Το έχετε ξαναπάρει;
 to è·Hè·tè ksa·na·*pa*·ri **En avez-vous déjà pris ?**

Πρέπει να τελειώσετε όλη τη σειρά.
 prè·pi na tè·li·*o*·ssè·tè **Vous devrez prendre le**
 o·li ti si·*ra* **traitement jusqu'au bout.**

santé

205

chez le dentiste

οδοντίατρος

J'ai...	Έχω...	è·Ho...
une dent cassée	ένα σπασμένο δόντι	è·na spaz·*mè*·no *dho*·di
une dent creuse	ένα κούφιο δόντι	è·na *kou*·fio *dho*·di
mal à une dent	πονόδοντο	po·*no*·dho·do

J'ai perdu un plombage.
Έχασα ένα σφράγισμα.   è·rHa·ssa è·na *sfra*·yiz·ma

J'ai cassé mon appareil dentaire.
Οι μασέλες μου έσπασαν.   i ma·ssè·lèss mou è·spa·ssan

J'ai mal aux gencives.
Πονούν τα ούλα μου.   po·*noun* ta ou·la mou

J'ai besoin d'un anesthésiant/plombage.
Χρειάζομαι αναισθητικό/   rHri·*a*·zo·mè a·nès·thi·ti·*ko*/
σφράγισμα.   *sfra*·yiz·ma

Je ne veux pas qu'on me l'arrache.
Δεν θέλω να το βγάλω.   dhèn *thè*·lo na to *vgHa*·lo

Aïe !
Όου!   o·ou

ce que le dentiste dira peut-être...

Ανοίξτε το στόμα πολύ a·*nik*·stè to *sto*·ma po·*li*	**Ouvrez grand la bouche.**
Δεν θα πονέσει καθόλου. dhèn tha po·*nè*·ssi ka·*tho*·lou	**Ça ne fait pas mal du tout.**
Δαγκώστε αυτό. dha·*go*·stè af·*to*	**Mordez ça.**
Μην κινείτε. min ki·*ni*·stè	**Ne bougez pas.**
Ξεβγάλτε! ksèv·*gHal*·tè	**Rincez-vous !**
Γυρίστε πίσω, δεν τελείωσα. yi·*ri*·stè *pi*·sso dhèn tè·*li*·o·ssa	**Revenez, je n'ai pas fini.**

URGENCES

206

Dans ce dictionnaire, le genre des mots grecs sera désigné par m, f ou n. Une forme plurielle sera signalée par pl. Seul le masculin sera indiqué pour les adjectifs. Pour les autres formes (féminin et neutre), consultez la rubrique **adjectifs et description** du chapitre **grammaire de A à Z**. Les noms et adjectifs seront donnés uniquement au nominatif. Pour les autres cas, reportez-vous également à la **grammaire de A à Z**. Les abréviations v (verbe), sg (singulier) et pol (politesse) figureront si nécessaire.

A

à *από* a·*po* **à** *σε* sè
— **côté** *δίπλα* dhi·pla
— **droite** *δεξιά* f dhè·ksi·*a*
— **gauche** *αριστερά* a·ri·stè·*ra*
— **l'étranger** *στο εξωτερικό* sto è·kso·tè·ri·ko
— **l'heure** *στην ώρα* stin o·ra
— **l'intérieur** *μέσα* mè·ssa
— **peu près** *περίπου* pè·ri·pou
— **pied** *πεζός* m pè·*zoss*
abeille *μέλισσα* f mè·li·sa
abimé *χαλασμένος* rHa·laz·mè·noss
abimer *χαλάω* rHa·la·o
abricot *βερίκοκο* n vè·ri·ko·ko
abrupt *απόκρημνος* a·po·krim·noss
accident *ατύχημα* n a·*ti*·Hi·ma
acheter *αγοράζω* a·gHo·*ra*·zo
acompte *προκαταβολή* f pro·ka·ta·vo·*li*
acteur/actrice *ηθοποιός* m/f i·tho·pi·oss
activiste *ακτιβιστής/ακτιβίστρια* m /f a·kti·vi·*stiss*/a·kti·*vi*·stri·a
addition *λογαριασμός* m lo·gHa·riaz·*moss*
administration *διοίκηση* f dhi·*i*·ki·ssi
adorer *λατρεύω* la·*tre*·vo
adresse *διεύθυνση* f dhi·*èf*·thin·si
adulte *ενήλικος/ενήλικη* m/f è·*ni* li koss/è·*ni*·li·ki
aéroport *αεροδρόμιο* n a·è·ro·*dhro*·mi·o
affreux *απαίσιος* a·*pè*·si·oss
Afrique *Αφρική* f a·fri·*ki*
âge *ηλικία* f i·li·*ki*·a

agence de presse *πρακτορείο εφημερίδων* n pra·kto·*ri*·o è·fi·mè·*ri*·dhon
agence de voyages *ταξιδιωτικό γραφείο* n ta·ksi·dhio·ti·ko gHra·*fi*·o
— **agence immobilière** *κτηματομεσιτικό γραφείο* n kti·ma·to·mè·si·ti·ko gHra·fi·o
agent immobilier *κτηματομεσίτης/ κτηματομεσίτρια* m/f kti·ma·to·mè·*ssi*·tiss/ kti·ma·to·mè·ssi·tri·a
agneau *αρνί* n ar·*ni*
agriculteur *γεωργός* m et f yè·or·*gHoss*
agriculture *γεωργία* f yè·or·*yi*·a
aide *βοήθεια* f vo·*i*·thi·a
aider *βοηθώ* vo·i·*tho*
aiguille *βελόνα* f vè·*lo*·na
ail *σκόρδο* n skor·dho
aimable *καλός* ka·*loss*
aimer *αγαπώ* a·gHa·*po*
air *αέρας* m a·è·rass
air conditionné *έρκοντίσιον* n èr ko·*di*·ssi·on
— **avec air conditionné** *με ερκοντίσιον* mè èr·ko·*di*·ssi·on
Albanie *Αλβανία* f al·va·*ni*·a
alcool *αλκοόλ* n al·ko·*ol*
Allemagne *Γερμανία* f yèr·ma·*ni*·a
aller *πηγαίνω* pi·*yè*·no
allergie *αλλεργία* f a·lèr·*yi*·a
allumettes *σπίρτα* n pl spir·ta
alpinisme *ορειβασία* f o·ri·va·*ssi*·a
altitude *ύψος* n *i*·psoss
amande *αμύγδαλο* n a·*mi*·rHdha·lo
amant(e) *εραστής/ερωμένη* m/f è·ra·*stiss*/è·ro·*mè*·ni

ambassade *πρεσβεία* f prè·*zvi*·a

ambassadeur/ambassadrice *πρέσβης/ πρέσβειρα* m/f prèz·viss/prèz·vi·ra

ambulance *νοσοκομειακό* n no·sso·ko·mi·a·*ko*

amende *πρόστιμο* n *pro*·sti·mo

ami/amie *φίλος/φίλη* m/f *fi*·loss/*fi*·li

amour *αγάπη* f a·*gha*·pi

amphithéâtre *αμφιθέατρο* n am·fi·*thè·a*·tro

ampoule (cloque) *φουσκάλα* f fou·*ska*·la
  • (électrique) *λάμπα* f *la*·ba

amusant a *διασκεδαστικό* dhia·skè·dha·sti·*ko*

ananas *ανανάς* m a·na·*nass*

anarchiste *αναρχικός/αναρχική* m/f a·nar·Hi·*koss*/a·nar·Hi·*ki*

ancien a *αρχαίος* ar·*Hè*·oss

anémie *αναιμία* f a·nè·*mi*·a

anglais (langue) *αγγλικά* n pl a·gli·*ka*

Angleterre *Αγγλία* f a·*gli*·a

animal *ζώο* n *zo*·o

année *χρόνος* m *rHro*·noss

anniversaire *γενέθλια* n pl yè·*nè*·thli·a

annuaire téléphonique *τηλεφωνικός κατάλογος* m ti·le·fo·ni·*koss* ka·*ta*·lo·gHoss

annuler *ακυρώνω* a·ki·*ro*·no

antibiotiques *αντιβιοτικά* n pl a·di·vi·o·ti·*ka*

antique *παλαιό* pa·lè·*o*

antiseptique *αντισηπτικό* n a·di·ssi·li·pti·*ko*

antivol *αντικλεπτικό* n a·di·klè·*pti*·ko

août *Αύγουστος* m *av*·gHou·stoss

appareil photo *φωτογραφική μηχανή* f fo·to·gHra·fi·*ki* mi·rHa·*ni* • magasin d'appareils photographiques *κατάστημα φωτογραφικών ειδών* n ka·*ta*·sti·ma fo·to·gHra·fi·*kon* i·*dhon*

appartement *διαμέρισμα* n dhi·a·*mè*·ri·zma

appeler *καλώ* ka·*lo*

appendicite *σκωληκοειδίτιδα* m sko·li·ko·i·*dhi*·ti·dha

apporter *φέρνω* fèr·no

apprendre *μαθαίνω* ma·*thè*·no

approvisionnement en vivres *προμήθειες φαγητού* f pl pro·*mi*·thi·èss fa·yi·*tou*

après *μετά* mè·*ta*
  —-demain *μεθαύριο* mè·*tha*·vri·o
  —-midi *απόγευμα* n a·*po*·yè·ma
  • (cet) après-midi *(αυτό το) απόγευμα* n (af·to to) a·*po*·yè·ma

araignée *αράχνη* f a·*ra*·rHni

arbitre *διαιτητής/διαιτήτρια* m/f dhi·è·ti·*tiss*/dhi·è·*ti*·tri·a

arbre *δέντρο* n *dhè*·dro

archaïque *αρχαϊκός* ar·rHa·i·*koss*

archéologique *αρχαιολογικός* ar·Hè·o·lo·yi·*koss*

architecte *αρχιτέκτονας* m/f ar·Hi·*tèk*·to·nass

architectural *αρχιτεκτονική* f ar·Hi·tèk·to·ni·*ki*

argent (devise) *χρήματα* n pl rHri·ma·ta
  • (métal) *ασήμι* n a·*ssi*·mi
  — liquide *μετρητά* n pl mè·tri·*ta*

arme *όπλο* n o·plo

armoire *ντουλάπα* f dou·*la*·pa

arrêt (bus) *στάση* f *sta*·ssi
  — d'autobus *στάση λεωφορείου* f *sta*·ssi lè·o·fo·*ri*·ou

arrêter *σταματάω* sta·ma·*ta*·o

arrivée *άφιξη* f pl a·fi·ksi
  • arrivées *αφίξεις* f pl a·*fi*·ksiss

arriver *φτάνω* fta·no

art *τέχνη* f tè·rHni • galerie d'art *γκαλερί έργων τέχνης* f gHa·lè·ri è·*gHon* tè·rHniss

artiste *καλλιτέχνης/καλλιτέχνιδα* m/f ka·li·*tè*·rHniss/ka·li·*tè*·rHni·dha

ascenseur *ασανσέρ* n a·ssan·*sèr*

Asie *Ασία* f a·*ssi*·a

asperge *σπαράγγι* n spa·*ra*·gui

aspirine *ασπιρίνη* f a·spi·*ri*·ni

assassinat *δολοφονία* f dho·lo·fo·*ni*·a

assassiner *δολοφονώ* dho·lo·fo·*no*

assez *αρκετά* ar·kè·*ta*

assiette *πιάτο* n *pia*·to

assistance *πρόνοια* f *pro*·ni·a
  — sociale *κοινωνική πρόνοια* f ki·no·ni·*ki pro*·ni·a

assoiffé *διψασμένος* dhi·psa·*zmè*·noss

assortiment *ποικιλία* f pi·ki·*li*·a

assurance *ασφάλεια* f as·*fa*·li·a

asthme *άσθμα* n *as*·thma

asticot *σκουλίκι* n skou·*li*·ki

astrologie *αστρολογία* f a·stro·lo·*yi*·a

atelier *εργαστήρι* n èr·gHa·*sti*·ri

atmosphère *ατμόσφαιρα* f at·mo·*sfè*·ra

attaque cardiaque *καρδιακή προσβολή* f kar·dhi·a·*ki* proz·vo·*li* attendre *περιμένω* pè·ri·mè·no

aube *αυγή* f av·yi

auberge de jeunesse *γιούθ χόστελ* n youth *rHo*·stèl

aubergine *μελιτζάνα* f mè·li·*dza*·na

aucun *κανένας* ka·*nè*·nass

au-dessus *από πάνω* a·po pa·no

augmentation *προσαύξηση τιμής* f pro·*saf*·ksi·ssi ti·*miss*

aujourd'hui *σήμερα* si·*mè*·ra

autel *βωμός* m vo·*moss*

autobus *αστικό λεωφορείο* n a·sti·ko lè·o·fo·ri·o
 • **arrêt d'autobus** *στάση λεωφορείου* f *sta*·ssi lè·o·fo·*ri*·ou • **gare routière** *σταθμός λεωφορείου* m stath·*moss* lè·o·fo·*ri*·ou

autocar *υπεραστικό λεωφορείο* n i·pèr·a·sti·ko lè·o·fo·*ri*·o

automne *φθινόπωρο* n fthi·*no*·po·ro

autoroute *αυτοκινητόδρομος* m af·to·ki·ni·to·dhro·moss

autre *άλλος* a·loss • **un autre** *ένας άλλος* *è*·nass a·loss

autrui *άλλος* a·loss

avance (finance) *προκαταβολή* f pro·ka·ta·vo·*li*

avant *πριν* prin • **(3 jours) avant...** *(τρεις μέρες) πριν...* (triss mè·rèss) prin
 — **-hier** *προχθές* prorH·*tèss* prin

avarié (nourriture) *χαλασμένος* rHa·laz·*mè*·noss

avec *με* mè

avenir *μέλλον* n *mè*·lon

avenue *λεωφόρος* f lè·o·fo·ross

aveugle a *τυφλός* ti·*floss*

avion *αεροπλάνο* n a·è·ro·*pla*·no
 • **par avion** (lettre) *αεροπορικό ταχυδρομείο* n a·è·ro·po·ri·ko ta·Hi·dhro·*mi*·o

aviron *κωπηλασία* f ko·pi·la·*ssi*·a

avocat (fruit) *αβοκάντο* n a·vo·ka·do
 • (profession) *δικηγόρος* m et f dhi·ki·*gHo*·ross

avoir *έχω* è·*rH*·lo
 — **besoin** v *χρειάζομαι* rHri·*a*·zo·mè
 — **faim** v *πεινώ* pi·*no*
 — **le mal de mer** v *πάσχω από ναυτία* pa·srHo a·po naf·*ti*·a
 — **le vertige** v *ζαλίζομαι* za·*li*·zo·mè

avortement *έκτρωση* f èk·*tro*·ssi

avril *Απρίλιος* m a·*pri*·li·oss

B

baby-sitter *μπέιμπι σίτερ* f bè·i·bi si·tèr

backgammon *τάβλι* n *tav*·li

bagages *αποσκευές* f pl a·po·skè·*vèss*
 • **consigne automatique** *φύλαξη αποσκευών* f fi·la·ksi a·po·skè·*von*
 • **réception des bagages** *παραλαβή αποσκευών* f pa·ra·la·*vi* a·po·skè·*von*
 — **autorisés** *επιτρεπόμενες αποσκευές* f pl è·pi·trè·po·mè·nèss a·po·skè·*vèss*

bague *δαχτυλίδι* n dha·rHti·*li*·dhi

balser *φιλί* m fi·*li*

balcon *μπαλκόνι* n bal·*ko*·ni

Balkans *Βαλκάνια* n pl val·*ka*·ni·a

balle *μπάλα* f *ba*·la
 — **de golf** *μπαλάκι του γκολφ* n ba·*la*·ki tou golf

ballet *μπαλέτο* n ba·*lè*·to

ballon *μπάλα* f *ba*·la

banane *μπανάνα* f ba·*na*·na

bandage *επίδεσμος* m è·*pi*·dhè·zmoss

banlieue *προάστιο* n pro·*a*·sti·o

banque *τράπεζα* f *tra*·pè·za

baptême *βάπτιση* f *vap*·ti·ssi

bar *μπαρ* n bar

barque *βάρκα* f *var*·ka

barrlère *φραχτης* m *tra*·rHtiss

bas *χαμηλός* a rHa·mi·*loss*

base militaire *στρατιωτική βάση* f stra·tio·ti·*ki* va·ssi

base-ball *μπέιζμπολ* n bè·iz·bol

basket *μπάσκετ* n ba·skèt

bateau *πλοίο* n pli·o • *σκάφος* n ska·foss

bâtiment *κτήριο* n kti·ri·o

bâtir *χτίζω* rHti·zo • **maçon** *χτίστης* m rHti·stiss

batterie *μπαταρία* f ba·ta·*ri*·a

baume pour les lèvres *αλοιφή για τα χείλη* f a·li·fi yia ta *Hi*·li

beach-volley *μπιτς βόλεϊ* n bits vo·lè·i

beau *ωραίος* o·rè·oss • *όμορφος* o·mor·foss

beaucoup *πολύ* po·li

beau-père *πεθερός* m pè·thè·ross

bébé μωρό n mo·ro • **nourriture pour bébé** φαγητό για μωρά n fa·yi·to yia mo·ra • **talc (pour bébé)** τάλκ n talk

Belgique Βέλγιο n vèl·yi·o

belle a ωραία o·rè·a • όμορφη o·mor·fi

belle-mère πεθερά f pè·thè·ra

betterave rouge πατζάρι n pa·tza·ri

beurre βούτυρο n vou·ti·ro

bible Βίβλος f vi·vloss

bibliothèque βιβλιοθήκη f vi·vli·o·thi·ki

bicyclette ποδήλατο n po·dhi·la·to

bien καλά ka·la

bientôt σύντομα si·do·ma

bière μπύρα f bi·ra

bijoux κοσμήματα n pl ko·zmi·ma·ta

billard μπιλιάρδο n bi·liar·dho

billet (argent) χαρτονόμισμα n rHar·to·no·mi·zma • **(transport)** εισιτήριο n i·ssi·ti·ri·o

billetterie γραφείο εισιτηρίων n gHra·fi·o i·ssi·ti·ri·on
— **automatique** μηχανή εισιτηρίων f mi·rHa·ni i·ssi·ti·ri·on

biscuit μπισκότο n bi·sko·to

bisous φιλί m fi·li

bistro où l'on sert de l'ouzo ουζερί n ou·zè·ri

blanc άσπρος as·pross

blessé πληγωμένος pli·gHo·mè·noss

blesser πληγώνω pli·gHo·no

blessure πληγή f pli·yi

bleu (couleur) a μπλε blè • **(hématome)** σημάδι από χτύπημα n si·ma·dhi a·po rHti·pi·ma

bloqué μπλοκαρισμένος blo·ka·ri·zmè·noss

bœuf βοδινό n vo·dhi·no

boire πίνω pi·no

bois (lieu) δάσος n dha·ssoss • **(matière)** ξύλο n ksi·lo
— **bois de chauffage** καυσόξυλα n pl ka·fso·ksi·la

boisson ποτό n po·to

boîte κουτί n kou·ti • **ouvre-boîte** ανοιχτήρι n ani·rHti·ri
— **aux lettres** ταχυδρομικό κουτί n ta·Hi·dhro·mi·ko kou·ti
— **de nuit** κλαμπ n klab

bol μπωλ n bol

bon καλός ka·loss

bonbon καραμέλα f ka·ra·mè·la • **bonbons** καραμέλες f pl ka·ra·mè·lèss

bonbonne de gaz μπουκάλα γκαζιού f bou·ka·la ga·zi·ou

bord de mer παραλία f pa·ra·li·a

bosse εξόγκωμα n è·kso·gHo·ma

botaniste βοτανολόγος m/f vo·ta·no·lo·gHoss

botte μπότα f bo·ta • **bottes** μπότες f bo·tèss

bouche στόμα n sto·ma

boucher χασάπης m rHa·ssa·piss

boucherie κρεοπωλείο n krè·o·po·li·o

bouchon βούλωμα n vou·lo·ma

boucles d'oreilles σκουλαρίκια n pl skou·la·ri·kia

bouclier ασπίδα f as·pi·dha

bouddhiste Βουδιστής/Βουδίστρια m/f vou·dhi·stiss/vou·dhi·stri·a

boue λάσπη f la·spi

bougie κερί n kè·ri

bouilli βρασμένος vra·zmè·noss

bouillon ζουμί n zou·mi

bouillotte θερμοφόρα f thèr·mo·fo·ra

boulangerie φούρνος m four·noss

boule Quiès ωτοασπίδες f pl o·to·a·spi·dhèss

boussole πυξίδα f pi·ksi·dha

bouteille μπουκάλι n bou·ka·li
— **d'eau** μπουκάλι νερού n bou·ka·li nè·rou

boutique de vêtements κατάστημα ρούχων n ka·ta·sti·ma rou·rHon

bouton κουμπί n kou·bi

bouzouki (instrument traditionnel) μπουζούκι n bou·zou·ki

boxe μποξ n boks

brasserie μπυραρία f bi·ra·ri·a

brave γενναίος yè·nè·oss

brillant λαμπρός la·bross

briquet αναπτήρας m a·nap·ti·rass

brisé σπασμένος spa·zmè·noss

brocante παλαιοπωλείο n pa·lè·o·po·li·o

brochette de viande σουβλάκι n souv·la·ki

brochure μπροσούρα f bro·ssou·ra

brocoli μπρόκολο n bro·ko·lo

broderie κέντημα n kè·di·ma

bronchite βρογχίτιδα f vro·Hi·ti·dha

bronze μπρούτζος m brou·dzoss

brosse βούρτσα f vour·tsa

— à cheveux *βούρτσα μαλλιών* f
vour·tsa ma·*lion*
— à dents *οδοντόβουρτσα* f
o·dho·*do*-vour·tsa
brouillard *ομίχλη* n o·*mi*·rHli
brouillés (œufs) *χτυπητά (αβγά)*
ιHti·pi·*ta* (av·*gHa*)
bruit *θόρυβος* m tho·ri·voss
brûlé *καμένος* ka·*mè*·noss
brûlure *έγκαυμα* n è·gav·ma
brun *καφέ* ka·fè
budget *προϋπολογισμός* m
pro·i·po·lo·yi·*zmoss*
buffet *μπουφές* m bou·*fèss*
Bulgarie *Βουλγαρία* f voul·gHa·*ri*·a
bureau *γραφείο* n gHra·*fi*·o
— de poste *ταχυδρομείο* n
ta·Hi·dhro·*mi*·o
— des objets trouvés *γραφείο*
απωλεσθέντων αντικειμένων n gra·*fi*·o
a·po·*lèss*·thè·don a·di·ki·*mè*·non
bus *αστικό λεωφορείο* n a·sti·ko lè·o·fo·*ri*·o
• **arrêt de bus** *σταση λεωφορείου* f *sta*·ssi
lè·o·fo·*ri*·ou • **gare routière** *σταθμός*
λεωφορείου m stath·*moss* lè·o·fo·*ri*·ou
but *σκοπός* m sko·poss • **(sport)** *γκολ* n gol
• **gardien de but** *τερματοφύλακας* m/f
tèr·ma·to·*fi*·la·kass
byzantin/byzantine *Βυζαντινός/Βυζαντινή*
vi·za·di·*noss*/vi·za·di·*ni*

C

cabine *καμπίνα* f ka·*bi*·na
— d'essayage *δοκιμαστήριο ρούχων* n
dho·ki·ma·sti·ri·o rou·rHon
— téléphonique *τηλεφωνικός θάλαμος* n
ti·lè·fo·ni·koss tha·la·moss
câble *καλώδιο* n ka·lo·dhi·o
— de démarrage *καλώδια μπαταρίας* n pl
ka·*lo*·dhi·a ba·ta·*ri*·ass
cacahuète *φυστίκι* n fi·*sti*·ki
cacao *κακάο* n ka·*ka*·o
cachet (médicament) *χάπι* n *rHa*·pi
Caddie *καροτσάκι* n ka·ro·*tsa*·ki
cadeau *δώρο* n *dho*·ro
— de mariage *γαμήλιο δώρο* n
gHa·*mi*·li·o *dho*·ro

café (lieu) *καφενείο* n ka·fè·*ni*·o • *(boisson)*
καφές m ka·*fèss*
cafétéria *καφετέρια* f ka·fè·*tè*·ri·a
caisse *ταμείο* n ta·*mi*·o
caissier/caissière *ταμίας* m/f ta·*mi*·ass
calculatrice *αριθμομηχανή* f a·ri·thmo·
mi·rHa·*ni*
calendrier *ημερολόγιο* n i·mè·ro·*lo*·yi·o
calepin *σημειωματάριο* n si·mi·o·ma·*ta*·ri·o
calmant *παυσίπονο* n paf·*ssi*·po·no
calme *ήσυχος* i·ssi·rHoss
camion *φορτηγό* n for·ti·*gHo*
camionnette *φορτηγάκι* n for·ti·*gHa*·ki
campagne *εξοχή* f è·kso·*Hi*
camper *κατασκηνώνω* ka·ta·ski·*no*·no
camping *κατασκήνωση* ka·ta·ski·no·ssi
• *κάμπινγκ* ka·bing • **terrain de camping**
χώρος για κάμπινγκ n rHo·ross yia *ka*·bing
• **magasin d'équipement de camping**
κατάστημα ειδών κατασκήνωσης n
ka·*ta*·sti·ma i·*dhon* ka·ta·*ski*·no·ssiss
Canada *Καναδάς* m ka·na·*dhass*
canard *πάπια* f pa·pia
cancer *καρκίνος* m kar·*ki*·noss
canicule *καύσωνας* m kaf·so·nass
canif *σουγιάς* m sou·*yiass*
caravane *τροχόσπιτο* n tro·*rHo*·spi·to
carême *Σαρακοστή* f sa·ra·ko·*sti*
carnet *σημειωματάριο* n si·mi·o·ma·*ta*·ri·o
carotte *καρότο* n ka·ro·to
cartable m *χαρτοφύλακας* rHar·to·*fi*·la·kass
carte (plan) *χάρτης* m *rHar*·tiss
— de crédit *πιστωτική κάρτα* f
pi·sto·ti·ki *kar*·ta
— d'embarquement *κάρτα επιβίβασης* f
kar·ta è·pi·*vi*·va·ssiss
— de téléphone *τηλεκάρτα* f tl·lè·*kar*·ta
• **cabine de téléphonique** *τηλεφωνικός*
θάλαμος n ti·lè·fo·ni·*koss* tha·la·moss
• **annuaire téléphonique** *τηλεφωνικός*
κατάλογος m ti·lè·fo·ni·koss ka·*ta*·lo·gHoss
— d'identité *ταυτότητα* f ta·*fto*·ti·ta
— grise de la voiture *τίτλος κατόχου*
αυτοκινήτου m *tit*·loss ka·to·rHou
af·to·ki·*ni*·tou
— postale *κάρτα* f *kar*·ta
— routière *οδικός χάρτης* m
o·dhi·*koss* ιHar·tiss

carton χαρτοκιβώτιο n rHar·to·ki·vo·ti·o
cas d'urgence έκτακτη ανάγκη f èk·tak·ti a·na·gui
casino καζίνο n ka·zi·no
casque (antique) περικεφαλαία f pè·ri·kè·fa·lè·a
casser σπάω spa·o
casserole κατσαρόλα f ka·tsa·ro·la
cassette κασέτα f ka·ssè·ta
   — vidéo βιντεοταινία f vi·de·o·tè·ni·a
catalogue κατάλογος m ka·ta·lo·gHoss
catamaran καταμαράν n ka·ta·ma·ran
cataracte καταράχτης m ka·ta·ra·rHtiss
cathédrale μητρόπολη f mi·tro·po·li
catholique Καθολικός/Καθολική m/f ka·tho·li·koss/ka·tho·li·ki
cave κάβα f ka·va
caveau τάφος m ta·foss
CD σι ντι n si di
ce/cet εκείνο è·ki·no • **ce soir** απόψε a·pop·sè
ceinture de sécurité ζώνη ασφαλείας f zo·ni as·fa·li·ass
célibataire a εργένης/εργένισσα m/f èr·yè·niss/èr·yè·ni·ssa
celui-là εκείνο è·ki·no
cendrier σταχτοθήκη f sta·rHto·thi·ki
cent εκατό è·ka·to
centimètre εκατοστόμετρο n è·ka·to·sto·mè·tro
centre κέντρο n kè·dro
   — commercial εμπορικό κέντρο f è·bo·ri·ko kè·dro
   —-ville κέντρο της πόλης n kè·dro tiss po·liss
céramiques κεραμικά n pl kè·ra·mi·ka
céréales δημητριακά n pl dhi·mi·tri·a·ka
cérébral εγκεφαλικός n è·guè·fa·li·koss
cerise κεράσι n kè·ra·ssi
certificat πιστοποιητικό n pi·sto·pi·i·ti·ko
chacun καθένας m ka·thè·nass
chaîne αλυσίδα f a·li·ssi·dha
   — de montagnes οροσειρά f o·ro·ssi·ra
   — de vélo αλυσίδα ποδηλάτου f a·li·ssi·dha po·dhi·la·tou
chaise καρέκλα f ka·rè·kla
   — pour bébé καρέκλα για μωρό f ka·rè·kla yia mo·ro
chaleur ζέστη f zè·sti

chambre δωμάτιο n dho·ma·ti·o • **numéro de chambre** αριθμός δωματίου n a·rith·moss dho·ma·ti·ou
   — à air σαμπρέλα f sa·brè·la
   — à coucher υπνοδωμάτιο n ip·no·dho·ma·ti·o
   — à deux lits δίκλινο δωμάτιο n dhi·kli·no dho·ma·ti·o
   — d'hôte ξενώνας m ksè·no·nass
   — double διπλό δωμάτιο n dhi·plo dho·ma·ti·o
   — simple μονό δωμάτιο n mo·no dho·ma·ti·o
   — à louer δωμάτιο για νοίκιασμα n pl dho·ma·ti·o yia ni·kiaz·ma
champagne σαμπάνια f sa·ba·nia
champignon μανιτάρι n ma·ni·ta·ri
chance τύχη f ti·Hi
chanceux a τυχερός ti·Hè·ross
change συνάλλαγμα n si·na·la·gHma • **taux de change** τιμή συναλλάγματος f ti·mi si·na·la·gHma·toss
changement αλλαγή f a·la·yi
changer αλλάζω a·la·zo
chanson τραγούδι n tra·gHou·dhi
chanter τραγουδώ tra·gHou·dho
chanteur/chanteuse τραγουδιστής/τραγουδίστρια m/f tra·gHou·dhi·stiss/tra·gHou·dhi·stri·a
chapeau καπέλο n ka·pè·lo
chaque κάθε ka·thè
chariot καροτσάκι n ka·ro·tsa·ki
charmant χαριτωμένος rHa·ri·to·mè·noss
charter (vol) πτήση τσάρτερ f pti·ssi tsar·tèr
chasse κυνήγι n ki·ni·yi
chat γάτα f gHa·ta
châtaigne κάστανο n ka·sta·no
château-fort κάστρο n ka·stro
chaud a ζεστός zè·stoss
chauffage θέρμανση f thèr·man·si
chauffer ζεσταίνω zè·stè·no
chaussette κάλτσα f kal·tsa • **chaussettes** κάλτσες f pl kal·tsès
chaussures παπούτσι n pa·pou·tsi • **chaussures** παπούτσια n pl pa·pou·tsi·a • **cordonnerie** υποδηματοποιείο n i·po·dhi·ma·to·pi·i·o
   — de marche παπούτσια για περπάτημα f pl pa·pou·tsia yia pèr·pa·ti·ma

chef (cuisine) m σεφ sèf • **(meneur)** αρχηγός m/f ar·Hi·gHoss

chemin δρόμος m dhro·moss • μονοπάτι n mo·no·pa·ti

chemise πουκάμισο n pou·ka·mi·sso

chèque bancaire τράπεζική επιταγή f tra·pè·zi·ki è·pi·ta·yi

cher ακριβός a·kri·voss • **pas cher** φτηνός fti·noss

chercher ψάχνω psa·rHno

cheval άλογο n a·lo·gHo

cheveux μαλλιά n pl ma·lia

cheville αστράγαλος m a·stra·gHa·loss

chèvre κατσίκα f ka·tsi·ka

chewing-gum μαστίχα f ma·sti·rHa

chien σκυλί n ski·li • **chien-guide** σκυλί οδηγός m ski·li o·dhi·gHoss

chiffre αριθμός m a·rith·moss

chocolat σοκολάτα f so·ko·la·ta

choisir διαλέγω dhia·lè·gHo

chômage ανεργία an·èr·yi·a • **indemnité de chômage** επίδομα ανεργίας n è·pi·dho·ma an·èr·yi·ass

chômeur/chômeuse άνεργος/άνεργη m/f a·nèr·gHoss/a·nèr·yi

chou λάχανο f la·rHa·no • **chou-fleur** κουνουπίδι n kou·nou·pi·dhi

chrétien(ne) Χριστιανός/Χριστιανή m/f rHri·stia·noss/rHri·stia·ni

chute πτώση f pto·ssi

Chypre Κύπρος f ki·pross

chypriote (vin etc.) κυπριακός/κυπριακή m/f ki·pri·a·koss/ki·pri·a·ki

Chypriote Κύπριος/Κύπρια m/f ki·pri·oss/ ki·pri·a

cidre κρασί από μήλο n kra·ssi a·po mi·lo

ciel ουρανός m ou·ra·noss

cigare πούρο n pou·ro

cigarette τσιγάρο n tsi·gHa·ro

cimetière νεκροταφείο n nè·kro·ta·fi·o • κοιμητήριο n ki·mi·ti·ri·o

cinéma σινεμά n si·nè·ma

circulation κυκλοφορία f ki·klo·fo·ri·a

cirque τσίρκο n tsir·ko

ciseau ψαλίδι n psa·li·dhi

cité πόλη f po·li

citron λεμόνι n lè·mo·ni

civilement πολιτικά n pl po·li·ti·ka

classe τάξη f ta·ksi
— **affaire** μπίζνες κλας biz·nèss klass
— **économique** τουριστική θέση f tou·ri·sti·ki thè·ssi

classique κλασικός kla·ssi·koss

clavier πληκτρολόγιο n plik·tro·lo·yi·o

clé κλειδί n kli·dhi

client πελάτης/πελάτισσα m/f pè·la·tiss/pè·la·ti·ssa

cloque φουσκάλα f fou·ska·la

clos κλεισμένος kli·zmè·noss

coalition συνασπισμός m si·na·spi·zmoss

cochon γουρούνι n gHou·rou·ni

cocktail κοκτέηλ n ko·ktè·il

code postal ταχυδρομικός τομέας/ κώδικας m ta·Hi·dhro·mi·koss to·mè·ass/ ko dhi kass

cœur καρδιά f kar·dhia • **attaque cardiaque** καρδιακή προσβολή f kar·dhi·a·ki pro·zvo·li

cognac κονιάκ n ko·niak

coiffeur κομμωτής/κομμώτρια m/f ko·mo·tiss/ko·mo·tri·a • κουρέας m kou·rè·ass

coin γωνία f gHo·ni·a

collant καλτσόν n kal·tson

colle κόλλα f ko·la

collège γυμνάσιο n yim·na·ssi·o • κολέγιο n ko·lè·yi·o

collègue συνάδελφος/συναδέλφισσα m/f si·na·dhèl·foss/si·na·dhèl·fi·ssa

collier κολιέ n ko·li·è

colline λόφος m lo·foss

colonne κολόνα f ko·lo·na

combien πόσο po·sso

comédie κωμωδία f ko·mo·dhi·a

commencement αρχή f ar·Hi

commencer αρχίζω ar·Hi·zo

comment πώς poss

commerçant έμπορος m è·bo·ross

commerce εμπόριο n è·bo·ri·o

commissariat αστυνομικό τμήμα m a·sti·no·mi·ko tmi·ma

commission προμήθεια f pro·mi·thi·a

communication επικοινωνία f è·pi·ki·no·ni·a • **communications** επικοινωνίες f pl è·pi·ki·no·ni·èss

communiste κομουνιστής/κομουνίστρια m/f ko·mou·ni·stiss/ko·mou·ni·stri·a

compagnie συντροφιά f si-dro-*fia*

compagnon σύντροφος/συντρόφισσα m/f si-dro-*foss*/si-dro-*fi*-ssa

complet πλήρες *pli*-rèss

composter (un ticket) ακυρώνω *(ένα εισιτήριο)* a-ki-*ro*-no è-na i-ssi-*ti*-ri-o

comprendre καταλαβαίνω ka-ta-la-*vè*-no

compris (dans) συμπεριλαμβανομένου si-bè-ri-lam-va-no-*mè*-nou

compte bancaire τραπεζικός λογαριασμός m tra-pè-zi-*koss* lo-gHa-ria-*zmoss*

compter μετράω mè-*tra*-o

compteur d'électricité μετρητής ρεύματος m mè-tri-*tiss* *rèv*-ma-toss

compteur de vitesse ταχύμετρο n ta-*Hi*-mè-tro

comptoir (bar) πάγκος m *pa*-goss

concert κονσέρτο n kon-*sèr*-to

concombre αγγούρι n a-*gou*-ri

conduire οδηγώ o-dhi-*gHo* • **permis de conduire** άδεια οδήγησης f *a*-dhi-a o-*dhi*-yi-ssiss

confession εξομολόγηση f è-kso-mo-*lo*-gHi-ssi

confirmer επικυρώνω è-pi-ki-*ro*-no

confiture μαρμελάδα f mar-mè-*la*-dha

confortable άνετος *a*-nè-toss

congrès συνέδριο n si-*nè*-dhri-o

conjonctivite επιπεφυκίτιδα m è-pi-pè-fi-*ki*-ti-dha

connexion σύνδεσμος m sin-dhè-*zmoss*

conseil συμβουλή f sim-vou-*li*

conservateur a συντηρητικός si-di-ri-ti-*koss*

consigne (γραφείο) φύλαξη αποσκευών n (gra-*fi*-o) *fi*-la-ksi a-po-skè-*von*
— **automatique αυτόματη** φύλαξη αποσκευών f *a*-fto-ma-ti *fi*-la-ksi a-po-skè-*von*

constipation δυσκοιλία f dhi-*ski*-li-a

consulat προξενείο n pro-ksè-*ni*-o

contact αφή f a-*fi*

contraceptifs αντισυλληπτικά n pl a-di-ssi-lip-ti-*ka*

contrat συμβόλαιο n sim-*vo*-lè-o

contrôler ελέγχω è-*len*-rHo

contrôleur (billets) εισπράκτορας m/f i-*sprak*-to-rass

copie αντίγραφο n a-*di*-gHra-fo

copine φιλενάδα f fi-lè-*na*-dha

corde σκοινί n ski-*ni*

cordonnerie υποδηματοποιείο n i-po-dhi-ma-to-pi-*i*-o • **chaussures** παπούτσια n pl pa-*pou*-tsia

Corinthe Κόρινθος ko-rin-thoss

corinthien(ne) κορινθιακός/κορινθιακή ko-rin-thi-a-*koss*/ko-rin-thi-a-*ki*

corps σώμα n *so*-ma

correct a σωστός so-*stoss*

corrompre δωροδοκώ dho-ro-dho-*ko*

corrompu διεφθαρμένος dhi-èf-thar-*noss*

côte ακτή f ak-*ti*

côté πλευρό n plèv-*ro*

coton βαμβάκι n vam-*va*-ki • **coton-tige** ξυλάκι με βαμβάκι n ksi-la-ki mè vam-*va*-ki

cou λαιμός m lè-*moss*

couche (bébé) πάνα f *pa*-na

couche d'ozone στρώμα όζοντος n *stro*-ma o-zo-doss

coucher du soleil ηλιοβασίλεμα i-lio-va-*ssi*-lè-ma

coudre ράβω ra-vo

couleur χρώμα n *rHro*-ma

coup de chaleur θερμοπληξία f thèr-mo-pli-*ksi*-a

coup de soleil ηλιακό έγκαυμα n i-li-a-ko è-gav-ma

coup franc φάουλ n *fa*-oul

coupable a ένοχος è-no-rHoss

coupe de cheveux κούρεμα n kou-rè-*ma*

Coupe du monde Παγκόσμιο Κύπελλο n pa-*go*-zmi-o *ki*-pè-lo

couper κόβω ko-vo

couple ζευγάρι n zèv-*gHa*-ri

coupon κουπόνι n kou-*po*-ni

coupe-ongles νυχοκόπτης m ni-rHo-*ko*-ptiss

courant ρεύμα n *rèv*-ma

courgette κολοκυθάκι n ko-lo-ki-*tha*-ki

courir τρέχω trè-rHo

courriel ημέιλ n i-*mè*-il

courrier αλληλογραφία f a-li-lo-gHra-*fi*-a

course τρέξιμο n trè-ksi-mo • (achats) ψώνια n pl *pso*-nia • **faire des courses** ψωνίζω pso-*ni*-zo
— **de chevaux** ιπποδρομία f i-po-dhro-*mi*-a • **hippodrome** ιππόδρομος m i-*po*-dhro-moss

court de tennis *γήπεδο τένις* n
yi·pè·dho *té*·niss

couteau *μαχαίρι* n ma·*Hè*·ri

coûter *κοστίζω* ko·*sti*·zo

coutume *έθιμο* n *é*·thi·mo

couturier(ière) *ράφτης/ράφτρα* m/f *raf*·tiss/
raf·tra

couvent *μοναστήρι γυναικών* n
mo·na·*sti*·ri yi·nè·*kon*

couverts *μαχαιροπήρουνα* n pl
ma·*Hè*·ro·*pi*·rou·na

couverture *κουβέρτα* f kou·*vèr*·ta
• *σκέπασμα* n skè·*paz*·ma • **couvertures**
σκεπάσματα n pl skè·*paz*·ma·ta

crachin *ψιχάλα* f psi·*rHa*·la

crâne *κρανίο* n kra·*ni*·o

crayon *μολύβι* n mo·*li*·vi

crèche *παιδικός σταθμός* m
pè·dhi·*koss* sta·th*moss*

crédit *πίστωση* f *pi*·sto·ssi • **carte de crédit**
πιστωτική κάρτα f pi·sto·ti·*ki kar*·ta

crème *κρέμα* f *krè*·ma
— **hydratante** *υδατική κρέμα* f
i·dha·ti·*ki krè*·ma
— **solaire** *αντιηλιακό* n a·di·i·li·a·*ko*

crevaison (d'une roue) *σκάσιμο (λάστιχου)*
f *ska*·ssi mo (*la*·sti·rHou)

crevette *γαρίδα* f gHa·*ri*·dha

crier *φωνάζω* fo·*na*·zo

croisière *κρουαζιέρα* f krou·a·ziè·ra

croix *σταυρός* m sta·*vross*

cru (nourriture) *ωμός* o·*moss*

cruche *κανάτα* f ka·*na*·ta

cuillère *κουτάλι* n kou·*ta*·li

cuisine *κουζίνα* f kou·*zi*·na

cuisiner *μαγειρεύω* ma·yi·*rè*·vo

cuisinier/cuisinière *μάγειρας/μαγείρισσα*
m/f ma·yi·rass/ma·*yi*·ri·ssa

cuisinière électrique *ηλεκτρική κουζίνα* f
i·lèk·tri·*ki* kou·*zi*·na

cuit (rôti) *ψημένος* psi·*mè*·noss
— **à moitié** *μισοψημένο* n
mi·so·psi·*mè*·no
— **sur le gril** *ψημένο στη σχάρα*
psi·*me*·no sti sr*Ha*·ra

cuivre *χαλκός* m rHal·*koss*

culotte *κιλότα* n ki·*lo*·ta

cure-dent *οδοντογλυφίδα* f
o·dho·do·gHli·*fi*·dha

CV *βιογραφικό σημείωμα* n
vi·o·gHra·fi·*ko* ssi·*mi*·o·ma

cybercafé *καφενείο διαδικτύου* n ka·fè·*ni*·o
dhi·a·dhi·*kti*·ou

Cyclades (les) (οι) *Κυκλάδες* i ki·*kla*·dhèss

cycladique *κυκλαδικός* ki·kla·dhi·*koss*

cyclisme *ποδηλασία* f po·dhi·la·*ssi*·a

cycliste *ποδηλάτης/ποδηλάτισσα* m/f
po·dhi·*la*·tiss/po·dhi·*la*·ti·ssa

cystite *κυστίτιδα* f *ki*·sti·ti·dha

D

dangereux *επικίνδυνος* è·pi *kin*·dhi·noss

dans *μέσα* *mè*·ssa • *σε* sè

danse *χορός* rHo·*ross*

danser *χορεύω* rHo·*rè*·vo

date *ημερομηνία* f i·mè·ro·mi·*ni*·a
— **de naissance** *ημερομηνία γεννήσεως* f
i·mè·ro·mi·*ni*·a yè·*ni*·ssè·oss

datte *χουρμάς* m rHour·*mass*

dauphin *δελφίνι* n dhèl·*fi*·ni

de *από* a·*po*
— **nouveau** *πάλι* *pa*·li

début *αρχή* f ar·*Hi*

décalage horaire *διαφορά ώρας* f
dhia·fo·*ra* o·rass

décembre *Δεκέμβριος* m dè·*kèm*·vri·oss

déchets nucléaires *πυρηνικά απόβλητα* n
pl pi·ri·ni·*ka* a·po·vli·ta

déchets toxiques *τοξικά απόβλητα* n pl
to·ksi·*ka* a·po·vli·ta

décider *αποφασίζω* a·po·fa·*ssi*·zo

dedans *μέσα* *mè*·ssa

déesse *θεά* f thè·*a*

défectueux *ελαττωματικός* è·la·to·ma·tl·*koss*

déforestation *εκδάσωση* f èk·dha·sso·ssi

degrés (température) *βαθμοί* m pl va·th*mi*

dehors *έξω* *è*·kso

déjà *ήδη* *i*·dhi

déjeuner *μεσημεριανό φαγητό* n
mè·ssi·mè·ria·*no* fa·yi·to

délicieux *νόστιμος* *no*·sti·moss

demain *αύριο* *av*·ri·o
— **après-midi** *αύριο το απόγευμα* av·ri·o
to a·*po*·yèv·ma
— **matin** *αύριο το πρωί* av·ri·o to pro·*i*
— **soir** *αύριο το βράδυ* av·ri·o to *vra*·dhi

demander (poser une question) ρωτάω ro·ta·o • **demander (quelque chose)** ζητάω zi·ta·o
démangeaison φαγούρα f fa·gHou·ra
demi μισό mi·sso
démissionner παραιτούμαι pa·rè·tou·mè
démocratie δημοκρατία f dhi·mo·kra·ti·a
dent δόντι n dho·di • **dents** δόντια n dho·dia • **brosse à dents** οδοντόβουρτσα f o·dho·do·vour·tsa • **dentifrice** οδοντόπαστα f o·dho·do·pa·sta
 • **fil dentaire** οδοντιατρικό νήμα m o·dho·di·a·tri·ko ni·ma • **cure-dent** οδοντογλυφίδα f o·dho·do·gHli·fi·dha • **mal de dent** πονόδοντος m po·no·dho·doss • **dentiste** οδοντίατρος m/f o·dho·di·a·tross
dentelle δαντέλα f dha·dè·la
dentifrice οδοντόπαστα f o·dho·do·pa·sta
dentiste οδοντίατρος m/f o·dho·di·a·tross
déodorant αποσμητικό n a·po·zmi·ti·ko
départ αναχώρηση f a·na·rHo·ri·ssi • **porte de départ** θύρα αναχώρησης f thi·ra a·na·rHo·ri·ssiss
dépôt (banque) κατάθεση f ka·ta·thè·ssi
depuis από a·po • **depuis (mai)** από (το Μάη) a·po (to ma·i)
déraillement εκτροχιασμός m èk·tro·Hi·a·zmoss
derrière πίσω pi·sso
dés (jeu) ζάρια n pl za·ria
descendre κατεβαίνω ka·tè·vè·no
désert έρημος f è·ri·moss
déshydratation αφυδάτωση f a·fi·dha·to·ssi
dessert επιδόρπιο n è·pi·dhor·pi·o
dessin σχέδιο n sHè·dhi·o
destination προορισμός m pro·o·ri·zmoss
détaillé αναλυτικός a·na·li·ti·koss
détails λεπτομέρειες f pl lèp·to·mè·ri·èss
détendu χαλαρός rHa·la·ross
deux δύο dhi·o
 — **fois** δυο φορές dhio fo·rèss
deuxième a δεύτερος dhèf·tè·ross
 — **classe** δεύτερη θέση f dhèf·tè·ri thè·ssi
devant μπροστά bro·sta
deviner μαντεύω ma·dè·vo

devise συνάλλαγμα n si·na·la·gHma
devoir v οφείλω o·fi·lo
diabète διαβήτης m dhia·vi·tiss
diaphragme διάφραγμα n dhia·fra·gHma
diapositive σλάιντ n sla·id
diarrhée διάρροια f dhi·a·ri·a
diaspora διασπορά f dhi·a·spo·ra
dictionnaire λεξικό n lè·ksi·ko
dieu θεός m thè·oss
différent διαφορετικός dhia·fo·rè·ti·koss
difficile δύσκολος dhi·sko·loss
digital a ψηφιακός psi·fi·a·koss
dimanche Κυριακή f ki·ria·ki
dinde γαλοπούλα f gHa·lo·pou·la
dîner δείπνο n dhip·no
dire λέω lè·o
direct a άμεσος a·mè·ssoss
directeur(trice) διευθυντής/διευθύντρια m/f dhi·èf·thi·diss/dhi·èf·thi·dri·a
direction κατεύθυνση f ka·tèf·thin·si
discothèque ντισκοτέκ f di·sko·tèk
discrimination διάκριση f dhi·a·kri·ssi
discuter συζητώ si·zi·to
disponible διαθέσιμος dhi·a·thè·ssi·moss
disque (CD-ROM) σι ντι ρομ n si di rom
disquette δισκέτα f dhi·skè·ta
distribuer les cartes μοιράζω τα χαρτιά mi·ra·zo ta rHar·tia
distributeur automatique de billets αυτόματη μηχανή χρημάτων f af·to·ma·ti mi·rHa·ni rHri·ma·ton
divorcé(e) a διαζευγμένος/διαζευγμένη m/f dhi·a·zèv·gHmè·noss/dhi·a·zèv·gHmè·ni
documentaire ντοκιμαντέρ n do·ki·man·tèr
doigt δάχτυλο n dha·rHti·lo
 — **de pied** δάχτυλο ποδιού n dha·rHti·lo po·dhiou
dollar δολάριο n dho·la·ri·o
donner δίνω dhi·no
 — **des coups de pied** κλοτσάω klo·tsa·o
 — **un ordre** διατάζω dhia·ta·zo
dorique δωρικός dho·ri·koss
dormir κοιμάμαι ki·ma·mè
dos πλάτη f pla·ti • **sac à dos** σακίδιο n sa·ki·dhi·o
douane τελωνείο n tè·lo·ni·o
double a διπλός dhi·ploss

douche *ντους* n douss

douleur *πόνος* m po·noss
  — **d'estomac** *στομαχόπονος* m sto·ma·*rHo*·po·noss

douloureux *οδυνηρός* o·dhi·ni·ross

doux a *γλυκός* gHli·koss • *μαλακός* ma·la·koss

douzaine *δωδεκάδα* f do·dè·ka·dha

draguer *κάνω καμάκι* ka·no ka·*ma*·ki

drame *δράμα* n dhra·ma

drap *σεντόνι* n sè·*do*·ni • **draps** *σεντόνια* n pl sè·*do*·nia

drapeau *σημαία* f si·*mè*·a

droit (juridique) *νομικά* m no·mi·*ka*
  • (rectiligne) *ίσιος* i·ssi·oss

droite (tendance) *δεξιός* dhè·ksi·*oss*
  • (à) droite *δεξιά* f dhè·ksi·*a*

droits de l'homme *ανθρώπινα δικαιώματα* n pl an·thro·pi·na dhi·kè·o·ma·ta

droits politiques *πολιτικά δικαιώματα* n pl po·li·ti·*ka* dhi·kè·o·ma·ta

drôle *αστείος* a·sti·oss

dur *σκληρός* skli·ross • *σφιχτός* sfirH·toss

DVD *Ντι-Βι-Ντί* n di·vi·*di*

E

eau *νερό* n nè·*ro*
  — **chaude** *ζεστό νερό* m *zè*·sto nè·ro
  — **du robinet** *νερό βρύσης* n nè·ro vri·ssiss
  — **minérale** *μεταλλικό νερό* n mè·ta·li·ko nè·ro
  — **plate** *νερό χωρίς ανθρακικό* n nè·ro rHo·riss an·thra·ki·ko • *πόσιμο νέρο* po·ssi·mo nè·ro

eau-de-vie *τσίπουρο* n tsi·pou·ro

éboulement *κατολίσθηση* f ka·to·*lis*·thi·ssi

ébranlement *κλονισμός* m klo·ni·zmoss

échanger *ανταλλάσσω* a·da·*la*·sso

écharpe *κασκόλ* n ka·skol

échecs (jeu) *σκάκι* n ska·ki

échiquier *σκακιέρα* f ska·kiè·ra

école *σχολείο* n srHo·*li*·o
  — **maternelle** *νηπιαγωγείο* n ni·pi·a·gHo·yi·o

écorchure *γδάρσιμο* n gHdhar·si·mo

Écosse *Σκωτία* f sko·*ti*·a

écouter *ακούω* a·*kou*·o

écouteurs *ακουστικά* n pl a·kou·sti·*ka*

écrire *γράφω* gHra·fo

écrivain *συγγραφέας* m/f si·gra·fè·ass

eczéma *έκζεμα* n *ék*·zè·ma

éducation *εκπαίδευση* f èk·*pè*·dhèf·si

également *επίσης* è·*pi*·ssiss

égalité *ισότητα* f i·*sso*·ti·ta

Égée *Αιγαίο* n è·*yè*·o

église *εκκλησία* f è·kli·*ssi*·a

élastique *λάστιχο* n *la*·sti·rHo

élection *εκλογή* f è·klo·*yi*

électricité *ηλεκτρισμός* m i·lèk·triz·*moss*

elle *αυτή* af·*ti*

e-mail *ημέιλ* n i·*mè*·il

embrasser *φιλώ* fi·*lo*

embrayage *συμπλέκτης* m si·*blè*·ktiss

émotionnel *συναισθηματικός* si·nè·sthi·ma·ti·koss

empêcher *εμποδίζω* è·bo·*dhi*·zo

employé/employée *υπάλληλος* m/f i·*pa*·li·loss

employeur/employeuse *εργοδότης*/ *εργοδότρια* m/f èr·gHo·*dho*·tiss/ èr·gHo·*dho*·tri·a

emprunter *δανείζομαι* dha·*ni*·zo·mè

en *σε* sè
  — **avant** *εμπρός* è·*bross*
  — **bas** *κάτω* ka·to
  — **face (de)** *απέναντι* a·*pè*·na·di
  — **haut** *πάνω* pa·no
  — **panne** *χαλασμένος* rHa·la·zmè·noss
  — **pente** *κατηφορικά* ka·ti·fo·ri·ka
  — **retard** *καθυστερημένος* ka·thi·stè·ri·mè·noss

enceinte a *έγκυος* è·gui·oss

endolori a *πονεμένος* po·nè·*mè*·noss

énergie nucléaire *πυρηνική ενέργεια* f pi·ri·ni·ki è·*nèr*·yi·a • **essais nucléaires** *πυρηνικές δοκιμές* f pl pi·ri·ni·kèss dho·ki·mèss • **déchets nucléaires** *πυρηνικά απόβλητα* n pl pi·ri·ni·ka a·*pov*·li·ta

enfant *παιδί* n pè·*dhi* • **enfants** *παιδιά* n pl pè·*dhia* • **garde d'enfants** *επιτήρηση παιδιών* f è·pi·*ti*·ri·ssi pè·*dhion* • **siège pour enfant** *παιδικό κάθισμα* n pè·dhi·ko ka·thi·zma

enfermé *κλειδωμένος* kli·dho·*mè*·noss

ennuyeux *ανιαρός* a·ni·a·ross

E

français/grec

217

énorme πελώριος pè·lo·ri·oss
enregistrement καταγραφή f ka·ta·gHra·fi
enregistrer καταγράφω ka·ta·gHra·fo
enrhumé a κρυωμένος kri·o·mè·noss
ensemble μαζί ma·zi
ensoleillé ηλιόλουστος i·li·o·lou·stoss
entendre ακούω a·kou·o
enterrement κηδεία f ki·dHi·a
entorse στραμπούλισμα n stra·bou·li·zma
entracte διάλειμμα n dhia·li·ma
entraînement εξάσκηση f è·ksa·ski·ssi
entraîneur(se) προπονητής/προπονήτρια m/f pro·po·ni·tiss/pro·po·ni·tri·a
entre ανάμεσα a·na·mè·ssa
entrecôte μπριζόλα f bri·zo·la
entrée είσοδος f i·sso·dhoss
entreprise επιχείρηση f è·pi·Hi·ri·ssi
  • εταιρεία f è·tè·ri·a
entrer μπαίνω bè·no
enveloppe φάκελος m fa·kè·loss
environ περίπου pè·ri·pou
environnement περιβάλλον n pè·ri·va·lon
envoyer στέλνω stèl·no
épais a παχύς pa·Hiss • πυκνός pik·noss
épaule ώμος m o·moss
épée σπαθί n spa·thi
épilepsie επιληψία f è·pi·li·psi·a
épinard σπανάκι n spa·na·ki
éponge σφουγγάρι n sfou·ga·ri
époux/épouse σύζυγος si·zi·gHos
équipe ομάδα f o·ma·dha
équipement εξοπλισμός m è·kso·pli·zmoss
  — **de plongée sous-marine** εξοπλισμός κατάδυσης n pl è·kso·pli·zmoss ka·ta·dhi·ssiss
équitation ιππασία f i·pa·ssi·a
érosion διάβρωση f dhia·vro·ssi
erreur λάθος n la·thoss
escalade αναρρίχηση f a·na·ri·Hi·ssi
escalader αναρριχούμαι a·na·ri·rHou·mè
escalator κυλιόμενες σκάλες f pl ki·li·o·mè·nèss ska·lèss
escalier σκάλα f ska·la
escargot σαλιγκάρι n sa·li·ga·ri
escrime ξιφομαχία f ksi·fo·ma·Hi·a
espace διάστημα n dhi·a·sti·ma
Espagne Ισπανία f i·spa·ni·a

espèces en voie de disparition είδη υπό εξαφάνιση n pl i·dhi i·po è·ksa·fa·ni·ssi
essais nucléaires πυρηνικές δοκιμές f pl pi·ri·ni·kèss dho·ki·mèss
essayer προσπαθώ pro·spa·tho
essence βενζίνα f vèn·zi·na
est (direction) ανατολή f a·na·to·li
estomac στομάχι n sto·ma·Hi
  • **douleur d'estomac** στομαχόπονος m sto·ma·rHo·po·noss
et και kè
étage πάτωμα n pa·to·ma • όροφος m o·ro·foss
étagère ράφι n ra·fi
état cardiaque καρδιακή κατάσταση f kar·dhi·a·ki ka·ta·sta·ssi
été (saison) καλοκαίρι n ka·lo·kè·ri
étoffe ύφασμα n i·fa·zma
étoile αστέρι n a·stè·ri
étrange παράξενος pa·ra·ksè·noss
étranger/étrangère ξένος/ξένη m/f ksè·noss/ksè·ni
être είμαι i·mè
  — **d'accord** συμφωνώ sim·fo·no
  — **enrhumé** έχω κρύωμα è·rHo kri·o·ma
étudiant(e) σπουδαστής/σπουδάστρια m/f spou·dha·stiss/spou·dha·stri·a
EU (États-Unis) ΗΠΑ (Ηνωμένες Πολιτείες της Αμερικής) f pl i·pa (i·no·mè·nèss po·li·ti·èss tiss a·mè·ri·kiss)
euro ευρώ n èv·ro
Europe Ευρώπη f èv·ro·pi
Européen/Européenne Ευρωπαίος/ Ευρωπαία èv·ro·pè·oss/èv·ro·pè·a
euthanasie ευθανασία f èf·tha·na·ssi·a
eux αυτοί af·ti
exactement ακριβώς a·kri·voss
examen sanguin εξέταση αίματος f è·ksè·ta·ssi è·ma·toss
excédent de bagages υπέρβαρο (φορτίο) n i·pèr·va·ro (for·ti·o)
excellent εξαιρετικός è·ksè·rè·ti·koss
excepté εξαιρούμενος è·ksè·rou·mè·noss
excursion περιήγηση f pe·ri·i·yi·ssi
  — **guidée** περιήγηση με οδηγό f pe·ri·i·yi·ssi me o·dhi·gHo
exemple παράδειγμα n pa·ra·dhi·gHma
expérience εμπειρία f è·bi·ri·a
  — **professionnelle** πείρα εργασίας f pi·ra èr·gHa·ssi·ass

exploitation *εκμετάλλευση* f èk·mè·*ta*·lè·fsi
exposition *έκθεση* f èk·thè·ssi
extrait de naissance *πιστοποιητικό γεννήσεως* n pi·sto·pi·i·*ti*·ko yè·ni·sè·oss
extraordinaire *απίθανος* a·pi tha·noss

F

fabulation *μυθοπλασία* f mi·tho·pla·*ssi*·a
face à *απέναντι* a·pè·na·di • *μπροστά* bro·*sta*
fâché *θυμωμένος* thi·mo·*mè*·noss
facile *εύκολο* èf·ko·lo
faire *κάνω* ka·no
 — **attention** *προσέχω* pro·sè·rHo
 — **confiance** *εμπιστεύομαι* è·bi·stè·vo·mè
 — **de la planche à voile** *κάνω ιστιοσανίδα* n ka·no i·sti·o·ssa·*ni*·da
 — **de la plongée sous-marine** *κάνω καταδύσεις* f ka·no ka·ta·*dhi*·ssiss
 — **des courses** *ψωνίζω* pso·*ni*·zo
 — **du/monter à cheval** *κάνω ιππασία* ka·no i·pa·*ssi*·a
 — **du ski** *κάνω σκι* ka·no ski
 — **du vélo** *κάνω ποδήλατο* ka·no po·*dhi*·la·to
 — **une piqûre** *κάνω ένεση* ka·no è·nè·ssi
fait main a *χειροποίητο* Hi·ro·*pi*·i·to
fameux *φημισμένος* fi·mi·zmè·noss
famille *οικογένεια* f i·ko·yè·ni·a
fanfare (musique) *μπάντα* f ba·*da*
farine *αλεύρι* n a·*lèv*·ri
fatigue *κουρασμένος* kou·ra·zmè·noss
fausse couche *αποβολή* f a·po·vo·*li*
faute *λάθος* n *la*·thoss
fauteuil roulant *αναπηρική καρέκλα* f a·na·pi·ri·*ki* ka·rè·kla
fax *φαξ* f faks
femelle a *θηλυκός* thi·li·*koss*
féminin *θηλυκός* thi·li·koss • *γυναικείος* yi·nè·*ki*·noss
femme *γυναίκα* f yi·*nè*·ka
fenêtre *παράθυρο* n pa·*ra*·thi·ro
fer à repasser *σίδερο* n *si*·dhè·ro
fermé a *κλειστός* kli·*stoss* • *κλεισμένος* kli·zmè·noss
ferme (lieu) *φάρμα* f *far*·ma
fermer *κλείνω* *kli*·no
 — **à clé** *κλειδώνω* kli·*dho*·no

fermeture Éclair *φερμουάρ* n fèr·mou·*ar*
festival *φεστιβάλ* n fè·sti·*val*
fête *γιορτή* f yior·*ti*
feu *φωτιά* f fo·*tia*
feuille *φύλλο* n fi·lo
feux de signalisation *φανάρια* n fa·*na*·ria
février *Φεβρουάριος* m fè·vrou·*a*·ri·oss
fiancé(e) *αρραβωνιασμένος/ αρραβωνιασμένη* m/f a·ra·vo·nia·zmè·noss/a·ra·vo·nia·zmè·ni
ficelle *κλωστή* f klo·*sti*
fièvre *πυρετός* m pi·rè·*toss*
figue *σύκο* n *si*·ko
fil *κλωστή* f klo·*sti*
 — **dentaire** *οδοντιατρικό νήμα* m o·dho·di·a·tri·ko ni·*ma*
filet *δίχτυ* n *dhi*·rHti
fille *κόρη* f *ko*·ri • *κυρίτσι* n ko·*ri*·tsi
fils *γιος* m yioss
filtré *φιλτραρισμένος* fil·tra·ri·zmè·noss
fin *τέλος* n *tè*·loss
finir *τελειώνω* tè·li·o·no
finition *τελείωμα* n tè·*li*·o·ma
Finlande *Φιλανδία* f fi·lan·*dhi*·a
flanelle *φανέλλα* f fa·*nè*·la
flash *φλας* n flass
fleur *λουλούδι* n lou·*lou*·dhi
fleuriste *ανθοπώλης/ανθοπώλισσα* m/f an·tho·po·liss/an·tho·po·li·ssa
fleurs sauvages *αγριολούλουδα* n pl a·gHri·o·lou·lou·dha
flocons de maïs *κορν φλέικς* n pl korn flè·ikss
foi *συκώτι* n si·ko·ti
foncé a *σκούρος* skou·ross
fonctionnaire *δημόσιος υπάλληλος* m/f dhi·mo·ssi·oss i·pa·li·loss
fontaine *βρύση* f vri·ssi
football *ποδόσφαιρο* n po·dho·*sfè*·ro
forêt *δάσος* n *dha*·ssoss
forme *σχήμα* n *sHi*·ma
fort *δυνατός* dhi·na·*toss*
fou *τρελός* trè·*loss*
fouille *ανασκαφή* f a·na·ska·*fi*
four *φούρνος* m *four*·noss
 — **à micro-ondes** *φούρνος μικροκυμάτων* m *four*·noss mi·kro·ki·*ma*·ton

fourchette πιρούνι n pi·rou·ni

fourmi μυρμήγκι n mir·mi·gui

foyer φουαγέ n fou·a·yè · εστία f è·sti·a

fragile εύθραυστος èf·thraf·stoss

frais δροσερό dhro·ssè·ro · φρέσκο n frè·sko · **pas frais** μπαγιάτικος ba·yia·ti·koss

fraise φράουλα f fra·ou·la

français (langue) γαλλικά f gHa·li·ka

Français(e) Γάλλος/Γαλλίδα gHa·loss/gHa·li·dha

France Γαλλία f gHa·li·a

freins φρένα n pl frè·na

frère αδερφός m a·dhèr·foss

frire τηγανίζω ti·gHa·ni·zo · **poêle à frire** τηγάνι n ti·gHa·ni

frit τηγανισμένος ti·gHa·ni·zmè·noss

froid κρύο n kri·o

fromage τυρί n ti·ri

fromagerie τυροπωλείο n ti·ro·po·li·o

frontière σύνορο n si·no·ro

fruit de la passion πάσιον φρουτ n pa·ssi·on frout

fruits φρούτα n pl frou·ta · **récolte de fruits** μάζεμα φρούτων n ma·zè·ma frou·ton
— **de mer** θαλασσινά n pl tha·la·ssi·na
— **secs** ξηροί καρποι n pl ksi·ri kar·pi

fumer καπνίζω ka·pni·zo

G

gadoue λάσπη f la·spi

gagner κερδίζω kèr·dhi·zo

galerie d'art γαλερί έργων τέχνης f gHa·lè·ri èr·gHon tèrH·niss

galette γαλέτα f gHa·lè·ta

gant de toilette γάντι προσώπου f gHa·di pro·sso·pou

gants γάντια n pl gHa·dia

garage γκαράζ n ga·raz

garanti εγγυημένος è·gui·i·mè·noss

garçon αγόρι n a·gHo·ri · **(de café)** γκαρσόνι n gar·so·ni

gardien de but τερματοφύλακας m/f tèr·ma·to·fi·la·kass

gare σταθμός m stath·moss
— **ferroviaire** σιδηροδρομικός σταθμός m si·dhi·ro·dhro·mi·koss stath·moss
— **routière** σταθμός λεωφορείου m stath·moss lè·o·fo·ri·ou

garer (voiture) παρκάρω par·ka·ro

gastro-entérite γαστροεντερίτιδα f gHa·stro·è·dè·ri·ti·dha

gâteau γλυκό n gHli·ko · **gâteaux** γλυκά n pl gHli·ka
— **de mariage** γαμήλια τούρτα f gHa·mi·li·a tour·ta

gauche αριστερός m a·ri·stè·ross · **à gauche** αριστερά f a·ri·stè·ra

gay γκέι guè·i

gaz (butane) πετρογκάζ n pè·tro·gaz · **bonbonne de gaz** μπουκάλα γκαζιού f bou·ka·la ga·ziou

gazon γρασίδι n gHra·ssi·dhi

gel πάγος m pa·gHoss

gélatine ζελατίνη f zè·la·ti·ni

gelée παγωνιά f pa·gHo·nia

geler παγώνω pa·gHo·no

genou γόνατο n gHo·na·to

gentil(le) καλός/καλή ka·loss/ka·li

gilet ζακέτα f za·kè·ta
— **de sauvetage** σωσίβιο n so·ssi·vi·o

gîte κατάλυμα n ka·ta·li·ma

glace (dessert) παγωτό n pa·gHo·to · **glacier** παγωτατζίδικο n pagHo·ta·dzi·dhi·ko · **miroir** πάγος m pa·gHoss

glacé παγωμένος pa·gHo·mè·noss

glacer παγώνω pa·gHo·no

golf γκολφ n golf · **balle de golf** μπαλάκι του γκολφ n ba·la·ki tou golf · **terrain de golf** γήπεδο γκολφ n yi·pè·dho golf

gomme μαστίχα f ma·sti·rHa

gorge λαιμός m lè·moss

gouvernement κυβέρνηση f ki·vèr·ni·ssi

gramme γραμμάριο n gHra·ma·ri·o

grand (taille) ψηλός psi·loss · **grand** μεγάλος mè·gHa·loss · **plus grand** μεγαλύτερος mè·gHa·li·tè·ross

grande route κύριος δρόμος m ki·ri·oss dhro·moss

grandir μεγαλώνω mè·ga·lo·no

grand-mère γιαγιά f yia·yia

grand-père παππούς m pa·pouss

gratuit δωρεάν dho·rè·an

grec (langue) ελληνικά n pl è·li·ni·ka

Grec/Grecque Έλληνας/Ελληνίδα è·li·nass/è·li·ni·da

Grèce Ελλάδα f è·la·dha

grève *απεργία* f a·pèr·*yi*·a
grippe *γρίπη* f *gHri*·pi
gris *γκρίζος* gri·zoss
grotte *σπηλιά* f spi·*lia*
groupe sanguin *ομάδα αίματος* f
o·*ma*·dha è·ma·toss
guêpe *σφήκα* f sfi·ka
guerre *πόλεμος* m po·lè·moss
guide *οδηγός* m/f o·dhi·*gHoss*
 — **de conversation** *οδηγός συνομιλιών*
m o·*dhi*·gHoss si·no·mi·*lion*
 — **des spectacles** *οδηγός διασκέδασης* m
o·dhi·*gHoss* dhia·skè·dha·ssiss
 — **touristique** *τουριστικός οδηγός* m
tou·ri·sti·*koss* o·dhi·*gHoss*
guitare *κιθάρα* f ki·*tha*·ra
gymnastique *γυμναστική* f yim·na·sti·*ki*
 • **salle de gymnastique** *γυμναστήριο* n
yim·na·*sti*·ri·o
gynécologue *γυναικολόγος* m/f
yi·nè·ko·*lo*·gHoss
gyros *γύρος* m *yi*·ross

H

habiter *μένω* *mè*·no
hache *τσεκούρι* n tsè·*kou*·ri
hallucination *παραίσθηση* f pa·*rès*·thi·ssi
hamac *αιώρα* f è·o·ra
handball *χάντμπολ* n rHand·bol
handicapé a *ανάπηρος* a·na·pi·ross
harcèlement *παρενόχληση* f
pa·rè·*no*·rHli·ssi
hareng *ρέγκα* f rè·ga
haricot *φασόλι* n fa·sso·li
harpon *καμάκι* n ka·*ma*·ki
hasard *τύχη* f *ti*·Hi
hellénistique *ελληνιστικός* è·li·ni·sti·*koss*
hépatite *ηπατίτιδα* f i·pa·*ti*·ti·dha
herbe *βότανο* n *vo*·ta·no
herboriste *βοτανολόγος* m/f
vo·ta·no·*lo*·gHoss
herpès *έρπης* m *èr*·piss
heure *ώρα* f o·ra • **décalage horaire**
διαφορά ώρας f dhia·fo·*ra* o·rass
heures d'ouverture *ώρες λειτουργίας* f pl
o·rèss li·tour·*yi*·ass
heureux/heureuse *ευτυχισμένος/*
ευτυχισμένη è·fti·Hi z*nè*·noss/
è·fti·Hi z*mè*·ni

hier *χτες* rHtèss
hindouiste *Ινδουιστής/Ινδουίστρια*
in·dhou·i·*stiss*/in·dhou·i·stri·a
hippodrome *ιππόδρομος* m i·*po*·dhro·moss
 • **course de chevaux** *ιπποδρομία* f
i·po·dhro·*mi*·a
histoire *ιστορία* f i·sto·*ri*·a
historique *ιστορικός* i·sto·ri·*koss*
hiver *χειμώνας* m Hi·*mo*·nass
Hollande *Ολλανδία* f o·lan·*dhi*·a
homéopathique *ομοιοπαθητική* f
o·mi·o·pa·thi·ti·*ki*
homme *άντρας* m *a*·drass
homme d'affaires *επιχειρηματίας* m/f
è·pi·Hi·ri·ma·*tI*·ass
homosexuel *ομοφυλόφιλος* m
o·mo·fi·*lo*·fi·loss
hôpital *νοσοκομείο* n no·sso·ko·*mi*·o
horloge *ρολόι* n ro·*lo*·i
horoscope *ωροσκόπιο* n o·ro·sko·pi·o
hospitalité *φιλοξενία* f fi·lo·ksè·*ni*·a
hôtel *ξενοδοχείο* n ksè·no·dho·*Hi*·o
hôtellerie *κατάλυμα* n ka·*ta*·li·ma
huile *λάδι* n *la*·dhi • **huile d'olive** *λάδι ελιάς*
n *la*·dhi è·*liass*
huître *στρείδι* n *stri*·dhi
hydroglisseur *ιπτάμενο φελφίνι* n
ip·*ta*·mè·no dhèl·*fi*·ni

I

ici *εδώ* è·*dho*
icône *εικόνα* f i·*ko*·na
idiot *βλάκας* m vla·kass
il *αυτός* af·*tos*
il neige *χιονίζει* n Hio·*ni*·zi
île *νησί* n ni·*ssi*
ils *αυτοί* af·*ti*
inmense *πελώριος* pè·*lo*·ri·oss
immigration *μετανάστευση* f
mè·ta·*na*·stè·fsi
impatient(e) *ανυπόμονος/ανυπόμονη* m/f
a·ni·po·mo·noss/a·ni·po·mo·ni
imperméable a *αδιάβροχος*
a·dhi·*a*·vro·rHoss
important *σπουδαίος* spou·*dhè*·oss
impossible *αδύνατος* a·dhi·na·toss
imposteur *απατεώνας/απατεώνισσα* m/f
a·pa·tè·*o*·nass/a·pa·tè·*o*·ni·ssa

impôt sur le revenu *φόρος εισοδήματος* m
fo·ross i·sso-*dhi*-ma·toss

imprimante *εκτυπωτής* m èk·ti·po-*tiss*

inclus *συμπεριλαμβανομένου*
si·bè·ri·lam·va·no·mè·nou

inconfortable *άβολος* a·vo·loss

indemnité chômage *επίδομα ανεργίας* n
è·*pi*-dho·ma an·èr·yi·ass

Inde *Ινδίες* f pl in·dhi·èss

indicateur *δείχτης* m *dhi*-rHtiss

indigestion *δυσπεψία* f dhis·pè·psi·a

individualiste *ατομιστής* a·to·mi·stiss

industrie *βιομηχανία* f vi·o·mi·rHa·*ni*-a

infection *μόλυνση* f mo·lin·si
— **urinaire** *ουρολοίμωξη* f ou·ro-*li* mo·ksi

infirmier/infirmière *νοσοκόμος/νοσοκόμα*
m/f no·sso-*ko*-moss/no·sso-ko·ma

inflammation *φλεγμονή* f flè·gHmo-*ni*

inflation *πληθωρισμός* m pli·tho·ri·*zmoss*

information *πληροφορία* f pli·ro·fo-*ri*-a
• **informations** *νέα* n pl nè·a

informatique *πληροφορική* f pli·ro·fo·ri-*ki*

ingénieur *μηχανικός* m/f mi·rHa·ni·*koss*

ingrédient *συστατικό* n si·sta·ti·*ko*

inhabituel *ασυνήθιστος* a·ssi·*ni*-thi·stoss

injuste *άδικος* a·dhi·koss

innocent *αθώος* a·*tho*-oss

inondation *πλημμύρα* f pli-*mi*-ra

inquiet *ανήσυχος* a·*ni*-ssi·rHoss

insecte *έντομο* n è·do·mo

insolation *ηλίαση* f i·*li*-a·ssi • *θερμοπληξία* f
thèr·mo·pli·*ksi*-a

institut de beauté *ινστιτούτο αισθητικής* n
in·sti·*tou*-to ès·thi·ti·*kiss*

intéressant *ενδιαφέρων* èn·dhia·fè·ron

intérêt *ενδιαφέρον* n èn·dhia·fè·ron

intérieur *εσωτερικός* m è·sso·tè·ri·*koss*

intermède *διάλειμμα* n dhia·li·ma

international *διεθνής* dhi·èth·*niss*

interne *εσωτερικός* m è·sso·tè·ri·*koss*

Internet *διαδίκτυο* n dhi·a-*dhik*-ti·o

interprète *διερμηνέας* m/f dhi·èr·mi·*nè*-ass

interview *συνέντευξη* f si·nè·*dèf*-ksi

inviter *προσκαλώ* pros·ka-*lo*

ionien *ιωνικός* i·o·ni·*koss*

iris (yeux) *ίρις* f i·riss

Irlande *Ιρλανδία* f ir·lan-*dhi*-a

Israël *Ισραήλ* n iz·ra-*il*

Italie *Ιταλία* f i·ta-*li*-a

---

itinéraire *δρόμος* m *dhro*-moss
• *διαδρομή* dhia-dhro-*mi*

ivre *μεθυσμένος* mè·thi·*zmè*-noss

J

jaloux(se) *ζηλιάρης/ζηλιάρα* zi-*lia*-riss/
zi-*lia*-ra

jamais *ποτέ* po·*tè*

jambon *ζαμπόν* n za-*bon*

janvier *Ιανουάριος* m i·a·nou·*a*-ri·oss

Japon *Ιαπωνία* f i·a·po-*ni*-a

jardin *κήπος* m *ki*-poss
— **botanique** *βοτανικός κήπος* m
vo·ta·ni·*koss ki*-poss
— **public** *εθνικός κήπος* m
èth·ni·*koss ki*-poss

jardinage *κηπουρική* f ki·pou·ri-*ki*

jardinier *κηπουρός* m/f ki·pou·*ross*

jaune a *κίτρινος* ki·tri·noss

je *εγώ* è·*gHo*

jean *τζιν* n dzin

jeep *τζιπ* n dzip

jeu *παιχνίδι* n pè·rH*ni*-dhi
— **de cartes** *χαρτιά* n pl rHar-*tia*
— **d'échecs** *σκάκι* n ska·ki • **échiquier**
σκακιέρα f ska-kiè·ra
— **d'ordinateur** *παιχνίδι στο κομπιούτερ* n
pè·rH*ni*-dhi sto ko-*biou*-tèr

jeudi *Πέμπτη* f *pèm*-ti

jeune *νέος* nè·oss

Jeux olympiques *Ολυμπιακοί Αγώνες* m
o·li·bi·a·*ki* a·*gHo*-nèss

joli(e) *όμορφος/όμορφη* m/f o·mor·fi/
o·mor·foss

jouer aux cartes *παίζω χαρτιά*
pè·zo rHar-*tia*

jouer de la guitare *παίζω κιθάρα*
pè·zo ki-*tha*-ra

jouir *απολαμβάνω* a·po·lam·*va*-no

jour *ημέρα* f i·*mè*-ra
— **férié** *αργία* f ar·yi·a

journal *εφημερίδα* f è·fi·mè·*ri*-dha
• **agence de presse** *πρακτορείο
εφημερίδων* n pra·kto·ri·o è·fi·mè·*ri*-dhon

journaliste *δημοσιογράφος* m/f
dhi·mo·ssi·o·*gHra*-foss

juge *δικαστής* m/f dhi·ka·*stiss*

juif/juive *Εβραίος/Εβραία* è·*vrè*-oss/è·*vrè*-a

juillet *Ιούλιος* m i·ou·li·oss
juin *Ιούνιος* m i·ou·ni·oss
jumeaux *δίδυμα* n pl dhi·dhi·ma
jumelles (lunettes) *κιάλια* n pl kia·lia
junte *χούντα* f f*Rou*·da
jupe *φούστα* f fou·sta
jus *χυμός* m Hi·moss
— **d'orange** *χυμός πορτοκάλι* m Hi·moss por·to·ka·li
jusqu'à *μέχρι* mè·r*Hri*

K

kilo *κιλό* n ki·lo
kilogramme *χιλιόγραμμο* n Hi·lio·gra·mo
kilomètre *χιλιόμετρο* n Hi·lio·mè·tro
kiosque *περίπτερο* n pè·rip·tè·ro
kiwi *ακτινίδιο* n ak·ti·ni·dhi·o
kyste *κύστη* f ki·sti
— **ovarien** *ωοθηκική κύστη* f o·o·thi·ti·ki ki·sti

L

là/ici *εδώ* è·dho • **là-bas** *εκεί* è·ki
labyrinthe *λαβύρινθος* m la·vi·rin·thoss
lac *λίμνη* f li·mni
laine *μαλλί* n ma·li
laisse *λουρί* n lou·ri
lait *γάλα* n g*Ha*·la
— **de soja** *γάλα σόγιας* n g*Ha*·la so·yi·ass
— **écrémé** *άπαχο γάλα* n a·pa·r*Ho g*Ha*·la
laiterie *γαλακτοπωλείο* n g*Ha*·la·kto·po·li·o
laitue *μαρούλι* n ma·*rou*·li
lampe *λάμπα* f la·ba
— **de poche** *φακός* m fa·koss
langue *γλώσσα* f g*Hlo*·ssa
lapin *κουνέλι* n kou·nè·li
large *πλατύς* pla·tiss
lasagnes *λαζάνια* n pl la·za·nia
laver *πλένω* plè·no • **se laver** *πλένομαι* plè·no·mè • **machine à laver** *πλυντήριο* n pli·di·ri·o
laverie *πλυντήριο* n pli·di·ri·o
laxatif *καθαρτικό* n ka·thar·ti·ko
lecteur *αναγνώστης* m a·na·g*Hno*·stiss
lecture *διάβασμα* n dhia·va·zma
légal *νόμιμος* no·mi·moss

léger a *ελαφρύς* è·la·friss
législation *νομοθεσία* f no·mo·thè·ssi·a
légumes *λαχανικά* n pl la·rHa·ni·ka
lent a *αργός* ar·g*Hoss*
lentement *αργά* ar·g*Ha*
lentilles (légume) *φακές* f pl fa·kèss
— **de contact** *φακοί επαφής* m pl fa·ki è·pa·fiss
lesbienne *λεσβία* f lès·vi·a
lettre *γράμμα* n g*Hra*·ma
— **de recommandation** *συστατική επιστολή* f si·sta·ti·ki è·pi·sto·li
— **express** *επείγον (ταχυδρομείο)* n è·pi·g*Hon* (ta·Hi·dhro·mi·o)
leur *τους* tous
lever du soleil *ανατολή ηλίου* f a·na·to·li i·li·ou
lèvre *χείλη* n pl *Hi*·li • **rouge à lèvres** *κραγιόν* n kra·yion • **baume pour les lèvres** *αλοιφή για τα χείλη* f a·li·fi yia ta hi·li
lézard *σαύρα* f sav·ra
librairie *βιβλιοπωλείο* n viv·li·o·po·li·o
libre *ελεύθερος* è·lèf·thè·ross
licence *άδεια* f a·dhi·a
lieu *χώρος* m r*Ho*·ross
— **de naissance** *τόπος γεννήσεως* m to·poss yè·ni·ssè·oss
ligne *γραμμή* f g*Hra*·mi
— **aérienne** *αερογραμμή* f a·è·ro·g*Hra*·mi
— **de démarcation** *διαχωριστική γραμμή* f dhia·r*Ho*·ri·sti·ki g*Hra*·mi
— **directe** *κατ' ευθείαν γραμμή* f ka·tèf·thi·an gra·mi
limitation de vitesse *όριο ταχύτητας* n o·ri·o ta·*Hi*·ti·tass
limonade *λεμονάδα* f lè·mo·na·dha
lin *λινό* n li·no
lire *διαβάζω* dhia·va·zo
lit *κρεβάτι* n krè·va·ti
— **double** *διπλό κρεβάτι* n dhi·plo krè·va·ti
litre *λίτρο* f li·tro
livre *βιβλίο* n viv·li·o
— **de messe** *βιβλίο προσευχών* n vi·vli·o pro·sèf·r*Hon*
local a *τοπικός* to·pi·koss
location d'une voiture *ενοικίαση αυτοκινήτου* f è·ni·ki·a·ssi af·to·ki·ni·tou

loi *νόμος* m no·moss • **(règle)** *κανόνας* n ka·no·nass

loin *μακριά* ma·kri·a

lointain a *απόμακρος* a·po·ma·kross

long a *μακρύς* ma·kriss

lotion *λοσιόν* n lo·ssion

    — **après-rasage** *κολόνια ξυρίσματος* f ko·lo·ni·a ksi·ri·zma·toss

    — **pour le bronzage** *λοσιόν για μαύρισμα* n lo·sion yia mav·ri·zma

louer *ενοικιάζω* è·ni·ki·a·zo

lourd *βαρύς* va·riss

lubrifiant *λιπαντικό* n li·pa·di·ko

lui/celui *αυτός* m af·toss

lumière *φως* n foss

lundi *δευτέρα* f dè·ftè·ra

lune de miel *ο μήνας του μέλιτος* m o mi·nas tou mè·li·toss

lune *φεγγάρι* n fè·ga·ri

lunettes *γιαλιά* n pl yia·lia

    — **de natation** *προστατευτικά γιαλιά για κολύμπι* n pl pro·sta·tèf·ti·ka yia·lia yia ko·li·bi

    — **de protection** *προστατευτικά γιαλιά* n pl pro·sta·tèf·ti·ka yia·lia

    — **de soleil** *γιαλιά ηλίου* n pl yia·lia i·li·ou

lutte *πάλη* f pa·li

luxe *πολυτέλεια* f po·li·tè·li·a

M

Macédoine *Μακεδονία* f ma·kè·dho·ni·a

machine *μηχανή* f mi·rHa·ni

    — **à laver** *πλυντήριο* n pli·di·ri·o

maçon *χτίστης* m rHti·stiss

magasin *μαγαζί* n ma·gHa·zi • *κατάστημα* n ka·ta·sti·ma

    — **d'appareils électriques** *κατάστημα ηλεκτρικών ειδών* n ka·ta·sti·ma i·lèk·tri·kon i·dhon

    — **d'appareils photographiques** *κατάστημα φωτογραφικών ειδών* n ka·ta·sti·ma fo·to·gHra·fi·kon i·dhon

    — **d'équipement de camping** *κατάστημα ειδών κατασκήνωσης* n ka·ta·sti·ma i·dhon ka·ta·ski·no·ssiss

    — **d'instruments de musique** *κατάστημα μουσικών ειδών* n ka·ta·sti·ma mou·ssi·kon i·dhon

    — **de glaces** *παγωτατζίδικο* n pagHo·ta·dzi·dhi·ko

    — **de jouets pour enfants** *κατάστημα παιχνιδιών* n ka·ta·sti·ma pè·rHni·dhion

    — **de souvenirs** *κατάστημα για σουβενίρ* n ka·ta·sti·ma yia sou·vè·nir

    — **de sport** *κατάστημα αθλητικών ειδών* n ka·ta·sti·ma a·thli·ti·kon i·dhon

    — **de cycles** *κατάστημα ποδηλάτου* n ka·ta·sti·ma po·dhi·la·tou

magazine *περιοδικό* n pè·ri·o·dhi·ko

magnétoscope *βίντεο μαγνητοσκόπιο* n vi·de·o ma·gHni·to·sco·pi·o • **cassette vidéo** *βιντεοταινία* f vi·de·o·te·ni·a

mai *Μάιος* m ma·i·os

maigre a *αδύνατος* a·dhi·na·toss

maillot de bain *μαγιό* n ma·yio

maillot de corps *φανελάκι* n fa·nè·la·ki

main *χέρι* n Hè·ri

maintenant *τώρα* to·ra

maire *δήμαρχος* m/f dhi·mar·rHoss

mais *αλλά* a·la

maïs *καλαμπόκι* n ka·la·bo·ki • **flocons de maïs** *κορν φλέικς* n pl korn flè·ikss

maison *σπίτι* n spi·ti

maître/maîtresse *δάσκαλος/δασκάλα* m/f dha·ska·loss/dha·ska·la

    — **maître de maison** *νοικοκύρης/ νοικοκυρά* m/f ni·ko·ki·riss/ni·ko·ki·ra

maîtriser *ελέγχω* è·len·rHo

mal de dent *πονόδοντος* m po·no·dho·doss

mal de tête *πονοκέφαλος* m o·no·kè·fa·loss

malade a *άρρωστος* a·ro·stoss

maladie *ασθένεια* f a·sthè·ni·a

malette de premiers secours *κυτίο πρώτων βοηθειών* n ki·ti·o pro·ton vo·i·thion

mammographie *μαστογραφία* n ma·sto·gHra·fi·a

mandarine *μανταρίνι* n ma·da·ri·ni

manger *τρώω* tro·o

mangue *μάνγκο* n man·go

manifestation *διαδήλωση* f dhi·a·dhi·lo·ssi

manque *έλλειψη* f è·li·psi

manteau *παλτό* n pal·to

maquiller *μακιγιάρω* ma·ki·yia·ro

marchant *έμπορος* m è·bo·ross

    — **marchant de légumes** *οπωροπώλης/ οπωροπώλισσα* m/f o·po·ro·po·liss/ o·po·ro·po·li·ssa

marché αγορά f a·gHo·*ra* • **laïki** f la·i·*ki*
— **aux puces** παζάρι n pa·za·ri
marche (à pied) περπάτημα f pèr·*pa*·ti·ma
• **chaussures de marche** παπούτσια
για περπάτημα n pl pa·*pou*·tsia yia
pèr·*pa*·ti·ma
marcher περπατάω pèr·pa·*ta*·o
mardi Τρίτη f tri·ti
marée παλίρροια f pa·*li*·ri·a
margarine μαργαρίνη f mar·gHa·*ri*·ni
mariage γάμος m gHa·moss • **se marier**
παντρεύομαι pa·drè·vo·mè • **gâteau de
mariage** γαμήλια τούρτα f gHa·*mi*·li·a
tour·ta • **cadeau de mariage** γαμήλιο
δώρο n gHa·*mi*·li·o *dho*·ro
marié(e) m παντρεμένος/παντρεμένη m/f
pa·drè·*mè*·noss/pa·drè·*mè*·ni
marmelade μαρμελάδα f mar·mè·*la*·dha
marquer un but σκοράρω sko·*ra*·ro
mars Μάρτιος m mar·ti·oss
marteau n σφυρί sfi·*ri*
massage μασάζ n ma·*ssaz*
masseur/masseuse μασέρ/μασέζ ma·*ssèr*/
ma·*ssèz*
match ματς n mats • **matchs de
championnat** αγώνες πρωταθλήματος m
pl a·*gHo*·nèss pro·ta·*thli*·ma·toss
matelas στρώμα n stro·ma
matin πρωί n pro·*i*
mayonnaise μαγιονέζα f ma·yi·o·*nè*·za
mécanicien(ne) μηχανικός m/f
mi·rHa·ni·*koss*
mécanique μηχανική f mi·rHa·ni·*ki*
médecin γιατρός m/f yia·*tross*
médecine ιατρική f i·a·tri·*ki*
média μέσα ενημέρωσης n pl
mé·sa·è·ni·*mé*·ro·ssiss
médicament φάρμακο n *far*·ma·ko
— **contre la toux** φάρμακο για το βήχα n
far·ma·ko yia to *vi*·rHa
méditation αυτοσυγκέντρωση f
af·to·ssi·*guè*·dro·ssi
méditerranéen μεσογειακός m
mè·so·yi·a·*koss*
méduse μέδουσα f *mè*·dhou·ssa
meilleur καλύτερος ka·*li*·tè·ross
• **le meilleur** ο καλύτερος o ka·*li*·tè·ross
mélanger ανακατώνω a·na·ka·*to*·no
melon πεπόνι n pè·*po*·ni

membre μέλος n *mè*·loss
même ίδιος *i*·dhi·oss
ménage νοικοκυριό n ni·ko·ki·*rio*
mendiant(e) ζητιάνος/ζητιάνα m/f
zi·*tia*·noss/zi·*tia*·na
meneur αρχηγός m/f ar·Hi·*gHoss*
menstruation περίοδος f pè·*ri*·o·dhoss
menteur/menteuse ψεύτης/ψεύτρα m/f
psèf·tiss/*psèf*·tra
menton σαγόνι n sa·*gHo*·ni
menu μενού n *mè*·*nou*
menuisier μαραγκός m ma·ra·*goss*
mer θάλασσα f *tha*·la·ssa • **fruits de mer**
θαλασσινά n pl tha·la·ssi·*na* • **mal de mer**
ναυτία f naf·*ti*·a • **avoir le mal de mer**
πάσχω από ναυτία *pa*·srHo a·po naf·*ti*·a
• **bord de mer** παραλία f pa·ra·*li*·a
merci ευχαριστώ èf·rHa·ri·*sto*
mercredi Τετάρτη f tè·*tar*·ti
mère μητέρα f mi·*tè*·ra
merveilleux θαυμάσιος thav·*ma*·ssi·oss
message μήνυμα n *mi*·ni·ma
messe λειτουργία f li·tour·*yi*·a
métal μέταλλο n *mè*·ta·lo
métier τέχνη f *tè*·rHni
mètre μέτρο n *mè*·tro
métro μετρό n *mè*·tro • **station de métro**
σταθμός του μετρό n stath·*moss* tou *mè*·tro
mettre βάζω va·zo
meubles έπιπλα n pl è·pi·pla
meurtre δολοφονία f dho·lo·fo·*ni*·a
midi μεσημέρι n mè·si·*mè*·ri
miel μέλι n *mè*·li
migraine ημικρανία f i·mi·kra·*ni*·a
milieu μέση *mè*·ssi • **au milieu** ανάμεσα
a·*na*·mè·ssa
militaire a στρατιωτικός stra·tio·ti·*koss*
• **service militaire** στρατιωτική θητεία
f stra·tio·ti·*ki* thi·*ti*·a • **base militaire**
στρατιωτική βάση f stra·tio·ti·*ki* va·ssi
millimètre χιλιοστόμετρο n Hi·li·o·*sto*·mè·tro
million εκατομμύριο n è·ka·to·*mi*·ri·o
mince λεπτός *lèp*·toss
ninœn(ne) μινωικός/μινωική mi·no·i·*kos*/
mi·no·i·*ki*
minuit μεσάνυχτα n pl mè·*sa*·ni·rHta
minuscule μικροσκοπικός mi·kro·sko·pi·*koss*

minute *λεπτό* n lèp·*to*
miroir *καθρέφτης* m ka·*thrè*·ftiss
mobylette *μηχανάκι* n mi·rHa·*na*·ki
mode *μόδα* f mo·dha
modem *μόντεμ* n mo·dèm
moderne *μοντέρνος* mo·dèr·noss
moi *εγώ* è·*gHo*
moine *καλόγερος* m ka·*lo*·yè·ross
moins *λιγότερο* li·*gHo*·tè·ro
mois *μήνας* m mi·nass
mon *μου* mou
monarchie *μοναρχία* f mo·nar·*Hi*·a
monastère *μοναστήρι* n mo·na·*sti*·ri
monde *κόσμος* m *ko*·zmoss
monnaie *νόμισμα* no·mi·zma • **monnaie (que l'on rend)** *ρέστα* n pl *rè*·sta • **petite monnaie** *ψιλά* n pl psi·*la*
montagne *βουνό* n vou·no • **chaîne de montagnes** *οροσειρά* f o·ro·ssi·*ra* • **alpinisme** *ορειβασία* f o·ri·va·*ssi*·a
monter *ανεβαίνω* a·nè·vè·no
montre *ρολόι* n ro·*lo*·i
montrer *δείχνω* dhi·rHno
monument *μνημείο* n mni·mi·o
morsure *δαγκωματιά* f dha·go·ma·*tia*
mort *α νεκρός* nè·*kross*
mosaïque *μωσαϊκό* n mo·ssa·i·ko
mosquée *τζαμί* n dza·*mi*
mot *λέξη* f *lè*·ksi
motel *μοτέλ* n mo·*tèl*
motocyclette *μοτοσυκλέτα* f mo·to·ssi·*klè*·ta
mouchoir *μαντήλι* n ma·*di*·li
mouchoirs en papier *χαρτομάντηλα* n pl rHar·to·*ma*·di·la
mouillé *α βρεγμένος* vrè·gHmè·noss
moule *μύδι* n *mi*·dhi
mourir *πεθαίνω* pè·*thè*·no
mousse à raser *κρέμα ξυρίσματος* f *krè*·ma ksi·*ri*·zma·toss
moustiquaire *κουνουπιέρα* f kou·nou·*piè*·ra
moustique *κουνούπι* n kou·*nou*·pi
mouton *πρόβατο* n *pro*·va·to
muet *α βουβός* vou·*voss*
mur *τείχος* n ti·rHoss
mûre *μούρο* n *mou*·ro
muscle *μυς* m miss
musée *μουσείο* n mou·*ssi*·o

musicien(ne) *μουσικός* m/f mou·ssi·*koss*
musique *μουσική* f mou·ssi·*ki* • **musicien** *μουσικός* m/f mou·ssi·*koss* • **magasin d'instruments de musique** *κατάστημα μουσικών ειδών* n ka·*ta*·sti·ma mou·ssi·kon i·*dhon*
— **rock** *μουσική ροκ* f mou·ssi·*ki* rok
musulman(e) *Μουσουλμάνος/ Μουσουλμάνα* m/f mou·ssoul·*ma*·noss/ mou·soul·*ma*·na
mycénien *μυκηναϊκός* mi·ki·na·i·*koss*
mythologique *μυθολογικός* mi·tho·lo·yi·*koss*

N

nage *κολύμπι* n ko·*li*·bi
nager *κολυμπώ* ko·li·*bo*
nappe *τραπεζομάντηλο* n tra·pè·zo·*ma*·di·lo
nationalité *εθνικότητα* f èth·ni·*ko*·ti·ta
nature *φύση* f fi·ssi
nausée *ναυτία* f naf·*ti*·a
nécessaire *αναγκαίο* a·na·*guè*·o
nectarine *νεκταρίνι* n nèk·ta·*ri*·ni
négatif *α αρνητικός* ar·ni·ti·*koss*
neige *χιόνι* n *Hio*·ni • **il neige** *χιονίζει* n Hio·*ni*·zi
nettoyage *καθάρισμα* n ka·*tha*·ri·zma
nettoyer *καθαρίζω* ka·tha·*ri*·zo
nez *μύτη* f *mi*·ti
Noël *Χριστούγεννα* n pl rHri·*stou*·yè·na • **veille de Noël** *παραμονή Χριστουγέννων* f pa·ra·mo·*ni* rHri·stou·yè·non
noir *α μαύρος* mav·ross
noisette *φουντούκι* n fou·*dou*·ki
noix *καρύδι* n ka·*ri*·dhi
nom *όνομα* n o·no·ma
— **de baptême** *μικρό όνομα* n mi·*kro* o·no·ma
— **de famille** *επώνυμο* n è·*po*·ni·mo
fumeur *μη καπνίζοντες* mi kap·*ni*·zo·dèss
—**non-fumeur** *μη καπνίζοντες όχι* o·Hi mi kap·*ni*·zo·dèss
nonne *καλόγρια* f ka·lo·gHri·a
nord *βορράς* m vo·*rass*
Norvège *Νορβηγία* f nor·vi·*yi*·a

nourrir ταΐζω ta·*í*·zo

nourriture φαγητό n fa·yi·*to*
— **pour bébé** φαγητό για μωρά n fa·yi·*to* yia mo·*ra*

nous εμείς è·*miss*

nouveau νέος nè·oss

nouvelles (informations) νέα n pl nè·a

novembre Νοέμβριος m no·*èm*·vri·oss

nuage σύννεφο n sí·nè·fo
— **de pollution** νέφος n nè·foss

nuageux συννεφιασμένος si·nè·fiaz·*mè*·noss

nuit νύχτα f ni·*rH*ta

nullement καθόλου ka·*tho*·lou

numéro αριθμός m a·rith·*moss*
— **de chambre** αριθμός δωματίου n a·rith·*moss* dho·ma·*ti*·ou
— **d'immatriculation** αριθμός κυκλοφορίας m a·rith·*moss* ki·klo·fo·*rí*·ass
— **de passeport** αριθμός διαβατηρίου n a·rith·*moss* dhia·va·ti·*rí*·ou

O

objectif σκοπός m sko·*poss*

objet exposé έκθεμα n èk·thè·ma

obligation υποχρέωση f i·po·*rHrè*·o·ssi

obscur σκοτεινός sko·ti·*noss*

observatoire παρατηρητήριο n pa·ra·ti·ri·*tí*·ri·o

obstiné ισχυρογνώμων is·Hi·ro·*gHno*·mon

occasion (d') a μεταχειρισμένος mè·ta·Hi·ri·zmè·noss

occupé(e) απασχολημένος/απασχολημένη a·pa·srHo·li·mè·noss/a·pa·srHo·li·mè·ni

océan ωκεανός m o·kè·a·*noss*

octobre Οκτώβριος m ok·*tov*·ri·oss

odeur μυρωδιά f mi·ro·*dhia*

œil μάτι n ma·ti • **yeux** μάτια n ma·tia
• **gouttes pour les yeux** σταγόνες ματιών pl sta·*gHo*·nèss ma·ti·on

œuf αβγό n av·*gHo*

office de tourisme τουριστικό γραφείο n tou·ri·sti·ko gHra·fi·o

oignon κρεμμύδι n krè·*mí*·dhi

oiseau πουλί n pou·*li*

olive ελιά f è·lia • **huile d'olive** λάδι ελιάς n la·dhl è·*liass*

ombre σκιά f ski·a

omelette ομελέτα f o·mè·*lè*·ta

opéra όπερα f o·pè·ra

opérateur/opératrice χειριστής/χειρίστρια m/f Hi·ri·*stiss*/Hi·ri·stri·a

opération εγχείρηση f en·*Hí*·ri·ssi

ophtalmologiste οφθαλμίατρος m/f of·thal·*mí*·a·tross

opinion γνώμη f gHno·mi

or χρυσάφι n rHri·*ssa*·fi

oracle χρησμός m rHri·*zmoss*

orage καταιγίδα f ka·tè·*yi*·dha

orange (couleur) a πορτοκαλής por·to·ka·*liss* • **orange (fruit)** πορτοκάλι n por·to·*ka*·li • **jus d'orange** χυμός πορτοκάλι m Hi·*moss* por·tu·*ka*·li

orchestre ορχήστρα f or·*Hí*·stra

orchidée ορχιδέα f or·Hi·*dhè*·a

ordinaire συνηθισμένος si·ni·thi·zmè·noss

ordinateur κομπιούτερ n ko·*biou*·tèr • **jeu d'ordinateur** παιχνίδι στο κομπιούτερ n pè·rHní·dhi sto ko·biou·tèr

ordre σειρά f si·ra • **donner un ordre** διατάζω dhia·ta·zo

ordures σκουπίδια n pl skou·*pi*·dhia

oreille αφτί n af·*ti*

oreiller μαξιλάρι n ma·ksi·*la*·ri
• **taie d'oreiller** μαξιλαροθήκη f ma·ksi·la·ro·*thí*·ki

oreillons μαγουλάδες m pl ma·gHou·*la*·dhèss

orgasme οργασμός m or·*gHa*·zmoss

originel αρχικός ar·Hi·*koss*

orthodoxe Ορθόδοξος/Ορθόδοξη m/f or·tho·dho·ksoss/or·tho·dho·ksi

os κόκαλο n ko·ka·lo

OTAN NATO n na·to

ottoman a Οθωμανικός o·tho·ma·ni·*koss*

ou ή ii

où πού pou

oublier ξεχνώ ksè·rHno

ouest δύση f dhi·ssi

oui ναι nè

oursin αχινός m a·Hi·*noss*

ouvert a ανοιχτός a·ni·rHtoss

ouvre-boîte ανοιχτήρι n a·nirH·*ti*·ri

ouvrier/ouvrière εργάτης/εργάτρια m/f èr·*gHa*·tiss/èr·*gHa*·tri·a
— **d'usine** εργάτης εργοστασίου/ εργάτρια εργοστασίου f/m èr·*gHa*·tiss èr·gHo·sta·*ssí*·ou/è·*gHa*·tiss èr·gHo·sta·*ssí*·ou

ouvrir ανοίγω a·ni·gHo

ouzo ούζο n ou·zo • **bistro où l'on sert de l'ouzo** ουζερί n ou·zè·ri

ovaire ωοθήκη f o·o·thi·ki

oxygène οξυγόνο n o·ksi·gHo·no

P

pacemaker βηματοδότης m vi·ma·to·dho·tiss

page σελίδα f sè·li·dha

paiement πληρωμή f pli·ro·mi

pain ψωμί n pso·mi • **petits pains** ψωμάκια n pl pso·ma·kia
— **complet** ψωμί ολικής αλέσεως n pso·mi o·li·kiss a·lè·ssè·oss

paix ειρήνη f i·ri·ni

palais παλάτι n pa·la·ti

pamplemousse γκρέιπ φρουτ n grè·ip frout

pancarte πινακίδα f pi·na·ki·dha

panier καλάθι n ka·la·thi

pantalon παντελόνι n pa·dè·lo·ni

papa μπαμπάς m ba·bass

pape πάπας m pa·pass

papeterie χαρτοπωλείο n rHar·to·po·li·o

papier χαρτί n rHar·ti
— **hygiénique** χαρτί υγείας n rHar·ti i·yi·ass

papillon πεταλούδα f pè·ta·lou·dha

paprika πάπρικα pa·pri·ka

Pâques Πάσχα n pa·srHa

paquet δέμα n dhè·ma • **πακέτο** n pa·kè·to

par avion (lettre) αεροπορικό ταχυδρομείο n a·è·ro·po·ri·ko ta·Hi·dhro·mi·o

paraplégique παραπληγικός m pa·ra·pli·yi·koss

parapluie ομπρέλα f o·brè·la

parasol ομπρέλα f o·brè·la

parc πάρκο n par·ko
— **national** εθνικό πάρκο n èth·ni·ko par·ko

parce que διότι dhi·o·ti • **γιατί** yia·ti

pardonner συγχωρώ sin·rHo·ro

pare-brise παρμπρίζ n par·briz

pareil(le) ίδιος/ίδια i·dhi·oss/i·dhi·a

parents γονείς m pl gHo·niss

paresseux τεμπέλης tè·bè·liss

parfait a τέλειος tè·li·oss

parfum άρωμα n a·ro·ma

pari στοίχημα n sti·Hi·ma

parking χώρος στάθμευσης αυτικινήτων m rHo·ross stath·mèf·siss af·to·ki·ni·tou

Parlement Βουλή f vou·li

parler μιλάω mi·la·o

parti (politique) κόμμα n ko·ma

partir αναχωρώ a·na·rHo·ro • **πηγαίνω** pi·yè·no

partisan οπαδός m/f o·pa·dhoss

pas (un) βήμα n vi·ma

passager/passagère επιβάτης/επιβάτισσα m/f è·pi·va·tiss/è·pi·va·ti·ssa

passé παρελθόν n pa·rèl·thon

passeport διαβατήριο n dhia·va·ti·ri·o
• **numéro de passeport** αριθμός διαβατηρίου n a·rith·moss dhia·va·ti·ri·ou

passer περνάω pèr·na·o

pastèque καρπούζι n kar·pou·zi

pâte ζυμάρι f zi·ma·ri • **pâtes** ζυμαρικά n pl zi·ma·ri·ka

patin πατίνι n pa·ti·ni
— **à roulettes (roller)** τροχοπέδιλο n tro·rHo·pè·dhi·lo

patinage παγοδρομία f pa·gHo·dhro·mi·a

pâtisserie (lieu) ζαχαροπλαστείο n za·rHa·ro·pla·sti·o • **(gâteau)** γλυκό n gHli·ko

pauvre a φτωχός fto·rHoss

pauvreté φτώχεια f fto·Hia

payer πληρώνω pli·ro·no • **paiement** πληρωμή f pli·ro·mi

pays χώρα f rHo·ra

peau δέρμα n dhèr·ma

pêche (fruit) ροδάκινο n ro·dha·ki·no • **(énergie)** ψάρεμα n psa·rè·ma

pédale πετάλι n pè·ta·li

peigne χτένα f rHtè·na

peintre ζωγράφος m/f zo·gHra·foss • **tableau** πίνακας m pi·na·kass

peinture ζωγραφική f zo·gHra·fi·ki

pélican πελεκάνος m pè·lè·ka·noss

pellicule/film φιλμ n film
— **en noir et blanc** μαυρόασπρο (φιλμ) n mav·ro·a·spro (film)

pendant toute la nuit ολονυχτίς o·lo·ni·rHtiss

pénis πέος n pè·oss

penser νομίζω no·mi·zo

pension πανσιόν f pan·sion

perdre χάνω rHa·no

perdu a χαμένος rHa·mè·noss

père πατέρας m pa·tè·rass

performance απόδοση f a·po·dho·ssi

permis άδεια f a·dhi·a
— **de conduire** άδεια οδήγησης f a·dhi·a o·dhi·yl·ssiss
— **d'exportation** άδεια εξαγωγής f a·dhi·a è·ksa·gHo·yiss
— **d e séjour** άδεια παραμονής f a·dhi·a pa·ra·mo·niss
— **de travail** άδεια εργασίας f a·dhi·a èr·gHa·ssi·ass

permission άδεια f a·dhi·a

perplexe αμήχανος a·mi·rHa·noss

personne (aucun) κανένας ka·nè·nass
• **(individu)** άτομο n a·to·mo

peser ζυγίζω zi·yi·zo

petit μικρός mi·kross • **(taille)** κοντός ko·doss
• **plus petit** μικρότερος mi·kro·tè·ross • **le plus petit** ο μικρότερος o mi·kro·tè·ross
— **déjeuner** πρόγευμα n pro·yèv·ma
• **πρωινό** n pro·i·no
— **pain** ψωμάκι n pso·ma·ki

petit pois αρακάς m a·ra·kass

petite μικρή mi·kri
→ **monnaie** ψιλά n pl psi·la

petite-fille εγγονή f è·go·ni

petit-fils εγγονός m è·go·noss

pétition συλλογή υπογραφών f si·lo·yi i·po·gHra·fon

pétrole πετρέλαιο n pè·trè·lè·o

peu λίγο li·gHo
— **élevé** a χαμηλός rHa·mi·loss

peut-être ίσως i·ssoss

pharmacie φαρμακείο n far·ma·ki·o

pharmacien(ne) φαρμακοποιός m/f far·ma·ko·pi·oss

phoque φώκια f fo·ki·a

photo φωτογραφία f fo·to·gra·fi·a

photographe φωτογράφος m et f fo·to·gHra·foss

photographique φωτογραφική f fo·to·gHra·fi·ki

physiothérapie φυσιοθεραπευτική f

i·ssi·o·thè·ra·pèf·ti·ki

pièce (accessoire) εξάρτημα n è·ksar·ti·ma • **(d'une maison)** δωμάτιο n dho·ma·ti·o
— **de théatre** θεατρικό έργο n thè·a·tri·ko èr·gHo

pied πόδι n po·dhi

pierre πέτρα f pè·tra

pilule χάπι n rHa·pi
— **contraceptive** το χάπι n to rHa·pi

pin πεύκο n pèf·ko

pince à épiler τσιμπιδάκι n tsi·bi·dha·ki

ping-pong πινγκ πονγκ n ping pong

piquant (relevé) πικάντικος pi·ka·di·koss

pique-nique πίκνικ n pik·nik

piquer τσιμπάω tsi·ba·o

piquet de tente πάσαλος τέντας m pa·ssa·loss tè·dass

piqûre (d'insecte) τσίμπημα n tsi·bi·ma
• **(par objet)** ένεση f è·nè·ssi • **faire une piqûre** κάνω ένεση ka·no è·nè·ssi

piscine πισίνα f pi·ssi·na

pistache φυστίκι n fi·sti·ki

piste cyclable δρόμος ποδηλάτου m dhro·moss po·thi·la·tou

placard ντουλάπι n dou·la·pi

place (espace public) πλατεία f pla·ti·a
• **(dans un train, un avion ...)** θέση f thè·ssi
— **libre** κενή θέση f kè·ni thè·ssi

plage παραλία f pa·ra·li·a

plaie πληγή f pli·yi

plainte παράπονο n pa·ra·po·no

plaisanterie αστείο n a·sti·o

plan χάρτης m rHar·tiss

planète πλανήτης m pla·ni·tiss

plante βότανο n vo·ta·no • **plante** φυτό n fi·to

plastique a πλαστικός pla·sti·koss

plat (surface) επίπεδος è·pi·pè·dhoss

plateau πλατό n pla·to

plate-forme πλατφόρμα f plat·for·ma

plein γεμάτο yè·ma·to

plein emploi πλήρους απασχόλησης pli·rouss a·pa·srHo·li·ssiss

pleins phares μεγάλα φώτα αυτοκινήτου n pl mè·gHa·la fo·ta af·to·ki·ni·tou

plongée en apnée ελεύθερη κατάδυση f è·lèf·thè·ri ka·ta·dhi·ssi

plongeon βουτιά f vou·tia

pluie n βροχή vro·Hi
plus περισσότερος pè·ri·sso·tè·ross
— **tard** αργότερα ar·gHo·tè·ra
plusieurs μερικοί mè·ri·ki
pneu λάστιχο n la·sti·Ho
poche τσέπη f tsè·pi
poêle σόμπα f so·ba
— **à frire** τηγάνι n ti·gHa·ni
poésie ποίηση f pi·i·ssi
poids (kilo) βάρος n va·ross
poignée χειρολαβή f Hi·ro·la·vi
poignet καρπός m kar·poss
point σημείο n si·mi·o
— **de contrôle** σημείο ελέγχου n
si·mi·o è·lèn·rHou
poire αχλάδι n a·rHla·dhi
poireau πράσο n pra·sso
pois chiche grillé στραγάλι n stra·gHa·li
poisson ψάρι n psa·ri
poissonnerie ιχθυοπωλείο n irH·thi·o·po·li·o
poissonnier/poissonnière ιχθυοπώλης/
ιχθυοπώλισσα m/f irH·thi·o·po·liss/
irH·thi·o·po·li·ssa
poitrine στήθος n sti·thoss
poivre πιπέρι n pi·pè·ri
poivron πιπεριά f pi·pè·ria
police αστυνομία f a·sti·no·mi·a
policier/policière αστυνομικός/αστυνομικίνα
m/f a·sti·no·mi·koss/a·sti·no·mi·ki·na
politicien/politicienne πολιτικός m/f
po·li·ti·koss
politique πολιτική f po·li·ti·ki
pollen γύρη f yi·ri
pollution ρύπανση f ri·pan·ssi
pomme μήλο n mi·lo
— **de terre** πατάτα f pa·ta·ta
pompe τρόμπα f tro·ba
pont γέφυρα n yè·fi·ra • **(d'un navire)**
κατάστρωμα n ka·ta·stro·ma
pope παπάς m pa·pass
populaire δημοφιλής dhi·mo·fi·liss
• λαϊκός la·i·koss
porc χοιρινό n Hi·ri·no • **saucisse de porc**
χοιρινό λουκάνικο n Hi·ri·no lou·ka·ni·ko
port λιμάνι n li·ma·ni
portable (téléphone) κινητό n ki·ni·to

porte πόρτα f por·ta
— **de départ** θύρα αναχώρησης f
thi·ra a·na·rHo·ri·ssiss
— **-monnaie** πορτοφόλι n por·to·fo·li
porter φοράω fo·ra·o
positif θετικός thè·ti·koss
possesseur κάτοχος m ka·to·rHoss
possible δυνατός dhi·na·toss
poste (bureau de) ταχυδρομείο n
ta·Hi·dhro·mi·o • **poster** ταχυδρομώ
ta·Hi·dhro·mo • **carte postale** κάρτα f
kar·ta • **code postal** ταχυδρομικός τομέας/
κώδικας m ta·Hi·dhro·mi·koss to·mè·ass/
ko·dhi·kass • **surtaxe postale** ταχυδρομικά
τέλη n pl ta·Hi·dhro·
mi·ka tè·li
poster (affiche) πόστερ n po·stèr
postérieur πισινός m pi·ssi·noss
poterie κεραμικό n kè·ra·mi·ko
potiron κολοκύθα n ko·lo·ki·tha
poubelle (récipient) σκουπιδοτενεκές m
skou·pi·dho·tè·nè·kèss • **poubelle(s)**
(déchets) σκουπίδια n pl skou·pi·dhia
poudre πούδρα f pou·dhra
poulet κοτόπουλο n ko·to·pou·lo
pouls σφυγμός m sfi·rHmoss
poumon πνευμόνι n pnèv·mo·ni
poupée κούκλα f kou·kla
pour cent (%) τοις εκατό tis è·ka·to
pourboire φιλοδώρημα n fi·lo·dho·ri·ma
pourquoi γιατί yia·ti
pousser σπρώχνω sprorH·no
poussette καροτσάκι n ka·ro·tsa·ki
pouvoir v μπορώ bo·ro
pouvoir δύναμη f dhi·na·mi
précédent προηγούμενος
pro·i·gHou·mè·noss • **semaine**
précédente περασμένη εβδομάδα
pè·ra·zmè·ni èv·dho·ma·dha
précieux πολύτιμος po·li·ti·moss
précipice γκρεμός m grè·moss
préférer προτιμώ pro·ti·mo
préhistorique προϊστορικός pro·i·sto·ri·koss
premier a πρώτος pro·toss
— **de l'an** Πρωτοχρονιά f pro·to·rHro·nia
• **veille du Jour de l'an** Παραμονή
Πρωτοχρονιάς f pa·ra·mo·ni
pro·to·rHro·niass

— ministre *πρωθυπουργός* m/f pro·thi·pour·*gHoss*

première classe *πρώτη θέση* f *pro*·ti thè·ssi

prendre *παίρνω* pèr·no
— **une photo** *βγάζω φωτογραφία* vga·zo fo·to·gra·fi·a

prénom *μικρό όνομα* n mi·kro o·no·ma

préparer *προετοιμάζω* pro·è·tI·ma·zo

près *κοντά* ko·*da* • **le plus près** *το πιο κοντινό* to pio ko·di·*no*

prescription *συνταγή* f si·da·*yi*

présent *παρόν* n pa·*ron*

présentation *παρουσίαση* f pa·rou·*ssi*·a·ssi

préservatif *προφυλακτικό* n pro·fi·la·kti·*co*

président(e) *πρόεδρος* metf pro·è·*dhross*

presque *σχεδόν* sHe·*dhon*

pressé *βιαστικός* via·sti·*koss*

pression *πίεση* f pi·è·ssi

prêt *έτοιμος* è·ti·moss

prêtre *παππάς* m pa·*pass*

prière *προσευχή* f pro·ssèf·*Hi* • **livre de prières** *βιβλίο προσευχών* n vi·*vli*·o pro·ssèf·*rHon*

principal *κύριος* ki·ri·oss

printemps *άνοιξη* f a·ni·ksi

prise (électrique) *πρίζα* pri·za • *βύσμα* n vi·zma

prison *φυλακή* f fi·la·*ki*

prisonnier *φυλακισμένος* m fi·la·kiz·*mè*·noss

privé *ιδιωτικός* i·dhi·o·ti·*koss*

prix *τιμή* f ti·*mi*
— **d'entrée** *τιμή εισόδου* m ti·*mi* i·sso·dhou

probabilité *πιθανότητα* f pi·tha·*no*·ti·ta

problème *πρόβλημα* n pro·vli·ma

proche *κοντινός* m/f ko·di·*noss*

produire *παράγω* pa·ra·gHo

professeur *καθηγητής/καθηγήτρια* m/f ka·thi·yi·*tiss*/ka·thi·yi·tri·a

profit *κέρδος* n *ker*·dhoss

profiter *απολαμβάνω* a·po·lam·*va*·no

profond *βαθύς* va·*thiss*

programme *πρόγραμμα* n pro·gHra·ma

projecteur *προβολέας* m pro·vo·lè·ass

prolongation (visa) *παράταση* f pa·ra·ta·ssi

promettre *υπόσχομαι* i·po·srHo·mè

propre a *καθαρός* ka·tha·*ross*

propriétaire *ιδιοκτήτης* m i·dhi·o·*kti*·tiss

prostituée *πόρνη* f *por*·ni

protégées (espèces) *προστατευόμενα (είδη)* n pl pro·sta·tè·*vo*·mè·na (i·dhi)

protéger *προστατεύω* pro·sta·tè·vo

protestation *διαμαρτυρία* n dhi·a·mar·ti·ri·a

protester *διαμαρτύρομαι* dhi·a·mar·ti·ro·mè

provisions *προμήθειες* f pl pro·mi·thi·èss

pruneau *δαμάσκηνο* n dha·*ma*·ski·no

publicité *διαφήμιση* f dhi·a·fi·mi·ssi

puce *ψύλλος* m psi·loss

puissant *δυνατός* dhi·na·*toss*

pull-over *πουλόβερ* n pou·lo·vèr

punaise (insecte) *κοριός* m ko·*rioss* • **(objet)** *πινέζα* f pi·*nè*·za

pur a *καθαρός* ka·tha·*ross*

Q

qualité *ποιότητα* f pi·*o*·ti·ta

quand *όταν* o·tan

quarantaine *καραντίνα* f ka·ra·*di*·na

quart *τέταρτο* n tè·tar·to

quelqu'un *κάποιος* ka·pi·oss

quelque chose *κάτι* ka·ti

quelquefois *μερικές φορές* mè·ri·kèss fo·rèss

quelques-uns *μερικοί* mè·ri·*ki*

question *ερώτηση* f è·ro·ti·ssi

queue *ουρά* f ou·*ra*

qui *ποιος* pioss

quincaillerie *κατάστημα σιδερικών* n ka·*ta*·sti·ma si·dhè·ri·*kon*

quinzaine *δεκαπενθήμερο* n da·ka·pèn·*thi*·mè·ro

quoi *τι* ti

quotidien *καθημερινός* ka·thi·mè·ri·*noss*

R

racisme *ρατσισμός* m ra·tsi·*smoss*

radiateur *καλοριφέρ* n ka·lo·ri·*fèr*
— **(voiture)** *ψυγείο αυτοκινήτου* n psi·*yi*·o af·to·ki·*ni*·tou

radio *ραδιόφωνο* n ra·*dhio*·fo·no

radis *ραπάνι* n ra·*pa*·ni

rafraîchissement (boisson) *αναψυκτικό* n a·na·psi·kti·*ko*

rage *λύσσα* f li·ssa

raisin *σταφύλι* f sta·*fi*·li
• **raisins** *σταφύλια* n pl sta·*fi*·lia
— **sec** *σταφίδα* f sta·*fi*·dha

raison αιτία f è·ti·a
rapide a γρήγορος gHri·gHo·ross
raquette ρακέτα f ra·kè·ta
rare σπάνιος spa·ni·oss
raser ξυρίζω ksi·ri·zo • **mousse à raser** κρέμα ξυρίσματος f krè·ma ksi·ri·zma·toss
rasoir ξυράφι n ksi·ra·fi
— **électrique** ξυριστική μηχανή f ksi·ri·sti·ki mi·rHa·ni
rassis μπαγιάτικος ba·yia·ti·koss
rat ποντίκι n po·di·ki
ratatouille τουρλού n tour·lou
rater χάνω rHa·no
rayon ακτίνα f ak·ti·na
réaliste ρεαλιστικός rè·a·li·sti·koss
récemment πρόσφατα pro·sfa·ta
récépissé απόδειξη f a·po·dhi·ksi
réception (d'un hôtel...) ρεσεψιόν f rè·ssè·psion
— **des bagages** παραλαβή αποσκευών f pa·ra·la·vi a·po·skè·von
recevoir δέχομαι dhè·rHo·mè
réchauffé ζεσταμένος zè·sta·mè·noss
récolte σοδειά f so·dhia
— **de fruits** μάζεμα φρούτων n ma·zè·ma frou·ton
recommander συνιστώ si·ni·sto
reconnaissant ευγνώμων èv·gHno·mon
recyclable ανακυκλώσιμο a·na·ki·klo·ssi·mo
recycler ανακυκλώνω a·na·ki·klo·no
réduction έκπτωση f èk·pto·ssi
réflexe αντανακλαστικό f a·da·na·kla·sti·ko
réfrigérateur ψυγείο n psi·yi·o
réfugié(e) πρόσφυγας m/f pros·fi·gHass
refuser αρνούμαι ar·nou·mè
regarder κοιτάζω ki·ta·zo
régime δίαιτα f dhi·è·ta
régional τοπικός to·pi·koss
règles (menstruation) περίοδος f pè·ri·o·dhoss
rein νεφρό n nè·fro
reine βασίλισσα f va·ssi·li·ssa
relation σχέση f sHè·ssi
relations publiques δημόσιες σχέσεις f pl dhi·mo·si·èss sHè·ssiss
relaxer (se) χαλαρώνω rHa·la·ro·no
religieux a θρησκευτικός thri·skè·fti·koss
religion θρησκεία f thri·ski·a
relique κειμήλιο n ki·mi·li·o

remboursement f επιστροφή χρημάτων è·pi·stro·fi rHri·ma·ton
remettre (livrer) παραδίνω pa·ra·dhi·no
remplir γεμίζω yè·mi·zo
rendez-vous n ραντεβού ra·dè·vou
réparer επισκευάζω è·pi·skè·va·zo
repas γεύμα n yèv·ma
réponse απάντηση f a·pa·di·ssi
représentation παράσταση f pa·ra·sta·ssi
république δημοκρατία f dhi·mo·kra·ti·a
réservation κράτηση f kra·ti·ssi
réserver κλείνω θέση kli·no thè·ssi
réserve marine θαλάσσια αποθέματα n pl tha·la·ssi·a a·po·thè·ma·ta
respirer αναπνέω a·na·pnè·o
ressort ελατήριο n è·la·ti·ri·o
ressources humaines ανθρώπινο δυναμικό n an·thro·pi·no dhi·na·mi·ko
restaurant εστιατόριο n è·sti·a·to·ri·o
rester μένω mè·no
restriction περιορισμός m pè·ri·o·ri·zmoss
retard καθυστέρηση f ka·thi·stè·ri·ssi
retourner επιστρέφω è·pi·strè·fo
retraite σύνταξη f si·da·ksi
retraité(e) συνταξιούχος/συνταξιούχα m/f si·dak·si·ou·rHos/si·dak·si·ou·rHa
retsina (vin résiné) ρετσίνα f rè·tsi·na
rêve όνειρο n o·ni·ro
réveil ξυπνητήρι n ksi·pni·ti·ri
réveiller ξυπνάω ksip·na·o
revenir επιστρέφω è·pi·strè·fo
révision αναθεώρηση f a·na·thè·o·ri·ssi
rhum ρούμι n rou·mi
rhume des foins ρινική αλλεργία f ri·ni·ki a·lèr·yi·a
riche πλούσιος plou·ssi·oss
rien τίποτε ti·po·tè
rire v γελάω yè·la·o
risque ρίσκο n ri·sko • κίνδυνος n kin·dhi·noss
rivière ποτάμι n po·ta·mi
riz ρύζι n ri·zi
robe n φόρεμα n fo·rè·ma
robinet βρύση f vri·ssi • **eau du robinet** νερό βρύσης n nè·ro vri·ssiss
rocher βράχος m vra·rHoss
roi βασιλιάς m va·ssi·liass
Romain Ρωμαϊκός ro·ma·i·koss

romantique *ρομαντικός* ro·ma·di·*koss*
rond a *στρογγυλός* stro·qui·*loss*
rond-point *κυκλική διασταύρωση* f ki·kli·*ki* dhia·*sta*·vro·ssi
rose *ροζ* roz
rôtisserie de brochettes (souvlaki) *σουβλατζίδικο* n sou·vla·*tzi*·dhi·ko
roue *τροχός* m tro·*rHoss*
rouge *κόκκινο* ko·ki·no
— **à lèvres** *κραγιόν* n kra·*yion*
rougeole *ιλαρά* f i·la·*ra*
route *δρόμος* m *dhro*·moss
—**nationale** *δημόσιος δρόμος* m dhi·*mo*·ssi·oss *dhro*·moss
rubéole *ερυθρά* f è·ri·*thra*
rubrique sportive (média) *αθλητικά* n pl a·thli·ti·*ka*
rue *δρόμος* m *dhro*·moss · *οδός* f o·*dhoss*
rugby *ράγκμπυ* n *rag*·bi
ruines *ερρίπια* n pl è·*ri*·pi·a
rythme *ρυθμός* m rith·*moss*

S

s'asseoir *κάθομαι* ka·tho·mè
sable *άμμος* m a·moss
sac *τσάντα* f *tsa*·da · *σάκος* m sa·koss
— **à dos** *σακίδιο* n sa·ki·dhi·o
— **de couchage** *σλίπινγκ μπαγκ* n sli·ping bag · *υπνόσακος* i·pno·ssa·koss
saint(e) *άγιος/αγία* m/f a·yi·oss/a·yi·a
saison *εποχή* f è·po·*Hi*
salade *σαλάτα* f sa·*la*·ta
— **verte** *μαρούλι* n ma·*rou*·li
salaire *μισθός* m mis·*thoss*
— **journalier** *ημερομίσθια εργασία* f i·mè·ro·*mi*·sthi·a è·r·gHa·*ssi*·a
salami *σαλάμι* n sa·*la*·mi
sale a *βρόμικος* vro·mi·koss
salle *αίθουσα* f è·thou·ssa
— **d'attente** *αίθουσα αναμονής* f è·thou·ssa a·na·mo·*niss*
— **de bains** *μπάνιο* n ba·nio
— **de gymnastique** *γυμναστήριο* n yim·na·*sti*·ri·o
— **de transit** *αίθουσα τράνζιτ* f è·thou·ssa tran·zit
samedi *Σάββατο* n sa·va·to
sandale *σανδάλι* n sa·*da*·li
sang *αίμα* n è·ma · **groupe sanguin** *ομάδα*

αίματος f o·ma·dha è·ma·toss · **examen sanguin** *εξέταση αίματος* f
sans *χωρίς* rHo·riss
— **plomb** *αμόλυβδος* f a·mo·liv·dhoss
—**abri** *άστεγος* a·stè·gHoss
—**emploi** *άνεργος/άνεργη* m/f a·nèr·gHoss/a·nèr·yi
santé *υγεία* f i·yi·a
sardine *σαρδέλα* f sar·dhè·la
sauce *σάλτσα* f sal·tsa
— **au poivron** *σάλτσα πιπεριάς* sal·tsa pi·pè·riass
— **de soja** *σάλτσα σόγιας* sal·tsa so·yi·ass
— **tomate** *σάλτσα ντομάτα* f sal·tsa do·ma·ta
saucisse *λουκάνικο* n lou·ka·ni·ko
— **de porc** *χοιρινό λουκάνικο* n Hi·ri·*nò* lou·ka·ni·ko
saumon *σολομός* m so·lo·moss
sauna *σάουνα* n sa·ou·na
sauter *πηδώ* pi·*dho*
savoir v *ξέρω* ksè·ro
savon *σαπούνι* n sa·*pou*·ni
science *επιστήμη* f è·pi·*sti*·mi
sciences humaines *ανθρωπιστικές επιστήμες* f pl an·thro·pi·sti·kèss è pi sti mèss
scientifique *επιστήμονας* m/f è·pi·*sti*·mo·nass
sculpture *γλυπτική* f gHlip·ti·*ki*
se baigner *κάνω μπάνιο* n ka·no ba·nio
se marier *παντρεύομαι* pa·drè·vo·mè
se plaindre *παραπονούμαι* pa·ra·po·*nou*·mè · **plainte** *παράπονο* n pa·ra·po·no
se rencontrer *συναντώ* si·na·*do*
seau *κουβάς* m kou·*vass*
sec a *στεγνός* stègH·*noss* · **(vin etc.)** *ξηρός* ksi·ross
sécher *στεγνώνω* stègH·*no*·no
second a *δεύτερος* dhèf·tè·ross
seconde *δευτερόλεπτο* n dhèf·tè·ro·lèp·to
secrétaire *γραμματέας* m/f gHra·ma·tè·ass
sécurité *ασφάλεια* f as·fa·li·a
séisme *σεισμός* m si·zmoss
sel *αλάτι* n a·la·ti
self-service n *σελφ σέρβις* self ser·viss
semaine *εβδομάδα* f èv·dho·*ma*·dha
— **précédente** *περασμένη εβδομάδα* pè·ra·zmè·ni èv·dho·*ma*·dha

semblable *παρόμοιος* pa·ro·mi·oss

séminaire *σεμινάριο* n sè·mi·*na*·ri·o

sensé(e) *συνετός/συνετή* si·nè·*toss*/si·nè·*ti*

sensibilité d'une pellicule *ταχύτητα φιλμ* f ta·*Hi*·ti·ta film

sensible *ευαίσθητος/ευαίσθητη* è·*vès*·thi·toss/è·*vès*·thi·ti

sensuel(le) *αισθησιακός/αισθησιακή* ès·thi·ssi·a·koss/ès·thi·ssi·a·ki

sentier *μονοπάτι* n mo·no·*pa*·ti

sentiments *αισθήματα* n pl ès·*thi*·ma·ta

séparé *α χωριστό* rHo·ri·*stoss*

septembre *Σεπτέμβριος* m sèp·*tèm*·vri·oss

se reposer *ξεκουράζομαι* ksè·kou·*ra*·zo·mè

sérieux(se) *σοβαρός/σοβαρή* so·va·*ross*/so·va·*ri*

seringue *σύριγκα* f *si*·ri·ga

serpent *φίδι* n *fi*·dhi

serré *σφιχτός* sfi·*rHtoss*

serrer dans ses bras *αγκαλιάζω* a·ga·*lia*·zo

serrure *κλειδαριά* f kli·dha·*ria*

serveuse *σερβιτόρα* f sèr·vi·*to*·ra

service *υπηρεσία* f i·pi·rè·*ssi*·a
— militaire *στρατιωτική θητεία* f stra·tio·ti·*ki* thi·*ti*·a

serviette *πετσέτα* f pè·*tsè*·ta
— de table *πετσετάκι* n pè·tsè·*ta*·ki
— hygiénique *σερβιέτα υγείας* f sèr·vi·*è*·ta i·*yi*·ass

seul *μόνος* mo·noss

seulement *μόνο* mo·no

sexe *σεξ* n sèks
— sans risque *ασφαλές σεξ* n as·fa·*lèss* sèks

sexisme *σεξισμός* m sè·ksi·*zmoss*

sexy *σέξι* sè·ksi

shampoing *σαμπουάν* n sa·bou·*an*

short *σορτς* n sorts

si *αν* an

sida *Έηντς* n è·idz

siège pour enfant *παιδικό κάθισμα* n pè·dhi·*ko* ka·thi·zma

sieste *μεσημεριανή ανάπαυση* f mè·ssi·mè·ria·*ni* a·na·paf·si

signature *υπογραφή* f i·po·gHra·*fi*

simple *απλός* a·*ploss*

situation de famille *οικογενειακή κατάσταση* f gHa·*mi*·li·a ka·*ta*·sta·ssi

ski *σκι* n ski • faire du ski *κάνω σκι* ka·no ski
— nautique *θαλάσσιο σκι* n tha·*la*·ssi·o ski

snack *μικρό γεύμα* n *mi*·kro gHèv·ma

socialiste *σοσιαλιστής/σοσιαλίστρια* m/f so·ssi·a·li·*stiss*/so·ssi·a·*li*·stri·a

société *κοινωνία* f ki·no·*ni*·a

sœur *αδερφή* f a·dhèr·*fi*

soie *μετάξι* n mè·*ta*·ksi

soigner *φροντίζω* fro·*di*·zo

soir *βράδυ* n *vra*·dhi

soirée (fête) *πάρτυ* n *par*·ti

soldat *στρατιώτης* m stra·ti·o·tiss

soleil *ήλιος* m *i*·li·oss • ensoleillé *ηλιόλουστος* i·li·o·lou·stoss • lever du soleil *ανατολή ηλίου* f a·na·to·*li i*·li·ou • coucher du soleil *ηλιοβασίλεμα* i·lio·va·*ssi*·lè·ma • insolation *ηλίαση* f i·*li*·a·ssi • crème solaire *αντιηλιακό* n a·di·i·li·a·*ko* • coup de soleil *ηλιακό έγκαυμα* n i·li·a·*ko* è·gav·ma • lunettes de soleil *γιαλιά ηλίου* n pl yia·*lia i*·li·ou

sommet (montagne) *κορυφή* f ko·ri·*fi*

somnifères *υπνωτικά χάπια* n pl ip·no·ti·*ka* rHa·pia

somnolent *νυσταγμένος* ni·sta·gHmè·noss

sortie *έξοδος* f è·kso·dhoss

sortir *βγαίνω* vyè·no • sortir avec quelqu'un (garçon) *βγαίνω με κάποιον* vyè·no mè *ka*·pi·on • sortir avec quelqu'un (fille) *βγαίνω με κάποια* vyè·no mè *ka*·pia

souhaiter *εύχομαι* éf·rHo·mè
— la bienvenue *καλωσορίζω* ka·lo·sso·*ri*·zo

soupe *σούπα* f *sou*·pa

sourd a *κουφός* kou·*foss*

sourire v *χαμογελώ* rHa·mo·yè·*lo*

souris *ποντίκι* m po·*di*·ki

sous-titre *υπότιτλοι* m pl i·po·*ti*·tli

sous-vêtements *εσώρουχα* n pl è·sso·rou·rHa

souterrain a *υπόγειος* i·po·yi·oss

soutien-gorge *σουτιέν* n sou·ti·*èn*

souvenir *σουβενίρ* n sou·vè·*nir* • magasin de souvenirs *κατάστημα για σουβενίρ* n ka·ta·sti·ma yia sou·vè·*nir*

souvent *συχνά* sirH·*na*

souvlaki (brochette de viande) *σουβλάκι* n souv·*la*·ki

sparadrap τσιρότο n tsi·ro·to

spécial a ειδικός i·dhi·koss

spécialiste σπεσιαλίυιας/σπεσιαλίστρια m/f spè·ssia·li·stass/spè·ssia·li·stri·a

sport σπορ n spor

sportif αθλητικός • σπορτσμαν m sports·man

sportive αθλητική • σπορτσγούμαν f sports·gHou·man

stade στάδιο n sta·dhi·o

standard téléphonique τηλεφωνικό κέντρο n ti·lè·fo·ni·ko kè·dro

station σταθμός m stath·moss

  — essence βενζινάδικο n vèn·zi·na·dhi·ko

  — de métro σταθμός μετρό n stath·moss mè·tro

  — de taxis στάση ταξί f sta·ssi ta·ksi

statue άγαλμα n a·gHal·ma

stéréo στερεοφωνικό n stè·rè·o·fo·ni·ko

studio στούντιο n stou·di·o

stupide χαζός rHa·zoss

style στυλ n stil

stylo στυλό n sti·lo

sucre ζάχαρη f za·rHa·ri

sucré a γλυκός gHli·koss

sud νότος m no·toss

Suède Σουηδία f sou·i·dhi·a

Suisse Ελβετία f èl·vè·ti·a

suivant a επόμενος è·po·mè·noss

suivre ακολουθώ a·ko·lou·tho

supermarché σούπερ μάρκετ n sou·pèr mar·kèt

superstition πρόληψη f pro·li·psi

supporter (d'une équipe etc.) οπαδός m o·pa·dhoss

sûr (sécurité) a ασφαλής as·fa·liss

sur πάνω pa·no • σε sè

surf σέρφ n sèrf • ιστιοσανίδα i·sti·o·ssa·ni·dha

surnom παρατσούκλι n pa·ra·tsou·kli

surprise έκληξη f èk·pli·ksi

surtaxe postale ταχιδρομικά τέλη n pl ta·Hi·dhro·mi·ka tè·li

surveillance d'enfants επιτήρηση παιδιών f è·pi·ti·ri·ssi pè·dhion

synagogue συναγωγή f si·na·gHo·yi

synthétique a συνθετικός sin·thè·ti·koss

système de classes ταξικό σύστημα n ta·ksi·ko si·sti·ma

T

tabac καπνός m kap·noss

table τραπέζι n tra·pè·zi

tableau πίνακας m pi·na·kass

taie d'oreiller μαξιλαροθήκη f ma·ksi·la·ro·thi·ki

taille μέγεθος n mè·yè·thoss

talc (pour bébé) ταλκ n talk

tambour τύμπανο n ti·ba·no

tampon ταμπόν n ta·bon

tante θεία f thi·a

tapis χαλί n rHa·li

tasse φλυτζάνι n fli·dza·ni

taux de change τιμή συναλλάγματος f ti·mi si·na·la·gHma·toss

taverne ταβέρνα f ta·vèr·na

taxe φόρος m fo·ross

  — aéroportuaire δασμός αεροδρομίου m dhaz·moss a·è·ro·dhro·mi·ou

taxi ταξί n ta·ksi • **station de taxis** στάση ταξί f sta·ssi ta·ksi

technique τεχνική f tèrH·ni·ki

télégramme τηλεγράφημα n ti·lè·gHra·fi·ma

téléphérique τελεφερίκ n tè·lè·fè·rik

téléphone τηλέφωνο n ti·lè·fo·no • **cabine téléphonique** τηλεφωνικός θάλαμος n ti·lè·fo·ni·koss tha·la·moss • **standard téléphonique** τηλεφωνικό κέντρο n

téléphoner τηλεφωνάω ti·lè·fo·na·o

  — en PCV κλήση με αντιστροφή της επιβάρυνσης f kli·ssi mè a·di·stro·fi tiss è·pi·va·rin·siss

télescope τηλεσκόπιο n ti·lè·sko·pi·o

télévision τηλεόραση f ti·lè·o·ra·ssi

température θερμοκρασία f thèr·mo·kra·ssi·a

tempête θύελλα f thi·è·la

temple ναός m na·oss

temps καιρός kè·ross • χρόνος rHro·no

  — partiel μερική απασχόληση mè·ri·ki a·pas·rHo·li·ssi

tennis τένις n tè·niss • **court de tennis** γήπεδο τένις n yi·pè·dho tè·niss

tension artérielle αρτηριακή πίεση f ar·ti·ri·a·ki pi·è·ssi

tente *τέντα* f tè·da • **piquet de tente**
πάσαλος τέντας m pa·ssa·loss tè·dass

terminer *τελειώνω* tè·li·o·no

terrain *γήπεδο* n yi·pè·dho
— **de camping** *χώρος για κάμπινγκ* m
rHo·ross yia kam·ping
— **de golf** *γήπεδο γκολφ* n yi·pè·dho golf

terre *γη* f yi • **par terre** *κάτω* ka·to
• **par voie de terre** *δια ξηράς* dhi·a ksi·*ras*

terrible *τρομερός* tro·mè·ross

test *τεστ* m tèst

test *τεστ* n tèst
— **de grossesse** *τεστ εγκυμοσύνης* n tèst
è·gui·mo·*ssi*·niss

tête *κεφάλι* n kè·*fa*·li • **mal de tête**
πονοκέφαλος m po·no·kè·fa·loss

tétine *πιπίλα* f pi·*pi*·la

tétraplégique *τετραπληγικός* m
tè·tra·pli·yi·*koss*

thé *τσάι* n tsa·i

théâtre *θέατρο* n thè·a·tro

thèmes d'actualité *επίκαιρα θέματα* n pl
è·*pi*·kè·ra thè·ma·ta

thon *τόνος* m to·noss

ticket *εισιτήριο* n i·ssi·*ti*·ri·o
— **aller-retour** *εισιτήριο μετ' επιστροφής* n
i·ssi·*ti*·ri·o mè·tè·pi·stro·fiss

timbre *γραμματόσημο* n gHra·ma·*to*·ssi·mo

timide a *ντροπαλός* dro·pa·loss

tique *τσιμπούρι* n tsi·bou·ri

tire-bouchon *ανοιχτήρι* n a·ni·rHti·ri

tirer (quelque chose) *τραβάω* tra·*va*·o
• **(avec une arme)** *πυροβολώ* pi·ro·vo·*lo*

tissé à la main *υφαντό* n i·fa·do

tissu *ύφασμα* n i·fa·zma

toast *τοστ* n tost

tofu *τόφου* n to·fou

toi sg fam *εσύ* è·*si*

toilette *τουαλέτα* f tou·a·*lè*·ta

toilettes publiques *δημόσια αποχωρητήρια*
n pl dhi·*mo*·ssi·a a·po·rHo·ri·*ti*·ria

tomate *ντομάτα* f do·*ma*·ta • **sauce tomate**
σάλτσα ντομάτα f sal·tsa do·*ma*·ta

tombe *μνήμα* n *mni*·ma

tombeau *τάφος* m ta·foss

ton sg *σου* sou

tonalité *ήχος κλήσης* m i·rHoss *kli*·ssiss

tortue de mer *θαλάσσια χελώνα* f
tha·*la*·ssi·a Hè·*lo*·na

tôt *νωρίς* no·riss

toucher (contact) *αφή* f a·fi

toucher *αγγίζω* a·*gui*·zo

toujours *πάντα* pa·da

tour *πύργος* m pir·gHoss

touriste *τουρίστας/τουρίστρια* m/f
tou·ri·stass/tou·ri·stri·a

tourner *γυρίζω* yi·ri·zo

tous *όλοι* m o·li • **tous les deux** *και οι δύο*
kè i *dhi*·o

tousser *βήχω* vi·rHo • **médicament contre**
la toux *φάρμακο για το βήχα* n far·ma·ko
yia to vi·rHa

traducteur/trice *μεταφραστής/*
μεταφράστρια mè·ta·fra·stis/mè·ta·*fra*·stri·a

traduire *μεταφράζω* mè·ta·*fra*·zo

train *τρένο* n trè·no • **gare ferroviaire**
σταθμός τρένου m stath·*moss* trè·nou

tramway *τραμ* n tram

tranche *φέτα* f fè·ta

transformateur *μετασχηματιστής* m
mè·ta·sHi·ma·ti·stiss

transport *μεταφορά* f mè·ta·fo·*ra*

transporter *μεταφέρω* mè·ta·fè·ro

travail *δουλειά* f dhou·*lia*
— **dans un bar** *δουλειά σε μπαρ* f dhou·*lia*
sè bar
— **manuel** *χειρωνακτική εργασία* f
Hi·ro·na·kti·*ki* èr·gHa·*ssi*·a

travailler *δουλεύω* dhou·*lè*·vo

tribunal *δικαστήριο* n dhi·ka·*sti*·ri·o

triste *θλιμμένος/θλιμμένη* m/f thli·*mè*·noss/
thli·*mè*·ni • **λυπημένος/λυπημένη**
li·pi·*mè*·nos/li·pi·*mè*·ni

troisième *τρίτος* tri·toss

trolley-bus *τρόλεϊ* n tro·lè·i

trop *πάρα πολύ* pa·ra po·*li*

trottoir *πεζοδρόμιο* n pè·zo·*dhro*·mi·o

trouver *βρίσκω* vri·sko

T-shirt *μπλουζάκι* n blou·za·ki

tuer *δολοφονώ* dho·lo·fo·*no*

tumeur *όγκος* m o·goss

tunique *χιτώνας* m Hi·to·nass

turc (langue) *Τουρκικά* tour·ki·*ka*
Turcs *Τούρκοι* m pl tour·ki
Turquie *Τουρκία* f tour·ki·a
tuyau d'échappement *εξάτμιση* f
è·ksa·tmi·ssi
TVA *Φ.Π.Α.* m fi·pi·a
type *τύπος* m ti·poss
typhus *τύφος* m ti·foss
typique *τυπικός* ti·pi·koss

U

ultrason *υπερηχητικό* n i·pè·ri·Hi·ti·ko
un *ένα* è·na
— **aller simple** *απλό εισιτήριο* n
a·plo i·ssi·ti·ri·o
une fois *μια φορά* mia fo·ra
uniforme *στολή* f sto·li
Union européenne *Ευρωπαϊκή Ένωση* f
è·vro·pa·i·ki è·no·ssi
univers *σύμπαν* f si·ban
université *πανεπιστήμιο* n pa·nè·pi·sti·mi·o
urgent *επείγον* è·pi·gHon
usine *εργοστάσιο* n èr·gHo·sta·ssi·o
• **ouvrier d'usine** *εργάτης εργοστασίου/*
εργάτρια εργοστασίου m/f èr·gHa·tiss
èr·gHo·sta·ssi·ou/èr·gHa·tri·a
èr·gHo·sta·ssi·ou
utile *χρήσιμος* rHri·ssi·moss

V

vacances *διακοπές* f pl dhi·a·ko·pèss
vaccin *εμβόλιο* n èm·vo·li·o
vache *αγελάδα* f a·yè·la·dha
vagin *κόλπος γυναίκας* m
kol·poss yi·nè·kass
vague *κύμα* n ki·ma
vainqueur *νικητής* m ni·ki·tiss
valeur *αξία* f a·ksi·a
valider *επικυρώνω* è·pi·ki·ro·no
valise *βαλίτσα* f va·li·tsa
vallée *κοιλάδα* f ki·la·dha
vapeur *ατμός* m at·moss
varicelle *ανεμοβλογιά* f a·nè·mo·vlo·yia
variété *ποικιλία* f pi·ki·li·a
vase *βάζο* n va·zo
— **en terre cuite** *πήλινο αγγείο* n
pi·li·no a·gui·o

veau *μοσχάρι* n mos·rHa·ri
végétalien(ne) *φυτοφάγος* m/f
fi·to·fa·gHoss
végétarien(ne) a *χορτοφάγος* m/f
rHor·to·fa·gHoss
veille du Jour de l'an *Παραμονή*
Πρωτοχρονιάς f pa·ra·mo·ni
pro·to·rHro·niass
veillée *ξενύχτι* n ksè·ni·rHti
veine *φλέβα* f flè·va
vélo *ποδήλατο* n po·dhi·la·to • **faire du**
vélo *κάνω ποδήλατο* ka·no po·dhi·la·to
• **vélo de course** *ποδήλατο κούρσας* n
po·dhi·la·to kour·sass • **magasin de cycles**
κατάστημα ποδηλάτου n ka·ta·sti·ma
po·dhi·la tou • **chaîne de vélo** *αλυσίδα*
ποδηλάτου f a·li·ssi·dha po·dhi·la·tou
• **piste cyclable** *δρόμος ποδηλάτου*
m dhro·moss po·thi·la·tou • **antivol**
αντικλεπτικό n a·di·klè·pti·ko
vendre *πουλάω* pou·la·o
vendredi *Παρασκευή* f pa·ra·skè·vi
vénéneux *δηλητηριώδης* dhi·li·ti·ri·o·dhiss
venimeux *δηλητηριώδης* dhi·li·ti·ri·o·dhiss
venir *έρχομαι* èr·rHo·mè
vent *άνεμος* m a·nè·moss
vente *πώληση* f po li ssi
ventilateur électrique *ανεμιστήρας* m
a·nè·mi·sti·rass
verre *ποτήρι* n po·ti·ri
vers *προς* pross
vert *πράσινος* pra·ssi·noss
vessie *κύστη* f ki·sti
veste *ζακέτα* f za·kè·ta
vestiaire *ιματιοφυλάκιο* n i·ma·ti·o·fi·la·ki·o
vêtements *ρούχα* n pl rou·rHa • **boutique**
de vêtements *κατάστημα ρούχων*
n ka·ta·sti·ma rou·rHon • **vestiaire**
ιματιοφυλάκιο n i·ma·ti·o·fi·la·ki·o
viande *κρέας* n krè·ass
— **hachée** *κιμάς* m ki·mass
vide a *άδειο* a·dhi·o
vie *ζωή* f zo·i
vieux (ancien) *παλιός* pa·lioss
vigne *κλήμα* n kli·ma
vilain *κακός* ka·koss
village *χωριό* n rHo·rio
vin *κρασί* n kra·ssi
vinaigre *ξύδι* n ksi·dhi

viol *βιασμός* m vi·az·*moss*
violer *βιάζω* vi·*a*·zo
violet *μαβής* ma·*viss*
virus *ιός* m i·*oss*
visa *βίζα* f *vi*·za
visage *πρόσωπο* n pro·*sso*·po
visite *επίσκεψη* f è·*pi*·skè·psi
visiter *επισκέπτομαι* è·pi·*skè*·pto·mè
vitamines *βιταμίνες* f pl vi·ta·*mi*·nès
vitesse *ταχύτητα* f ta·*Hi*·ti·ta • **limitation de vitesse** *όριο ταχύτητας* n o·ri·o ta·*Hi*·ti·tass • **compteur de vitesse** *ταχύμετρο* n ta·*Hi*·mè·tro
vodka *βότκα* f *vot*·ka
voile *ιστίο* n i·*sti*·o
voir *βλέπω* v*lè*·po
voiture *αυτοκίνητο* n af·to·*ki*·ni·to • **location de voitures** *ενοικίαση αυτοκινήτου* f è·ni·*ki*·a·ssi af·to·ki·*ni*·tou • **carte grise voiture** *τίτλος κατόχου αυτοκινήτου* m *tit*·loss ka·*to*·rHou af·to·ki·*ni*·tou
voix *φωνή* f fo·*ni*
vol *πτήση* f *pti*·ssi
— **charter** *πτήση τσάρτερ* f *pti*·ssi *tsar*·tèr
volé *κλεμμένο* klè·*mè*·no
voler (quelque chose) *ληστεύω* li·*stè*·vo • *κλέβω* *klè*·vo • **voler (dans les airs)** *πετάω* pè·*ta*·o
voleur *ληστής* li·*stiss* • *κλέφτης* *klè*·ftiss
volley-ball n *βόλεϊ* *vo*·lè·ï
voter *ψηφίζω* psi·*fi*·zo
votre sg pol et pl fam et pol *σας* sass
vouloir *θέλω* *thè*·lo
vous sg pol et pl pol *εσείς* è·*ssiss*

voyage *ταξίδι* n ta·*ksi*·dhi
— **avec un guide** *περιήγηση με οδηγό* f pe·ri·*i*·yi·ssi mè o·dhi·*gHo*
— **d'affaires** *ταξίδι εργασίας* n ta·*ksi*·dhi èr·gHa·*ssi*·ass
— **organisé** *οργανωμένο ταξίδι* or·gHa·no·*mè*·no ta·*ksi*·dhi
voyager *ταξιδεύω* ta·ksi·*dhè*·vo
— **en auto-stop** *ταξιδεύω με ωτοστόπ* ta·ksi·*dhè*·vo mè o·to·*stop*
VTT *ποδήλατο ανωμάλου δρόμου* n po·*dhi*·la·to a·no·ma·lou dhro·mou
vue *θέα* f *thè*·a

W

wagon-lit *βαγκόν λι* n va·*gon*·li • *κλινάμαξα* f kli·*na*·ma·ksa
wagon-restaurant *βαγόνι φαγητού* n va·*gHo*·ni fa·yi·*tou*
week-end *Σαββατοκύριακο* n sa·va·to·*ki*·ria·ko
whisky *ουίσκυ* n ou·*i*·ski

Y

yaourt *γιαούρτι* n yia·*our*·ti
yeux *μάτια* n pl *ma*·tia
yoga *γιόγκα* f *yio*·ga

Z

zodiaque *ζωδιακός* m zo·dhi·a·*koss*
zone *ζώνη* f *zo*·ni
— **de d'intervention de l'ONU** *ζώνη των Ηνωμένων Εθνών* f *zo*·ni ton i·no·*mè*·non *è*·thnon
zoo *ζωολογικός κήπος* m zo·o·lo·yi·*koss* *ki*·poss

Dans ce dictionnaire, le genre des mots grecs sera désigné par m, f ou n. Le pluriel sera désigné par pl. Seul le masculin sera indiqué pour les adjectifs. Pour les autres formes (féminin et neutre), reportez-vous à la rubrique **adjectifs et description** du chapitre **grammaire de A à Z**. Les noms et adjectifs seront donnés uniquement au nominatif – pour les autres cas, reportez-vous également à la **grammaire de A à Z**. Dans le cas ou un mot peut-être à la fois nom et adjectif, s'il n'est pas suivi du symbole a (adjectif), il s'agira d'un nom. Les abréviations sg (singulier), pl et pol (politesse) figureront si nécessaire.

Les entrées de ce dictionnaire sont classées dans l'ordre alphabétique grec :

Αα	Ββ	Γγ	Δδ	Εε	Ζζ	Ηη	Θθ	Ιι	Κκ	Λλ	Μμ
Νν	Ξξ	Οο	Ππ	Ρρ	Σσ/ς	Ττ	Υυ	Φφ	Χχ	Ψψ	Ωω

Α α

άβολος *a-vo-*los *inconfortable*
αγάπη f a-*gHa-*pi *amour*
αγαπώ a-gHa-*po aimer*
Αγγλία f a-*gHli-*a *Angleterre*
Αγγλικά n pl a-gHli-*ka anglais (langue)*
αγορά f a-gHo-*ra marché*
αγοράζω a-gHo-*ra-*zo *acheter*
αγόρι n a-*gHo-*ri *garçon*
άδειο *a-*dhi-o *vide*
αδερφή f a-*dher-*fi *sœur*
αδερφός m a-*dher-foss frère*
αδιάβροχο a-dhi-*a-*vro-rHo *imperméable*
αδύνατος a-*dhi-*na-toss *malgre*
αερογραμμή f a-*e-*ro-gHra-*mi ligne aérienne*
αεροδρόμιο n a-è-ro-*dhro-*mi-o *aéroport*
αεροπλάνο n a-è-ro-*pla-*no *avion*
Αθήνα a-*thi-*na n *Athènes*
αίθουσα αναμονής f è-*thou-*ssa
   a-na-mo-*niss salle d'attente*
αίθουσα τράνζιτ f è-*thou-*ssa *tran-*zit
   salle de transit
αίμα è-*ma sang*
ακριβός a-kri-*voss cher*
ακριβώς a-kri-*voss exactement*
ακυρώνω a-*ki-*ro-no *annuler • résilier*
αλλαγή f a-la-*yi changement*
αλλεργία f a-lèr-*yi-*a *allergie*
αλληλογραφία f a-li-lo-gHra-*fi-*a *courrier*
άλλος *a-*loss *autre*
άμεσος *a-*mè-*ssoss direct • immédiat*
αναπηρική καρέκλα f a-na-pi-ri-*ki* ka-rè-*kla
   fauteuil roulant*
ανάπηρος a-*na-*pi-ross *handicapé* a

αναπτήρας n a-na-*pti-*rass *briquet*
ανατολή f a-na-to-*li est (point cardinal)*
αναχώρηση f a-na-*rHo-*ri-ssi *départ*
αναχωρώ a-na-rHo-ro *partir*
ανεβαίνω a-nè-*vè-*no *monter*
ανεμιστήρας m a-nè-mi-*sti-*rass *ventilateur
   électrique*
άνετος *a-*nè-toss *confortable*
ανθοπώλης m an-tho-*po-*liss *fleuriste*
ανθοπώλισσα f an-tho-*po-*li-ssa *fleuriste*
ανιαρός a-ni-a-*ross ennuyeux*
άνοιξη f *a-*ni-ksi *printemps (saison)*
ανοιχτήρι n a-ni-*rHti-*ri *ouvre-boîte
   • ouvre-bouteille • tire-bouchon*
ανοιχτός a-ni-*rH-toss ouvert*
ανταλλάσσω a-da-*la-*sso *échanger*
αντιβιοτικά n pl a-di-vi-o-ti-*ka antibiotiques*
αντίγραφο a-*di-*gHra-fo *copie*
αντιηλιακό n a-di-i-li-a-*ko crème solaire*
αντισηπτικό n a-di-si-li-pti-*ko antiseptique*
άντρας m *a-*drass *homme*
απαίσιος a-*pè-*ssi-oss *détestable • ignoble*
απασχολημένος a-pa-srHo-li-*mè-*noss
   occupé
απεργία f a-*pèr-*yi-a *grève*
απίθανος a-*pi-*tha-noss *fantastique • extra
   • incroyable*
απλό εισιτήριο n a-*plo* i-ssi-*ti-*ri-o
   un aller simple
απόγευμα a-*po-*yèv-ma *après-midi*
απόδειξη f a-*po-*dhi-ksi *reçu/récépissé*
αποσκευές f pl a-po-skè-*vèss bagages*
αποσμητικό n a-po-zmi-ti-*ko déodorant*
απόψε *a-*po-psè *ce soir • cette nuit*

αργά ar·gHa lentement • tard
αργότερα ar·gHo·tè·ra plus tard
αριθμομηχανή f a·ri·thmo·mi·rHa·ni calculatrice
αριθμός m a·ri·thmoss nombre • chiffre • numéro
— **διαβατηρίου** n a·ri·thmoss dhia·va·ti·ri·ou numéro de passeport
— **δωματίου** n a·ri·thmoss dho·ma·ti·ou numéro de chambre
— **κυκλοφορίας αυτοκινήτου** f a·ri·thmoss ki·klo·fo·ri·ass af·to·ki·ni·tou numéro d' immatriculation d'une voiture
αριστερά a·ri·stè·ra à gauche (direction)
αρκετά ar·kè·ta assez
αρραβωνιαστικιά f a·ra·vo·nia·sti·kia fiancée
αρραβωνιαστικός m a·ra·vo·nia·sti·koss fiancé
άρρωστος a·ro·stoss malade
αρχιτέκτονας m et f ar·Hi·tèk·to·nass architecte
αρχιτεκτονική f ar·Hi·tèk·to·ni·ki architecture
άρωμα n a·ro·ma parfum • arôme • odeur
ασανσέρ n a·ssan·sèr ascenseur
ασήμι n a·ssi·mi argent
άσπρος as·pross blanc
αστείος a·sti·oss drôle • amusant • rigolo
αστικό λεωφορείο n a·sti·ko lè·o·fo·ri·o bus de ville
αστράγαλος m a·stra·rHa·loss cheville
αστυνομία (100) f a·sti·no·mi·a police
αστυνομικό τμήμα m a·sti·no·mi·ko tmi·ma commissariat
αστυνομικός m a·sti·no·mi·koss agent de police • gardien de la paix
αστυνομικίνα f a·sti·no·mi·ki·na agent de police • gardien de la paix
ασφάλεια a·sfa·li·a assurance • sécurité
ασφαλές σεξ n a·sfa·lèss sèks sexe sans risque
ατύχημα n a·ti·Hi·ma accident
αύριο av·ri·o demain
αυτοκίνητο n af·to·ki·ni·to automobile • auto·voiture
αυτοκινητόδρομος m af·to·ki·ni·to·dhromoss autoroute
αυτόματη μηχανή χρημάτων f af·to·ma·ti mi·rHa·ni rHri·ma·ton distributeur automatique de billets
αυτός m af·toss lui • celui
αφή f a·fi toucher • contact (physique)

αφίξεις f pl a·fi·ksiss arrivées
αφτί n af·ti oreille

Β β

βαγκόν λι n va·gon li wagon-lit
βαγόνι φαγητού n va·go·ni fa·yi·tou wagon-restaurant
βαλίτσα f va·li·tsa valise
βαμβάκι n vam·va·ki coton
βάρκα f var·ka barque
βαρύς va·riss lourd
βγάζω φωτογραφία vgHa·zo fo·to·gHra·fi·a tirer une photo
βγαίνω vyè·no je sors (sortir)
βελόνα f vè·lo·na aiguille
βενζίνα f vèn·zi·na essence
βενζινάδικο n vèn·zi·na·dhi·ko station essence • station-service
βήχω vi·rHo tousser
βιαστικός vià·sti·koss pressé
βιβλίο vi·vli·o livre
βιβλιοθήκη f vi·vli·o·thi·ki bibliothèque
βιβλιοπωλείο n vi·vli·o·po·li·o librairie
βιβλίο φράσεων f vi·vli·o fra·ssè·on manuel de conversation
βίζα f vi·za visa
βιντεοταινία f vi·dè·o·te·ni·a vidéo • film vidéo
βοήθεια f vo·i·thi·a au secours • secours • assistance
βοηθώ vo·i·tho aider
βορράς m vo·ras nord
βούλωμα n vou·lo·ma bouchon
βουνό n vou·no montagne
βούρτσα f vour·tsa brosse
βράδυ n vra·dhi soir • soirée
βροχή n vro·Hi pluie
βρύση f vri·ssi robinet • fontaine
βρώμικος a vro·mi·koss sale • puant
βύσμα n viz·ma prise (électrique)

Γ γ

γάλα n gHa·la lait
Γαλλία gHa·li·a France
Γαλλίδα gHa·li·dha Française
Γαλλικά gHa·li·ka français (langue)
Γάλλος gHa·loss Français
γεμάτο yè·ma·to plein • rempli
γενέθλια n pl yè·nè·thli·a anniversaire
Γερμανία f yèr·ma·ni·a Allemagne
γεύμα n yèv·ma repas

γέφυρα n yè·fi·ra pont

Ι ή † yi terre

γήπεδο n yi·pè·dho terrain • stade
— **γκολφ** n golf terrain de golf
— **τένις** n tè·niss court de tennis

γιαγιά f yia·yia grand-mère • mamie

γιατί yia·ti pourquoi

γιατρός m et f yia·tross docteur • médecin

γιος m yioss fils

γιούθ χόστελ n youth rHo·stèl auberge de jeunesse

γκέι gHè·i homosexuel • gay

γκρίζος gri·zoss gris

γλυκός gHli·koss doux • sucré

γλυπτική f gHlip·ti·ki sculpture

γλώσσα f gHlo·ssa langage • langue

γόνατο n gHo·na·to genou

γονείς m pl gHo·niss parents

γράμμα n gHra·ma lettre

γραμμάριο n gHra·ma·ri·o gramme

γραμματόσημο n gHra·ma·to·si·mo timbre

γραφείο n gHra·fi·o bureau
— **απολεσθέντων αντικειμένων** n gHra·fi·o a·po·lè·sthè·don a·di·ki·mè·non bureau des objets trouvés
— **εισιτηρίων** gHra·fi·o i·si·ti·ri·on billetterie

γράφω gHra·fo écrire

γρήγορος a gHri·gHo·ross rapide

γρίπη f gHri·pi grippe

γυαλιά n pl yia·lia lunettes
— **ηλίου** n pl yia·lia i·li·ou lunettes de soleil

γυμναστήριο n yi·mna·sti·ri·o salle de gymnastique

γυναίκα f yi·nè·ka femme • épouse

Δ δ

δάκτυλο n dha·kti·lo doigt

δασμός αεροδρομίου m dha·zmoss a·è·ro·dhro·mi·ou taxe d'aéroport

δάσος n dha·ssoss forêt • bois

δαχτυλίδι n dha·rHti·li·dhi bague • alliance

δείπνο n dhip·no dîner

δείχνω dhi·rHno montrer • indiquer

δεκαπενθήμερο n dhè·ka·pèn·thi·mè·ro quinzaine

δέμα n dhè·ma paquet

δεξιά dhè·ksi·oss à droite (direction)

δέρμα n dhèr·ma peau • cuir

Δεσποινίς f dhè·spi·niss Mademoiselle

δεύτερη θέση f dhèf·tè·ri thè·ssi seconde classe

δημόσια αποχωρητήρια n pl dhi·mo·ssi·a a·po·rHo·ri·ti·ria toilettes publiques

δημοσιογράφος m/fdhi·mo·ssi·o·gHra·foss journaliste

δια ξηράς dhi·a ksi·rass par voie de terre

διαβατήριο n dhia·va·ti·ri·o passeport

διαδίκτυο n dhia·dhik·ti·o Internet

διάδρομος m dhi·a·dhro·moss couloir

διαζευγμένη f dhi·a·zèv·gHmè·ni divorcée

διαζευγμένος m dhi·a·zèv·gHmè·noss divorcé

διαθέσιμος dhi·a·thè·ssi·moss disponible

διακοπές f pl dhia·ko·pèss vacances

διάλειμμα n dhia·li·ma récréation • pause • entracte

διαμέρισμα n dhia·mè·ri·zma appartement

διαφορά ώρας f dhia·fo·ra·rass décalage horaire

διαφορετικός dhia·fo·rè·ti·koss différent

διερμηνέας m et f dhi·èr·mi·nè·ass interprète

διεύθυνση f dhi·èf·thin·si adresse

δικηγόρος m/f dhi·ki·gHo·ross avocat/ avocate

δίκλινο δωμάτιο n dhi·kli·no dho·ma·ti·o chambre à deux lits

δίπλα dhi·pla à-côté • auprès de

διπλό δωμάτιο n dhi·plo dho·ma·ti·o chambre double

διπλό κρεβάτι n dhi·plo krè·va·ti lit double

δισκέτα f dhi·skè·ta disquette

διψασμένος dhi·psa·zmè·noss assoiffé

διψάω f dhi·psa·o avoir soif

δοκιμάζω dho·ki·ma·zo essayer

δοκιμαστήριο ρούχων n dho·ki·ma·sti·ri·o rou·rHon cabine d'essayage

δολλάριο n dho·la·ri·o dollar

δουλειά f dhou·lia job • travail

δρόμος m dhro·moss rue • route • chemin

δροσερό dhro·ssè·ro frais • rafraîchissant

δυνατός dhi·na·toss fort • puissant

δύο dhi·o deux

δύση f dhi·ssi ouest • coucher du soleil • occident • crépuscule

δυσπεψία f dhi·spè·psi·a indigestion

δωμάτιο n dho·ma·ti·o chambre

δωρεάν dho·rè·an gratuitement • gratuit

δώρο n dho·ro cadeau

Ε ε

εβδομάδα f èv·dho·*ma*·dha semaine
εγγονή f è·go·*ni* petite-fille
εγγονός m è·go·*noss* petit-fils
εγγυημένος è·gui·i·*mè*·noss garanti
έγκαυμα n è·*gav*·ma brûlure • coup de soleil
έγκυος è·gui·oss enceinte
εγώ è·*gHo* moi
εδώ è·*dho* ici • là
έθιμο n è·*thi*·mo coutume • rite
εισιτήριο n i·ssi·*ti*·ri·o billet • ticket
— **μετ' επιστροφής** n mè·tè·pi·stro·*fiss*
billet aller et retour
είσοδος f i·sso·*dhoss* entrée • accès
εκατοστόμετρο n è·ka·to·*sto*·mè·tro
centimètre
εκεί è·*ki* là
εκείνο è·*ki*·no celui
έκθεμα n *èk*·thè·ma objet exposé
έκθεση f *èk*·thè·ssi exposition
εκκλησία f è·kli·*ssi*·a église
έκπτωση f *èk*·pto·ssi solde • réduction
έκτακτη ανάγκη f *èk*·kta·kti a·*na*·gui cas
d'urgence
εκτυπωτής m è·kti·po·*tiss* imprimante
ελαττωματικός è·la·to·ma·ti·*koss* défectueux
ελαφρύ γεύμα n è·laf·*ri* gHèv·ma repas léger
ελαφρύς è·la·*friss* léger
ελεύθερος è·*lèf*·thè·ross libre
Ελλάδα f è·*la*·dha Grèce • Hellas
Έλληνας m è·li·nass Grec • Hellène
Ελληνίδα m è·li·*ni*·da Grecque • Hellène
Έλληνες m pl è·li·*nèss* grecs • hellènes
Ελληνικά n pl è·li·ni·*ka* langue grecque
• le grec
εμβόλιο n èm·*vo*·li·o vaccin
ένα è·na un • **ένας άλλος** è·nass *a*·loss
un autre
ένεση f è·*nè*·ssi injection • piqûre
ενοικιάζω è·ni·ki·*a*·zo louer
ενοικίαση αυτοκινήτου è·ni·*ki*·a·ssi
af·to·ki·*ni*·tou location de voiture
εξαργυρώνω è·ksar·yi·ro·no
toucher • rembourser
έξοδος f è·kso·*dhoss* sortie
εξοχή f è·kso·*Hi* campagne
εξπρές èks·*près* express a
έξω è·kso dehors • hors de
εξωτερικό è·kso·tè·ri·*ko* externe • extérieur
• à l'étranger
επάνω è·*pa*·no sur • dessus

επείγον è·*pi*·gHon urgent
επιβάτης m è·pi·*va*·tiss passager
επιβάτισσα f è·pi·*va*·ti·ssa passagère
επίδειξη f è·*pi*·dhi·ksi exposition
επίδεσμος m è·*pi*·dhèz·moss bandage
επιδόρπιο n è·*pi*·dhor·pi·o dessert
επικίνδυνος è·*pi*·kin·dhi·noss dangereux
επικυρώνω è·pi·ki·*ro*·no valider
έπιπλα n pl è·pi·pla meubles
επισκευάζω è·pi·skè·*va*·zo réparer
επιστήμη f è·pi·*sti*·mi science
επιστήμονας m et f è·pi·*sti*·mo·nass savant
• scientifique
επιστρέφω è·pi·*strè*·fo revenir • retourner
επιστροφή χρημάτων f
è·pi·stro·*fi* rHri·*ma*·ton rendre de l'argent
emprunté
επιτήρηση παιδιών f è·pi·*ti*·ri·ssi pè·*dhion*
surveillance d'enfants
επιτρεπόμενες αποσκευές f pl
è·pi·trè·*po*·mè·nèss a·po·skè·*vèss*
bagages autorisés
επιχείρηση f è·pi·*Hi*·ri·ssi opération • affaire
επόμενος è·*po*·mè·noss suivant a
εποχή f è·po·*Hi* saison • époque
επώνυμο n è·*po*·ni·mo nom de famille
εργόχειρα n pl èr·*gHo*·Hi·ra ouvrages
ερείπια n pl è·*ri*·pi·a ruines • vestiges
εσείς è·*ssiss* vous pl et pol
εστιατόριο n è·sti·a·*to*·ri·o restaurant
εσύ è·*ssi* tu • toi
εσώρουχα n pl è·*sso*·rou·rHa sous-
vêtements
εταιρεία f è·tè·*ri*·a compagnie • société
ευγνώμων èv·*gHno*·mon reconnaissant
εύθραυστος *èf*·thraf·stoss fragile
ευτυχισμένος èf·ti·Hi·zmè·noss heureux
ευχαριστώ u èf·rHa·ri·*sto* merci
εφημερίδα f è·fi·mè·*ri*·dha journal
έχω è·*rHo* avoir • j'ai

Ζ ζ

ζακέτα f za·*kè*·ta jaquette • veste
ζαχαροπλαστείο n za·rHa·ro·pla·*sti*·o
pâtisserie (lieu)
ζεστός zè·*stoss* chaud
ζωγραφική f zo·gHra·fi·*ki* peinture
ζωγράφος m et f zo·*gHra*·foss peintre
ζώνη ασφαλείας f zo·ni as·fa·*li*·ass ceinture
de sécurité
ζωολογικός κήπος m zo·o·lo·yi·*koss* *ki*·poss
zoo • jardin zoologique

Η η

ηθοποιός m et f i·tho·pi·oss acteur • actrice
ηλεκτρισμός m i·lèk·triz·moss électricité
ηλιακό έγκαυμα n i·li·a·ko è·gHav·ma coup
de soleil
ήλιος m i·li·oss soleil
ημέρα f i·mè·ra jour
ημερολόγιο n i·mè·ro·lo·yi·o calendrier
ημερομηνία f i·mè·ro·mi·ni·a date
 — **γεννήσεως** f yè·ni·sè·oss date de
 naissance
ΗΠΑ f i·pa États-Unis
ήσυχος i·ssi·rHos calme • tranquille
ήχος κλήσης m i·rHoss kli·ssiss tonalité
(téléphone)

Θ θ

θάλασσα f tha·la·ssa mer
θέα f thè·a vue
θεά f thè·a déesse
θεατρικό έργο n thè·a·tri·ko èr·gHo
 pièce de théâtre
θέατρο n thè·a·tro théâtre
θεία f thi·a tante
θερμοκρασία f thèr·mo·kra·ssi·a
 température
θερμοπληξία f thèr·mo·pli·ksi·a coup de
 chaleur • insolation
θερμοφόρα f thèr·mo·fo·ra bouillotte
θηλυκός a thi·li·koss femelle • féminin
θορυβώδης tho·ri·vo·dhis bruyant
 • sonore

Ι ι

ιατρική f i·a·tri·ki médecine
ιδιωτικός i·dhi·o·ti·koss privé
ιματιοφυλάκιο n i·ma·ti·o·fi·la·ki·o vestiaire
 • garde-robe
ινστιτούτο αισθητικής n in·sti·tou·to
 ès·thi·ti·kiss institut de beauté
ιππασία f i·pa·ssi·a équitation
ιχθυοπωλείο n irH·thi·o·po·li·o poissonnerie

Κ κ

καθαρίζω ka·tha·ri·zo nettoyer
καθάρισμα n ka·tha·ri·zma nettoyage
καθαρός ka·tha·ross propre
καθαρτικό n ka·thar·ti·ko laxatif

κάθε ka·thè chaque • tout
καθένας ka·thè·nass chacun
καθημερινός ka·thi·mè·ri·noss journalier
καθρέφτης m ka·thrè·ftiss miroir • glace
καθυστερημένος ka·thi·stè·ri·mè·noss en
 retard
καθυστέρηση ka·thi·stè·ri·ssi retard
και kè et • **και οι δύο** kè i dhi·o tous les deux
κακός ka·koss vilain • méchant
καλλιτέχνης m ka·li·terH·niss artiste
καλλιτέχνιδα f ka·li·terH·ni·dha artiste
καλλυντικά n pl ka·li·di·ka produit de
 beauté
καλοκαίρι n ka·lo·kè·ri été
καλός ka·loss bon • gentil
κάλτσες f kal·tsèss chaussettes
καλύτερος ka·li·tè·ross meilleur
καλώ ka·lo appeler • inviter
Καναδάς m ka·na·dhass Canada
Καναδός m ka·na·dhoss Canadien
Καναδέζα f ka·na·dhèza Canadienne
καπέλο n ka·pè·lo chapeau
καπνίζω kap·ni·zo fumer
καρδιά f kar·dhia cœur
καρδιακή κατάσταση f kar·dhi·a·ki
 ka·ta·sta·ssi problème cardiaque
καρέκλα f ka·rè·kla chaise
καροτσάκι n ka·ro·tsa·ki Caddie • chariot
κάρτα f kar ta carte postale
 — **επιβίβασης** f è·pi·vi·va·ssiss
 carte d'embarquement
 — **τηλεφώνου** f ti·lè·fo·nou carte de
 téléphone
κασέτα f ka·ssè·ta cassette
κασκόλ n ka·skol cache-col
κάστρο n ka·stro château • château-fort
κατ' ευθείαν γραμμή f ka·tèf·thi·an gra·mi
 ligne directe
κατάθεση f ka·ta·thè·ssi déposition
κατάλυμα n ka·ta·li·ma cantonnement • gîte
κατάστημα n ka·ta·sti·ma magasin
 • boutique
 — **για σουβενίρ** n yia sou·vè·nir magasin
 de souvenirs
 — **ηλεκτρικών ειδών** n i·lèk·tri·kon
 i·dhon magasin d'appareils électriques
 — **μουσικών ειδών** n mou·ssi·kon i·dhon
 magasin d'instruments de musique
 — **ρούχων** n rou·rHon boutique de prêt-
 à-porter
 — **αθλητικών ειδών** n
 a·thli·ti·koni·dhon magasin de sport
κατεβαίνω ka·tè·vè·no descendre

κατεύθυνση f ka·tèf·thin·si *direction*
καύσωνας m kaf·so·nass *canicule*
καφέ ka·fè *brun* a
καφενείο n ka·fè·ni·o *café*
— **διαδικτύου** n dhia·a·dhi·kti·ou *cybercafé*
καφές m kra·fèss *café*
καφεστιατόριο f ka·fè·sti·a·to·ri·o *café-restaurant*
κενή θέση f kè·ni thè·ssi *place libre*
κέντημα n kè·di·ma *broderie*
κέντρο n kè·dro *centre*
— **της πόλης** n kè·dro tiss po·liss *centre-ville*
κέρματα n pl kèr·ma·ta *pièces*
κεφάλι n kè·fa·li *tête*
κήπος m ki·poss *jardin*
κινητό n ki·ni·to *téléphone portable*
κίτρινος ki·tri·noss *jaune*
κλειδί n kli·dhi *clé*
κλειδωμένος kli·dho·mè·noss *fermé à clé*
κλειδώνω kli·dho·no *fermer à clé*
κλείνω kli·no *fermer*
— **θέση** thè·ssi *réserver une place*
κλεισμένος kli·zmè·noss *clos*
κλειστός kli·stoss *fermé*
κλεμμένο klè·mè·no *volé*
κλήση με αντιστροφή της επιβάρυνσης f kli·ssi mè a·di·stro·fi tiss è·pi·va·rin·siss *appeler (quelqu'un) en PCV*
κλονισμός m klo·ni·zmoss *commotion*
κόβω ko·vo *couper*
κοιμάμαι ki·ma·mè *dormir*
κοιμητήριο n ki·mi·ti·ri·o *cimetière*
κόκκινο ko·ki·no *rouge*
κολιέ n ko·li·è *collier*
κολυμπώ ko·li·bo *nager*
κολόνα f ko·lo·na *colonne*
κολόνια f ko·lo·ni·a *eau de cologne*
κομμωτής m ko·mo·tiss *coiffeur*
κομμώτρια f ko·mo·tri·a *coiffeuse*
κοντά ko·da *près • proche*
κοντινός ko·di·noss *proche*
κοντός ko·doss *court • petit*
κόρη f ko·ri *fille • jeune fille*
κόριται n ko·ri·tsi *fille • jeune fille*
κοσμήματα n pl ko·zmi·ma·ta *bijoux*
κοστίζω ko·sti·zo *coûter*
κοτόπουλο n ko·to·pou·lo *poulet*
κουβέρτα f kou·vèr·ta *couverture*
κουζίνα f kou·zi·na *cuisine*
κουμπί n kou·bi *bouton*
κουρασμένος kou·ra·zmè·noss *fatigué*

κούρεμα n kou·rè·ma *coupe de cheveux*
κουταλάκι n kou·ta·la·ki *petite cuillère*
κουτάλι n kou·ta·li *cuillère*
κουτί n kou·ti *boîte • canette • paquet*
κραγιόν n pl kra·yion *rouge à lèvres*
κρασί n kra·ssi *vin*
κράτηση f kra·ti·ssi *réservation*
κρέας n krè·ass *viande*
κρεβάτι n krè·va·ti *lit*
κρέμα f krè·ma *crème*
— **ξυρίσματος** f ksi·riz·ma·toss *crème (mousse) à raser*
κρεοπωλείο n krè·o·po·li·o *boucherie*
κρυωμένος kri·o·mè·noss *enrhumé*
κτηματομεσιτικό γραφείο n kti·ma·to·mè·ssi·ti·ko gHra·fi·o *agence immobilière*
κτήριο n kti·ri·o *bâtiment • immeuble*
κυλιόμενες σκάλες f pl ki·li·o·mè·nèss ska·lèss *escalier roulant*
Κυρία f ki·ri·a *Madame*
Κύριος n ki·ri·oss *Monsieur*
κυτίο πρώτων βοηθειών n ki·ti·o pro·ton vo·i·thi·on *mallette de premiers secours*

Λ λ

λάδι n la·dhi *huile*
— **αυτοκινήτου** n af·to·ki·ni·tou *huile de vidange (voiture)*
λαϊκή f la·i·ki *marché*
λαιμός m lè·moss *cou • gorge*
λάστιχο n la·sti·rHo *pneu • élastique*
λαχανικά n pl la·rHa·ni·ka *légumes*
λεξικό n lè·ksi·ko *dictionnaire*
λεπτό n lèp·to *minute*
λεσβία f lèz·vi·a *lesbienne*
λιγότερο li·gHo·tè·ro *moins*
λίμνη f lim·ni *lac*
λινό n li·no *lin • toile*
λίτρα f lit·ra *litre*
λογαριασμός m lo·gHa·ria·zmoss *note • addition • calcul*

Μ μ

μαβής ma·viss *violet*
μαγαζί n ma·gHa·zi *magasin • boutique*
μαγειρεύω ma·yi·rè·vo *cuisiner*
μαγιό n ma·yio *maillot • maillot de bain*
μαζί ma·zi *ensemble*
μαθαίνω ma·thè·no *apprendre*
μακριά ma·kri·a *loin*

μακρύς ma·kriss long
μαντήλι n ma·di·li mouchoir • foulard
μαξιλάρι n ma·ksi·la·ri oreiller
μαξιλαροθήκη f ma·ksi·la·ro·thi·ki
taie d' oreiller
μας mass nous • notre • nos
μάτι n ma·ti œil
μάτια n pl ma·tia yeux
ματς n mats jeu • match
μαυρόασπρο (φιλμ) n mav·ro·a·spro
pellicule en noir et blanc
μαύρος mav·ross noir
μαχαίρι n ma·Hè·ri couteau
μαχαιροπήρουνα n pl ma·Hè·ro·pi·rou·na
des couverts
με mè avec
με ερκοντίσιον mè èr·kon·di·ssi·on
avec air conditionné
μεγάλα φώτα αυτοκινήτου npl mè·gHa·la
fo·ta af·to·ki·ni·tou feux de route (voiture)
μεγάλος mè·gHa·loss grand • haut
μεγαλύτερος mè·gHa·li·tè·ross plus grand
μέγεθος n mè·yè·thoss taille • grandeur
μεθαύριο mè·tha·vri·o après-demain
μεθυσμένος mè·thi·zmè·noss ivre • soûl
μενού n mè·nou menu
μέσα mè·ssa dans • dedans • intérieur
μεσάνυχτα n pl mè·ssa·ni·rHta minuit
μεσημέρι n mè·ssi·mè·ri midi
μεσημεριανό φαγητό n mè·ssi·mè·ria·no
fa·yi·to déjeuner
μετά mè·ta après
μεταλλικό νερό n mè·ta·li·ko nè·ro
eau minérale
μετάξι n mè·ta·ksi soie
μετασχηματιστής m mè·ta·sHi·ma·ti·stiss
transformateur
μεταφράζω mè·ta·fra·zo traduire
μετρητά n pl mè·tri·ta argent liquide
μέχρι mè·rHri jusqu'à
μη καπνίζοντες mi kap·ni·zo·dèss
non-fumeurs
μήνας m mi·nass mois
μήνυμα n mi·ni·ma message
μητέρα f mi·tè·ra mère
μητρόπολη f mi·tro·po·li cathédrale
μηχανή f mi·rl·la·ni machine
— εισιτηρίων f i·ssi·ti·ri·on
billetterie automatique
— φαξ faks fax
μηχανικός m et f mi·rHa·ni·koss ingénieur
• mécanicien
μικρό όνομα n mi·kro o·no·ma prénom

μικρότερος mi·kro·tè·ross plus petit
μιλάω mi·la·o parler • discuter
μισό mi·sso demi • semi
μόδα f mo·dha mode
μοιράζομαι mi·ra·zo·mè se partager
μολύβι n mo·li·vi crayon
μόλυνση f mo·lin·si infection • pollution
μονό δωμάτιο n mo·no dho·ma·tio
chambre simple
μονοπάτι n mo·no·pa·ti sentier • chemin
μόνος mo·noss seul
μου mou à moi
μου αρέσει mou a·rè·ssi j'aime
μπαίνω bè·no entrer • rentrer • pénétrer
μπάνιο n ba·nio salle de bains • tollette
μπαρ n bar bar
μπαταρία f ba·ta·ri·a batterie
μπίζνες κλας bi·znèss klass classe affaire
μπλε blè bleu (couleur) a
μπλοκαρισμένος blo·ka·ri·zmè·noss
bloqué
μπλουζάκι n blou·za·ki polo • Tee-shirt
μπότα f bo·ta botte
μπουκάλι n bou·ka·li bouteille
μπουφές m bou·fèss buffet
μπροσούρα f bro·sou·ra brochure
μπύρα f bi·ra bière
μυρωδιά f mi·ro·dhia odeur
μύτη f mi·ti nez
μωρό n mo·ro bébé

Ν ν

ναι nè oui
ναρκωτικά n pl nar·ko·ti·ka stupéfiants
ναυτία f na·fti·a nausée • mal de mer
νέα n pl nè·a nouvelles • informations
νέος nè·os nouveau • jeune
νερό n nè·ro eau
νοικοκυρά ni·ko·ki·ra ménagère
• maîtresse de maison • femme au foyer
νοικοκύρης n i·ko·ki·riss maître de maison
νησί n ni·ssi île
νομικά m no·mi·ka droit (études de droit)
• profession juridique
νοσοκόμος m no·sso·ko·moss infirmier
νοσοκόμα f no·sso·ko·ma infirmière
νοσοκομειακό (166) n no·sso·ko·mi·a·ko
ambulance
νοσοκομείο n no·sso·ko·mi·o hôpital
νόστιμος no·sti·moss délicieux
• savoureux
νότος m no·toss sud

ντους n douss *douche*
νύχτα f *nirH*·ta *nuit*
νωρίς no·*riss* *tôt*

Ξ ξ

ξενοδοχείο n kse·no·dho·*Hi*·o *hôtel*
ξένη *kse*·ni *étrangère*
ξένος *kse*·noss *étranger*
ξενώνας m kse·no·nass *chambre d'hôte*
ξενώνας νεότητας m kse·no·nass
   nè·o·ti·tass *auberge de jeunesse*
ξυπνάω ksip·*na*·o (se) *réveiller*
ξυπνητήρι n ksip·ni·*ti*·ri *réveil*
ξυράφι n ksi·*ra*·fi *rasoir*
ξυρίζω ksi·*ri*·zo *raser*
ξυριστική μηχανή f ksi·ri·sti·*ki* mi·rHa·ni
   rasoir électrique

Ο ο

ο καλύτερος o ka·*li*·tè·ross *le meilleur*
ο μεγαλύτερος o mè·gha·*li*·tè·ross *le plus*
   grand
ο μικρότερος o mi·*kro*·tè·ross *le plus petit*
οδηγός m et f o·dhi·*ghoss conducteur*
   • *conductrice* • *guide (personne)*
   — **διασκέδασης** m dhia·skè·dha·ssiss
   guide de divertissement
οδηγώ o·dhi·*gHo conduire*
οδοντιατρικό νήμα f o·dho·di·a·tri·*ki* ni·ma
   fil dentaire
οδοντίατρος m et f o·dho·*di*·a·tross *dentiste*
οδοντόβουρτσα f o·dho·*do*·vour·tsa *brosse*
   à dents
οδοντόπαστα f o·dho·do·*pa*·sta *dentifrice*
οδός f o·*dhoss rue*
Οθωμανικός o·tho·ma·ni·*koss ottoman*
οικογένεια f i·ko·*yè*·ni·a *famille*
όλοι o·li *tous*
ολονυχτίς o·lo·ni·*rHtiss pendant toute*
   la nuit
ομάδα αίματος f o·*ma*·dha *è*·ma·toss
   groupe sanguin
όμορφος o·*mor*·foss *beau* • *joli*
ομοφυλόφιλος m o·mo·fi·*lo*·fi·loss
   homosexuel
όνομα n o·no·ma *nom*
οπωροπωλείο n o·po·ro·po·*li*·o
   magasin de primeurs
όριο ταχύτητας n o·ri·o ta·*Hi*·ti·tass
   limitation de vitesse
όροφος m o·ro·foss *étage*

όταν o·tan *quand* • *lorsque*
όχι o·Hi *non*

Π π

πάγος m *pa*·gHoss *glace* • *miroir*
παγωμένος pa·gHo·mè·noss *glacé*
παγωτό n pa·gHo·to *glace (à manger)*
παζάρι n pa·za·ri *foire* • *marché*
παιδί n pè·dhi *enfant* • *garçon*
παιδιά n pl pè·*dhia enfants*
παιδικό κάθισμα n pè·dhi·ko ka·thi·zma
   siège d'enfants
παιδικός σταθμός m pè·dhi·koss stath·*moss*
   garderie (d' enfants)
παλάτι n pa·*la*·ti *palais*
πάλι pa·*liss à nouveau* • *de nouveau*
παλιός pa·*lioss vieux* • *usé*
παλτό n pal·*to manteau*
πάνα f pa·na *lange* • *couche*
πανεπιστήμιο n pa·nè·pi·sti·mi·o *université*
παντελόνι n pa·dè·lo·ni *pantalon*
παντρεμένη pa·drè·mè·ni *mariée*
παντρεμένος pa·drè·mè·noss *marié*
πάνω pa·no *sur* • *en haut*
παππούς m pa·*pouss grand-père*
παπούτσι n pa·*pou*·tsi *chaussure*
πάρα πολύ pa·ra po·li *beaucoup*
παραδίδω pa·ra·*dhi*·dho *remettre* • *livrer*
παράθυρο n pa·*ra*·thi·ro *fenêtre*
παρακαλώ n pa·ra·ka·lo *s'il vous/te plaît*
   • *de rien*
παραλαβή αποσκευών f pa·ra·la·*vi*
   a·po·skè·*von réception des bagages*
παραλία f pa·ra·*li*·a *bord de mer* • *rivage*
   • *plage*
Παραμονή Πρωτοχρονιάς f pa·ra·mo·ni
   pro·to·rHro·*niass la veille du Jour de l'an*
παράπονο n pa·*ra*·po·no *plainte* • *doléance*
   • *réclamation*
παράσταση f pa·ra·sta·ssi *représentation*
παρκάρω par·*ka*·ro (se) *garer*
Πάσχα n *pas*·rHa *Pâques*
πατέρας m pa·*tè*·rass *père*
παυσίπονο n paf·si·po·no *calmant*
παχύς pa·*Hiss gros*
πάω για ψώνια pa·o yia pso·nia
   Je vais faire des courses (achats)
πεζοδρόμιο n pè·zo·*dhro*·mi·o *trottoir*
πεζοπορία f pè·zo·po·*ri*·a *marche (à pied)*
πεζοπορώ pè·zo·po·*ro marcher*
πεθερά f pè·thè·ra *belle-mère*
πεθερός m pè·thè·ros *beau-père*

DICTIONNAIRE

πεινώ pi·no *avoir faim*
πελάτης pè·*la*·tiss *client*
πελάτισσα pè·*la*·ti·ssa *cliente*
πέος n pè·oss *pénis*
περιήγηση f pè·ri·*i*·yi·si *excursion • circuit*
— με οδηγό f mè o·dhi·*gHo avec guide*
περιμένω pè·ri·mè·no *attendre*
περίπτερο n pè·*ri*·ptè·ro *kiosque*
περισσότερος pè·ri·*sso*·tè·ross *plus de*
· *plus nombreux*
περπατάω pèr·pa·*ta*·o *marcher*
πετάω pè·*ta*·o *voler • jeter • lancer*
πετρέλαιο n pè·trè·lè·o *pétrole*
πετρογκάζ n pè·tro·*gaz gaz (butane)*
πετσέτα f pè·*tsè*·ta *serviette*
πετσετάκι n pè·tsè·*ta*·ki *serviette de table*
— υγείας *serviette hygiénique*
πηγαίνω pi·yè·no *aller*
πιάτο n *pia*·to *plat • assiette*
πικρός pi·kross *amer*
πίνακας m *pi*·na·kass *tableau*
πινακοθήκη f pi·na·ko·*thi*·ki *pinacothèque*
πίνω *pi*·no *boire*
πιπίλα f pi·*pi*·la *tétine*
πιρούνι n pi·*rou*·ni *fourchette*
πισίνα f pi·*ssi*·na *piscine*
πίστωση f pi·sto·ssi *crédit*
πιστωτική κάρτα f pi·sto·ti·*ki kar*·ta *carte de crédit*
πλατεία f pla·*ti*·a *place*
πλάτη f *pla*·ti *dos*
πλένω plè·no *laver*
πληγή f pli·*yi plaie • blessure*
πληγωμένος pli·*gHo*·mè·noss *blessé* a
πληροφορία f pli·ro·fo·*ri*·a *information*
πληροφορική f pli·ro·fo·ri·*ki informatique*
πληρωμή f pli·ro·*mi paiement*
πλυντήριο n pli·*di*·ri·o *machine à laver*
ποδήλατο n po·*dhi*·la·to *bicyclette • vélo*
πόδι n *po*·dhi *pied*
ποδόσφαιρο n po·*dho*·sfè·ro *football*
ποιος pioss *qui • quel • lequel*
πόλη f *po*·li *cité • ville*
πολυτέλεια f po·li·*tè*·li·a *luxe*
πολύτιμος po·*li*·ti·moss *précieux*
πονόδοντος m po·*no*·dho·doss *mal de dent*
πονοκέφαλος m po·no·*kè*·fa·loss *mal de tête*
πόνος m po·noss *douleur • souffrance*
πόρνη f por·ni *prostituée*
πορτοκαλής por·to·ka·*liss orange (couleur)*
πορτοφόλι n por·to·fo·li *portefeuille*
· *porte-monnaie*

ποτάμι n po·*ta*·mi *rivière*
ποτήρι n po·*ti*·ri *verre*
ποτό n po·to *boisson*
πού pou *où*
πουκάμισο n pou·*ka*·mi·sso *chemise*
πουλόβερ n pou·lo·ver *pull-over*
πούρο n pou·ro *cigare*
πράσινος *pra*·ssi·noss *vert*
πρατήριο βενζίνας n pra·*ti*·ri·o vèn·zi·nass *station-service*
πρεσβεία f prèz·*vi*·a *ambassade*
πριν prin *avant*
πρόγευμα n pro·yè·vma *petit déjeuner*
πρόγραμμα n *pro*·ghra·ma *programme*
προηγούμενος pro·i·*gHou*·mè·noss *précédent*
προκαταβολή f pro·ka·ta·vo·*li avance*
· *accompte*
προμήθεια f pro·*mi*·thi·a *commission*
· *approvisionnement*
προμήθειες φαγητού f pl pro·*mi*·thi·èss fa·yi·*tou approvisionnement en vivres*
προξενείο n pro·ksè·*ni*·o *consulat*
προορισμός m pro·o·ri·*zmoss destination*
προσαύξηση τιμής f pro·*saf*·ksi·ssi ti·*miss augmentation*
πρόστιμο n pro·sti·mo *amende*
προσωπική επιταγή f pro·sso·pi·*ki* è·pi·ta·*yi chèque*
πρόσωπο n pro·*sso*·po *visage • personne*
προϋπολογισμός m pro·i·po·lo·yi·*zmoss budget • devis*
προφυλακτικό n pro·fi·la·kti·*ko préservatif*
προχθές pro·*rHtèss avant-hier*
πρωί n pro·*i matin*
πρωινό n pro·i·*no petit déjeuner*
πρώτη θέση f pro·ti thè·ssi *première classe*
Πρωτοχρονιά f pro·to·rHro·*nia Jour de l'an • Nouvel An*
πτήση f pti·ssi *vol*
πυρετός m pi·rè·toss *fièvre*

P ρ

ράδιο n *ra*·dhi·o *poste de radio*
ραντεβού n ra·dè·*vou rendez-vous*
ράφτης m raf·tiss *tailleur • couturier*
ράφτρα f raf·tra *couturière*
ρεσεψιόν f rè·sè·*psion réception*
ρέστα n pl rè·sta *monnaie*
ρεύμα n rèv·ma *courant (électrique)*
ροζ roz *rose*
ρούχα n pl rou·rHa *vêtements*

Σ σ

Σαββατοκύριακο n sa·va·to·*ki*·ria·ko week-end • fin de semaine
σακίδιο n sa·*ki*·dhi·o sac à dos
σάκος m sa·koss sac
σαμπάνια f sa·ba·nia champagne
σαπούνι n sa·*pou*·ni savon
σε sè dans • à • sur • en
σεισμός m si·zmoss séisme
σελφ σέρβις n sèlf sèr·viss self-service
σεμινάριο n sè·mi·*na*·ri·o séminaire
σεντόνι n sè·*do*·ni drap
σεντόνια n pl sè·*do*·nia draps
σερβιτόρα f sèr·vi·*to*·ra serveuse
σεξ n sèks sexe
σεφ m sèf chef
σημειωματάριο n si·mi·o·ma·*ta*·ri·o bloc-notes
σήμερα si·mè·ra aujourd'hui
σι ντι n si di CD
σι ντι ρομ n si di rom CD-ROM
σίδερο n *si*·dhè·ro fer à repasser
σιδηροδρομικός σταθμός m si·dhi·ro·dhro·mi·koss stath·moss gare ferroviaire
σκάλα f *ska*·la escalier • échelle
σκιά f ski·*a* ombre
σκληρός skli·ross dur
σκοτεινός sko·ti·noss sombre
σκουλαρίκια n pl skou·la·*ri*·kia boucles d'oreilles
σκουπιδοτενεκές m skou·pi·dho·tè·nè·*kèss* poubelle (récipient)
σκούρος skou·ross foncé (couleur)
σκυλί n ski·*li* chien
σλάιντ n sla·id diapositive
σοκολάτα f so·ko·*la*·ta chocolat
σορτς n sorts short
σουβενίρ n sou·vè·*nir* souvenir
σουγιάς m sou·*yiass* canif
σουτιέν n sou·ti·èn soutien-gorge
σπασμένος spa·zmè·noss brisé
σπίρτα n pl *spir*·ta allumettes
σπίτι n *spi*·ti maison
σπουδαίος spou·*dhè*·oss important
σπουδαστής m spou·dha·*stiss* étudiant
σπουδάστρια f spou·dha·stri·a étudiante
σπρέι n sprè·i spray
σταθμός m stath·moss station • gare
— **λεωφορείου** m stath·moss lè·o·fo·*ri*·ou gare routière

— **μετρό** n stath·moss mè·*tro* station de métro
— **τρένου** m stath·moss trè·nou gare ferroviaire
στάση f *sta*·ssi arrêt • station
— **λεωφορείου** f lè·o·fo·*ri*·ou arrêt d'autobus
— **ταξί** f ta·ksi station de taxis
σταχτοθήκη f starH·to·*thi*·ki cendrier
στενγός stègH·noss sec
στήθος n *sti*·thoss poitrine
στην ώρα stin *o*·ra à l'heure
στόμα n *sto*·ma bouche
στομάχι n sto·*ma*·Hi estomac
στομαχόπονος m sto·ma·*rHo*·po·noss douleur d'estomac
στραμπούλισμα n stra·*bou*·li·zma entorse
στρώμα n *stro*·ma matelas
στυλό n sti·*lo* stylo
σύζυγος m et f *si*·zi·gHoss époux • épouse • conjoint(e)
συμπεριλαμβανομένου si·bè·ri·lam·va·no·mè·nou inclus
συνάδελφος m si·*na*·dhèl·foss collègue
συναδέλφισσα f si·na·dhèl·fi·ssa collègue
συνάλλαγμα n si·*na*·lagH·ma change • devise
σύνδεσμος m *sin*·dhèz·moss liaison
συνέδριο n si·*nè*·dhri·o congrès • colloque
συνεισφέρω v si·ni·sfè·ro contribuer
συνιστώ v si·ni·sto recommander
σύνορο n *si*·no·ro frontière
συνταγή f si·da·*yi* ordonnance • recette
σύνταξη f *si*·da·ksi retraite
συνταξιούχα si·da·ksi·ou·rHa retraitée
συνταξιούχος si·da·ksi·ou·rHoss retraité
σύντομα *si*·do·ma bientôt • prochainement
συντροφιά f si·dro·fia compagnie (amicale)
σύντροφος m *si*·dro·foss compagnon
συντρόφισσα si·dro·fi·ssa compagne
συστημένο si·sti·mè·no (en) recommandé
σωσίβιο n so·*ssi*·vi·o gilet • bouée de sauvetage

Τ τ

ταμείο n ta·*mi*·o caisse
ταμίας m et f ta·*mi*·ass caissier
ταμπόν n ta·*bon* tampon
ταξίδι n ta·*ksi*·dhi voyage
— **εργασίας** n èr·gHa·*ssi*·ass voyage d'affaires

— **του μήνα του μέλιτος** n tou mi·na tou mèll·toss *voyage de noces*

— **με ωτοστόπ** ta·ksi·dhi mè o·to·*stop* *voyage en auto-stop*

ταξιδιωτική επιταγή f ta·ksi·dhi·o·ti·ki è·pi·ta·*yi chèque de voyages*

ταξιδιωτικό γραφείο n ta·ksi·dhi·o·ti·ko gHra·fi·o *agence de voyage*

ταυτότητα f taf·to·ti·ta *carte d'identité*

ταχυδρομείο n ta·Hi·dhro·mi·o *bureau de poste*

ταχυδρομικό κουτί n ta·Hi·dhro·mi·ko kou·*ti boîte aux lettres*

ταχυδρομικός τομέας m ta·Hi·dhro·mi·koss to·me·ass *code postal*

ταχυδρομώ ta·Hi·dhro·mo *poster* • *expédier*

ταχύτητα φιλμ f ta·Hi·ti·ta film *sensibilité d'une pellicule photographique*

τελεφερίκ n tè·lè·fè·*rik téléphérique*

τέλος n tè·loss *fin*

τελωνείο n tè·lo·ni·o *douane*

τένις n tè·niss *tennis*

τέχνη f tèrH·ni *art* • *métier*

τηγάνι n ti·gHa·ni *poêle à frire*

τηγανίζω ti·gha·ni·zo *frire*

τηλεγράφημα n ti·lè·gHra·fi·ma *télégramme*

τηλεόραση f ti·lè·o·ra·ssi *télévision* • *TV*

τηλεφωνικός θάλαμος m ti·lè·fo·ni·koss tha·la·moss *cabine téléphonique*

τηλεφωνικός κατάλογος m ti·lè·fo·ni·koss ka·ta·lo·gHoss *annuaire téléphonique*

τηλέφωνο n ti·lè·fo·no *téléphone*

τηλεφωνώ ti·lè·fo·no *téléphoner*

τιμή f ti·mi *prix*

— **εισόδου** m i·sso·dhou *prix d'entrée*

— **συναλλάγματος** f si·na·lagH·ma·toss *taux de change* • *cours du change*

τίποτε ti·po·tè *rien*

τίτλος κατόχου αυτοκινήτου m tI·tloss ka·to·rHou af·to·kI·nI·tou *titulaire d'une carte grise*

το πιο κοντινό to pio ko·di·no *le plus près*

τοπικός to·pi·koss *local* a

τοστ n tost *toast* • *croque-monsieur*

τοστιέρα f to·stiè·ra *grille-pain*

τουαλέτα f tou·a·lè·ta *toilette*

τουριστική θέση f tou·ri·sti·ki thè·ssi *classe touriste* • *classe économique*

τουριστικό γραφείο n tou·ri·sti·ko gHra·fi·o *agence de tourisme*

τουριστικός οδηγός m tou·ri·sti·koss o·dhi·ghoss *guide touristique*

τράπεζα f tra·pè·za *banque*

τραπεζικός λογαριασμός m tra·pe·zi·koss lo·gHa·ria·zmoss *compte bancaire*

τρένο n trè·no *train*

τρόλεϋ n tro·lè·i *trolleybus*

τρώω tro·o *manger*

τσάντα f tsa·da *sac*

τσιγάρο n tsi·gha·ro *cigarette*

τσιμπιδάκι n tsi·bi·dha·ki *pince à épiler*

τσίρκο n tsir·ko *cirque*

τσιρότο n tsi·ro·to *sparadrap*

τυρί n ti·ri *fromage*

τώρα to·ra *maintenant*

Υ υ

υπεραστικό λεωφορείο n i·pè·ra·sti·ko lè·o·fo·ri·o *autocar*

υπέρβαρο φορτίο n i·pèr·va·ro for·ti·o *excédent de bagages*

υπηρεσία f i·pi·rè·ssi·a *service*

υπνοδωμάτιο n ip·no·dho·ma·ti·o *chambre à coucher*

υπόγειος i·po·yi·oss *souterrain* a

— **σιδηρόδρομος** m si·dhi·ro·dhro·moss *métro souterrain*

υποδηματοποιείο n i·po·dhi·ma·to·pi·i·o *cordonnerie*

υπότιτλοι m pl i·po·ti·tli *sous-titres*

υποχρέωση f i·po·rHrè·o·ssi *devoir* • *obligation*

Φ φ

φαγητό n fa·yi·to *nourriture* • *plat*

— **για μωρά** n yia mo·ra *nourriture pour bébés*

φαγούρα f fa·gHou·ra *démangeaison*

φάκελος m fa·kè·loss *enveloppe*

φακοί επαφής m pl ta·ki è·pa·hss *lentilles de contact*

φακός n fa·koss *lampe de poche* • *loupe* • *objectif*

φαρμακείο n far·ma·ki·o *pharmacie*

φάρμακο n far·ma·ko *médicament*

— **για το βήχα** n yia to vi·rHa *médicament pour la toux*

φαρμακοποιός far·ma·ko·pI·oss *pharmacien(ne)*

φερμουάρ n fèr·mou·ar *fermeture Éclair*

φέρι-μποτ n fè·ri bot *ferry-boat*

φέτα f fè·ta *tranche* • *lamelle*

φθινόπωρο n fthi·no·po·ro *automne*

grec/français

φιλενάδα fi·lè·*na*·dha amie • copine
φίλη fi·li amie
φιλμ n film film
φιλοδώρημα n fi·lo·dho·ri·ma pourboire
φίλος fi·loss ami • copain
φλας n flass flash
φλυτζάνι fli·*dza*·ni tasse
φόρεμα n fo·rè·ma robe
φούρνος m four·noss boulangerie
 — μικροκυμάτων m four à micro-ondes
φουσκάλα f fou·*ska*·la ampoule (pied)
φούστα f fou·sta jupe
Φ.Π.Α m fi·pi·a TVA
φρένα n pl frè·na freins
φρέσκος frè·skoss frais
φρούτα n pl frou·ta fruits
φτηνός fti·noss pas cher • bon marché
φύλαξη αποσκευών f fi·la·ksi a·po·skè·von
 consigne (bagages)
φως n foss lumière
φωτογραφία f fo·to·gra·fi·a photo
φωτογραφική μηχανή f fo·to·gHra·fi·ki
 mi·rHa·ni appareil photo
φωτογράφος m et f fo·to·*gHra*·foss
 photographe

X χ

χαλασμένος rHa·la·zmè·noss abîmé • cassé
 • en panne • avarié (nourriture)
χαλκός m rHal·koss cuivre
χαμένος rHa·mè·noss perdu
χάπι n rHa·pi pilule • cachet
χάρτης m rHar·tiss carte • plan (d'un
 pays/d'une ville)
χαρτί n rHar·ti papier
 — υγείας n i·yi·as papier hygénique
χαρτομάντηλα n pl rHar·to·*ma*·di·la
 mouchoirs en papier
χαρτονόμισμα n rHar·to·no·mi·zma billet
 de banque
χαρτοπωλείο n rHar·to·po·li·o papeterie
χαρτοφύλακας m rHar·to·fi·la·kass cartable
 • serviette
χειμώνας m Hi·mo·nass hiver

χειροποίητο Hi·ro·*pi*·i·to fait main
 • artisanal
χέρι n Hè·ri main • bras
χιλιόγραμμο n Hi·*lio*·gra·mo kilogramme
χιλιόμετρο n Hi·*lio*·mè·tro kilomètre
χιόνι n Hio·ni neige
χορεύω rHo·rè·vo dancer
χορός m rHo·ross danse
χορτοφάγος rHor·to·fa·gHoss
 végétarien(ne) a
χρήματα n pl rHri·ma·ta argent
Χριστούγεννα n pl rHri·*stou*·yè·na Noël
χρόνος m rHro·noss an • année • temps
χρυσάφι n rHri·*ssa*·fi or (métal)
χρώμα n rHro·ma couleur • peinture
χτένα f rHtè·na peigne
χτες rHtèss hier
χωρίς rHo·riss sans
χώρος m rHo·ross espace • lieu • place
 • terrain
 — για κάμπινγκ m yia ka·bing
 terrain de camping

Ψ ψ

ψαλίδι n psa·*li*·dhi ciseaux
ψάρεμα n psa·rè·ma pêche (activité)
ψηφιακός psi·fi·a·koss digital
ψηλός psi·loss haut • grand
ψιλά n pl psi·*la* monnaie
ψιχάλα f psi·*rHa*·la bruine
ψυγείο n psi·yi·o réfrigirateur
ψωμί n pso·*mi* pain
ψωνίζω pso·ni·zo faire des courses

Ω ω

ώμος m o·mos épaule
ώρα f o·ra heure
ώρες λειτουργίας f pl o·rès li·tour·*yi*·ass
 heures d'ouverture

P

Q

R

S

CATALOGUE LONELY PLANET EN FRANÇAIS

Guides de voyage

Afrique de l'Ouest
Afrique du Sud,
    Lesotho et Swaziland
Algérie
Andalousie
Argentine
Asie centrale
Australie
Bali et Lombok
Barcelone
Berlin
Bolivie
Bretagne Nord
Bretagne Sud
Brésil
Budapest et Hongrie
Bulgarie
Cambodge
Canaries
Chili et île de Pâques
Chine
Corse
Corée
Costa Rica
Côte d'Azur et arrière-pays
Crète
Croatie
Cuba
Écosse
Égypte
Équateur et îles Galápagos
Espagne, Nord et Centre
Guadeloupe et Dominique
Guatemala
Îles grecques et Athènes
Inde du Nord
Inde du Sud
Indonésie
Israël et les Territoires
    palestiniens
Islande
Italie
Japon
Jordanie
Kenya
Lacs italiens
Laos
Libye
Londres
Madagascar
Malaisie, Singapour et Brunei
Maldives
Malte
Marrakech Essaouira
    et le Haut Atlas
Maroc

Martinique, Dominique
    et Sainte-Lucie
Mexique
Myanmar (Birmanie)
Namibie
Naples et la côte amalfitaine
Népal
New York
Normandie
Norvège
Norvège, Suède,
    Danemark, Finlande
    et Îles Féroé
Nouvelle-Calédonie
Ouest américain
Ouest canadien et Ontario
Pays basque,
    France et Espagne
Pérou
Philippines
Portugal
Provence
Québec
République tchèque
    et Slovaquie
Réunion, Maurice
    et Rodrigues
Rome
Roumanie
Russie et Biélorussie
Sardaigne
Sénégal et Gambie
Sicile
Sri Lanka
Suède
Tahiti et la Polynésie française
Tanzanie
Thaïlande
Thaïlande, îles et plages
Toscane et Ombrie
Transsibérien
Tunisie
Turquie
Turquie, İstanbul,
    Côte turque et Cappadoce
Ukraine
Venezuela
Venise
Vietnam

En quelques jours

Amsterdam
Barcelone
Berlin
Bordeaux
Boston
Bruxelles, Bruges, Anvers
    et Gand

Copenhague
Cracovie
Dubaï
Dublin
Édimbourg
Florence
İstanbul
Las Vegas
Lille
Lisbonne
Londres
Lyon
Madrid
Marrakech
Marseille
Milan
Montréal et Québec
New York
Paris
Pékin
Prague
Rome
Shanghai
Singapour
Stockholm
Strasbourg
Tokyo
Toulouse
Valence
Venise
Vienne
Washington

Guides de conversation

Allemand
Anglais
Arabe marocain
Arabe égyptien
Croate
Espagnol
Espagnol latino-américain
Grec
Hindi, ourdou et bengali
Italien
Japonais
Mandarin
Polonais
Portugais et brésilien
Russe
Turc
Vietnamien

Petite conversation en

Allemand
Anglais
Espagnol
Italien